MW00785884

El zafiro
y tu ser ilimitado

Liza Colón

EDIQUID

EL ZAFIRO
y tu ser ilimitado
© Liza Colón

Editado por: Corporación Ígneo, S.A.C.
para su sello editorial Ediquid
José Olaya 169, Ofic. 504, Miraflores. Lima, Perú
Primera edición, septiembre, 2024

ISBN: 978-612-5160-60-7
Tiraje: 50 ejemplares

Hecho el Depósito Legal en la Biblioteca Nacional del Perú N° 2024-09035
Se terminó de imprimir en septiembre del 2024 en:
ALEPH IMPRESIONES SRL
Jr. Risso Nro. 580 Lince, Lima

www.grupoigneo.com
Correo electrónico: contacto@grupoigneo.com | Teléfono: +51 955 071 270
Facebook: Grupo Ígneo | X: @editorialigneo | Instagram: @grupoigneo

Colección: Nuevas Voces

Contenido

Este libro lo dedico a mis nietos y bisnietos, a quienes amo y han sido una gran bendición en mi vida.

A mi padre José Clotilde Colón, que aunque ya no está con nosotros fue un gran visionario y emprendedor, que aun con sus pocos recursos alcanzó grandes logros en la vida y nos enseñó a no rendirnos. Él me dejó un legado de honestidad e integridad que ha guiado mi vida hasta el día de hoy.

A todos los niños del mundo por su gran capacidad para creer e imaginar, que ese don se perpetúe por siempre.

A los jóvenes que tienen frente a ellos un mundo de posibilidades y el poder de soñar, que se hagan realidad sus sueños.

Y a los no tan jóvenes, que siguieron creyendo, soñando e imaginando y nunca dejaron de ser niños en sus corazones.

Reconocimientos

A mis hijos Caroliz, José Luis y Camille, y a mis queridos yernos Ramon y Dale, quienes siempre me animan y apoyan en todo. ¡Los amo! ¡Gracias!

A Belkis Lozano, a quien debo la corrección de este libro. En el poco tiempo que la conozco se ha ganado mi aprecio y admiración.

A Gisela Cruz, una persona excepcional que ha sido de gran ayuda.

Y no podía faltar mi agradecimiento al Autor y Creador de mi vida. Él siempre es mi apoyo, fortaleza e inspiración.

¡Gracias! ¡Gracias! ¡Gracias!

Prólogo

En los linderos de Sonar vivía Lazuli, quien fue criada por su gran amigo y mentor, Ru. Ella ha florecido en un mundo de posibilidades ilimitadas, donde vibra en la misma frecuencia que la naturaleza, comprendiendo las inquietudes de cada criatura. Lazuli es la armonía personificada, un ser en constante fluir con la serenidad de su interior.

Entretanto, en el planeta Sonar, la princesa Natalia vive una realidad diametralmente opuesta. Heredera única al trono, se encuentra atrapada en las obligaciones y responsabilidades de la realeza, prisionera de su propia suerte. Su única fuente de consuelo es su amigo y primo, Yeidan, un joven de gran valentía y corazón, de acciones prudentes y sabias. Ambos comparten una sensación que su corazón alberga desde hace mucho tiempo, algo que los llama y que sienten que falta en sus vidas. Ha llegado el momento de descubrir, finalmente, la verdad

Lejos de Sonar, en un universo distante, un ser excepcional llamado Leo se prepara para una misión crucial.

Las historias de Lazuli, Natalia, Yeidan y Leo se entretejerán en un tapiz de emociones, aventuras y descubrimientos. Juntos se embarcarán en un viaje que los desafiará a enfrentar sus miedos, explorar sus emociones más profundas y descubrir el poder que reside en su interior. En el corazón de esta travesía, El Zafiro de Noís brillará con intensidad, recordándoles que la verdadera fuerza reside en la conexión con la esencia, la intuición y el ser divino que habita dentro de cada uno de nosotros.

Las siguientes líneas nos harán recordar que la verdadera aventura reside en el camino que recorremos, no en el destino final.

El Zafiro de Noís te espera. ¿Estás listo para responder a su llamado?

Belkis Lozano

Introducción

En esta historia, como en muchas otras que tal vez ya hayas leído o escuchado anteriormente, encontrarás princesas, castillos, reyes y romance. No encontrarás los trillados dragones ni a las víctimas que tienen que ser rescatadas de sus garras, esos animales ya han sido destruidos en las otras leyendas y las princesas se pueden defender solas. No obstante, en este relato te hablo de héroes anónimos. Ellos son seres comunes que encontramos diariamente en nuestras vidas, pero que no son reconocidos; seres que dejan huellas y hacen cambios en la historia mientras van de paso por ella. Para el propósito de esta narrativa los llamaremos miranos.

Lamentablemente, los villanos no podían faltar en este relato porque ellos se encuentran en todos los lugares, incluso dentro de nosotros mismos. Por tanto, prepárate para encaminarte en una jornada donde tú mismo eres el protagonista y quién sabe si tal vez tú también encuentres un tesoro. Pero ten cuidado, porque tú mismo puedes ser el villano que daña o el héroe que emancipa la vida de muchos, incluyendo la tuya. Esto es si te propones a excavar los secretos que están escondidos en las minas profundas e inexploradas de tu propio corazón.

Esta historia ocurrió en un planeta de otra galaxia que enfrentaba problemas y situaciones muy similares a los que vivimos en la Tierra, así que cualquier parecido con nuestras vivencias es pura coincidencia. Con el permiso de ellos, me atreví a escribirla en estas páginas, pues, me pareció que podría arrojar luz a los dilemas que nos encontramos en nuestro diario vivir. También se me concedió el honor tener de la exclusividad de conocer el idioma de los miranos y traducirlo al idioma terrestre. Sé que necesitarán de bastante imaginación para poder creerme, pero eso no me preocupa, activar vuestra imaginación es uno de los propósitos de esta obra.

Antes del origen de esta historia, estuve combatiendo lo que parecían los síntomas de influenza por un tiempo prolongado. Fue en el punto más crítico y cuando más débil me sentía que comencé a ver lo que parecía ser una película tridimensional con personajes en vivo. En espíritu fui llevada a un planeta desconocido. Subí por las montañas, atravesé los ríos y viajé por los valles de aquel lugar. Poco a poco fui conociendo su gente, a los miranos, y su problemática. Cuando llegó el momento apropiado, entendí que era necesario escribir aquella historia que se me había mostrado. De más está decir que me sané de manera milagrosa y jamás he vuelto a experimentar aquellos síntomas.

No me fue difícil escribir el relato de este libro ya que no tuve que inventarlo, estaba escrito en aquella galaxia y yo solo transcribía. Me di cuenta que la realidad de nuestras experiencias y la magia de la imaginación pueden crear obras maestras. Así que aprovechemos todas las experiencias vividas —buenas y no tan buenas— y nunca menospreciemos el poder de la imaginación. Estos son tesoros con los que contamos y que, sin excepción alguna, todos los poseemos.

Espero que esta obra te ayude a tomar la vida un poco más en serio y, a la vez, no tan en serio. Date el lujo de creer, sobre todo en ti. Aprende a soñar y a volar, pero más que nada aprende a ser libre. Saca a los dictadores de tu vida, empezando con tus pensamientos maltratantes. Por último, quisiera decirte que hay una cámara secreta en tu corazón que te conecta con lo ilimitado. Búscala y conéctate con ella siempre que puedas, me lo agradecerás.

Deseo que estos escritos te sean de gran provecho y que descubras el secreto del caudal que hay en ti, para que todas tus interrogantes te sean contestadas y encuentres aquello que has estado buscando.

Liza Colón

Capítulo 1

El Santuario de Lazuli

En el lenguaje de los miranos, El Reflejo era una pequeña galaxia que se encontraba a millones de años luz de la Vía Láctea. Era tan pequeña y distante que desde la lejanía parecía ser la conglomeración de materia cósmica. Nadie sabía de esta misteriosa y única composición de cuerpos celestes. Sin embargo, allí, en aquel desconocido lugar, se encontraba el planeta más hermoso y brillante de todas las galaxias: Sonar.

En los linderos de Sonar, enclaustrada en un santuario sellado, vivía la joven Lazuli. Al igual que todas las jóvenes del universo, Lazuli también era hermosa y nadie había sido creado como ella.

La belleza de Lazuli no se circunscribía a los meros rasgos físicos. Su persona era despejada, valiente y decidida. Transparente como las aguas cristalinas, ella fluía en las más exquisitas virtudes. De sonrisa cautivadora y contagiosa, su ser irradiaba confianza y serenidad. Tenía ese balance único de armonía donde todo se conjugaba en calma y serenidad. Su presencia era distinguida y superaba todas las demás criaturas de Sonar. Conocía el lenguaje de las aves, la canción del viento y la danza serena de la noche. Se podía comunicar con todos los elementos de la naturaleza y todas las criaturas de la creación. De ellos aprendió a conocer los secretos de los misterios escondidos en su universo. Se decía de Lazuli que ella podía sentir el mínimo suspiro de cada ser viviente.

No obstante, el mundo de Lazuli era aislado y solitario, nunca había conocido a alguien como ella. Ella creció en un paraje lejano y misterioso, una especie de santuario enclaustrado dentro de un invisible campo magnético. En aquel lugar estaba fuera de cualquier contacto con los miranos —así se autodenominaban los seres que habitaban el planeta en honor a la Galaxia Mira—. Allí se acompañaba de la magia forestal que la rodeaba, la cual era hermosa y colorida por demás. Exóticas aves de todas las formas, diseños y colores, y la más variada vegetación se encontraban en sus linderos. Sus días eran iluminados por la lumbrera mayor del planeta llamado Soaris.

Desde su cielo nocturno, el brillar de las hermosas lunas de Sonar (Cáliz y Milca) dejaban escurrir su luz, que producía un exquisito efecto platinado que se extendía sobre el follaje de la arboleda y se escurría por entre el ramaje. Las estrellas y las luciérnagas voladoras le servían de faroles luminosos cuando las lunas no se dejaban ver en el firmamento.

A lo lejos, por entre los espacios abiertos, se apreciaba el extenso Valle de Elul. En él fluía un río de aguas refrescantes, producto de las copiosas cascadas de nieve derretida que se deslizaban por las colinas que rodeaban el lugar. En ese misterioso paraje, rodeado de montañas, valles y cascadas, se encontraba la gruta que le servía de hogar a la afortunada Lazuli.

Capítulo 2
La presencia de Ru

Protegida por Ru, su gran amigo y mentor, y por el sello hermético que guardaba el lugar, Lazuli nunca conoció el peligro, el miedo, ni el dolor. Así que lo ilimitado era su campo y el «sí se puede» su lema. Todo era posible en su mundo, no había sido moldeada por el entorno limitante del mundo exterior. Lazuli era libre como el viento y su capacidad de imaginar tan amplia como la inmensidad.

Los años de la vida y la ausencia de voces extrañas enseñaron a Lazuli a entrar en el mundo de capacidades ilimitadas. Aprendió a hablar sin palabras el lenguaje del silencio y a comunicarse desde las cámaras del corazón. Tocaba, palpaba y percibía, pero su poder de apreciar iba más allá de lo que veían sus ojos o escuchaban sus oídos. Se identificaba con cada cosa viviente a su alrededor y palpitaba en la misma frecuencia que ellas, podía conocer cada mínima inquietud que les acaecía. Todo armonizaba ininterrumpidamente en el fluir melodioso de su serenidad interior.

Lazuli era dichosa y sumamente feliz. Nunca tuvo el calor de una madre, el sostén de un padre, ni la compañía de hermanos, pero nada de eso opacó la inmensa gratitud que sentía hacia la vida. La sabiduría y los cuidados de Ru, su dedicado mentor, llenaban cada espacio de su existencia. Se sentía amada, bienvenida y favorecida, y nunca experimentó espacios de soledad, aun cuando en su interior sentía la espera de algo o de alguien.

Ru había adoptado a Lazuli desde recién nacida. Él en verdad se llamaba Viento, pero ella lo había apodado Ru por el sonido que hacía al pronunciar ciertas palabras, lo cual le resultaba muy chistoso. Lazuli adoraba a Ru. Él era su padre, su madre, su mentor y amigo, como si fuera el aliento mismo que ella respiraba. Nunca la juzgaba, criticaba o corregía. Le modelaba con su propia vida, siendo para ella el espejo donde se miraba. Todo se lo enseñaba con acciones y lo que él era; fue siempre su maestro.

Una roca cóncava le servía de techo a la joven doncella, lugar que Ru había convertido en todo un palacio, con detalles elegantes y delicados, al nivel de toda una princesa. Aquel lugar, al que ella llamaba hogar, cálido y acogedor como el regazo de una madre, la cubrió del frío, del calor y de la intrusión de visitantes no deseados. No había escasez en su interior, solo plenitud. Corría, jugaba, danzaba y guardaba la armonía en el bosque. Lazuli había acogido la vida con gratitud y satisfacción plena y la vida le remuneraba con abundancia.

Lazuli era jovial, activa e increíblemente atlética. A muy temprana edad aprendió a lanzarse de las altas cascadas del Valle de Elul. Ella nunca escuchó las palabras «no se puede», o «ten cuidado», así que su intrepidez no tenía impedimentos. Ru era el mejor maestro, desde muy pequeña la enseñó a conocer el secreto que se encerraba en su interior. Con él aprendió a escuchar la voz de la prudencia, pero también a conocer el portal de lo ilimitado en su cámara interior.

—Con sabiduría y prudencia todo se logra —le recordaba Ru—. No te olvides de controlar tus emociones, ellas son fluctuantes como aguas en movimiento. No son de confiar.

Sus sabias enseñanzas la ayudaron a experimentar una vida sin límites y a desafiar todos los obstáculos que enfrentaba.

—Vuela alto, eres libre —este era su consejo favorito siempre que la veía intimidada ante alguna circunstancia.

La música era como su respirar y el baile como el latir de su corazón. Nada detenía su creatividad. El sonido de los árboles la enseñó a cantar y el viento, con su ritmo y movimiento, la hacía bailar. Todo para ella era un campo abierto, lleno de posibilidades y de innumerables oportunidades para aprender.

En las noches, después de sus largas veladas contemplando las estrellas, solía quedarse dormida sobre la enramada de los árboles, le intrigaba mucho todo lo concerniente al firmamento, como si en él se escondiera un misterio que ella tenía que descubrir. Sentía que ella era parte de aquella bóveda estrellada y que esta también le pertenecía. Por esa razón, Ru le había hecho una especie de lecho sobre el follaje de los árboles. Desde allí tenía la privilegiada posición de observar el inmenso espacio sideral de su planeta. Ella era como una gacela ligera y como una pluma liviana que flotaba en el aire, su peso no le impedía saltar y elevarse por lo alto.

A veces le parecía que ella era tan o más grande que las estrellas, que las podía tocar y abarcar con la palma de sus manos. A ella se le antojaban como diamantes que salpicaban con su brillo de muchos colores su cielo nocturno. Soñaba que ellos estaban allí solo para ella. Pensaba que un día sería una reina sobre todos ellos y que los visitaría uno por uno. Su imaginación no tenía límites.

En otras ocasiones, Lazuli tenía el sentir de que era tan pequeña como una diminuta partícula de polvo subatómico. Podía ver cómo funcionaban las cosas desde el interior, sincronizar con la precisión de su frecuencia y conocer todo el misterio que encerraban. No entendía cómo ni por qué, solo sabía que poseía tal capacidad, tal vez porque nadie le enseñó que lo que imaginaba y pensaba era insólito o absurdo.

Lazuli no conocía su pasado. Ella era como el viento, no sabía de dónde había venido ni hacia dónde se dirigía. Por tanto, el tiempo no era un factor que afectaba su comportamiento, era libre del efecto limitante de su cautiverio. Solo vivía en el presente y no se atormentaba por el futuro. El peso y la vejez de los años no dejaban huellas a su paso sobre ella.

En las mañanas disfrutaba, en compañía de Ru, de su comida favorita y no se cansaba de comerla, no importaba cuántas veces lo hubiera hecho. La misma consistía en una fruta llamada dulzura de amor, la cual era verde por fuera pero blanca en su interior, jugosa y dulcísima por demás, que la deleitaba con su delicioso sabor. Todos en la comunidad disfrutaban de sus nutritivos componentes y los casi mágicos resultados que la fruta producía.

En ese ambiente crecía Lazuli, llena de gracia y de sabiduría, en total armonía con el entorno que la rodeaba.

Cuando nadie restringe el poder que hay en ti, el caudal es ilimitado y la fuente inagotable. Esa era la historia de la hermosa Lazuli.

Capítulo 3
La princesa Natalia

En el otro extremo del pequeño planeta Sonar vivía la princesa Natalia, quien era hija única del rey Ariel y la reina Eunice y, por consiguiente, la única heredera al trono del reino en el planeta. Natalia era activa y dinámica, con cientos de proyectos que deseaba realizar como muchos jóvenes adolescentes. Su personalidad era de sentimientos encontrados, a veces se mostraba contenta y presente, mientras que en otras se volvía ensimismada y lejana.

Durante el día, Natalia estaba sujeta a la ardua y aburrida rutina de la disciplina real. Era sometida a largas horas de aprendizaje y acondicionamientos protocolarios que la prepararían para reinar con éxito en el futuro, rutina que odiaba con todo su ser y que estaba dispuesta a intercambiar con cualquiera que deseara su puesto. Está de más decir que esto era solo un pensamiento absurdo que le pasaba por su cabecita rebelde. Detestaba vehementemente todo lo que le pareciera control o la imposición de pensamiento, lo único que la mantenía con ánimos eran sus sueños de volar lejos de allí algún día.

Yeidan, hijo adoptivo de su tío Eneva, era su único amigo de la infancia y también su vecino y pariente. Él era diestro e intrépido, siempre tenía un descubrimiento nuevo que compartir con su amiga Natalia. A ella le fascinaba pasar tiempo con su aventurero y extrovertido amigo. Reía y se divertía mucho con él, además de ser la gran admiradora que celebraba todos sus nuevos inventos. Esto ocurría, por supuesto, a escondidas de sus padres, cuando lograban darse sus escapaditas en las noches mientras todos dormían.

Con él había aprendido todos los adiestramientos que no le eran permitidos practicar por ser mujer y heredera al trono. Se adiestró en la cacería de animales, en las artes marciales y en el dominio y manejo de la espada, además de un sinnúmero de otras destrezas deportivas. Todo esto, por supuesto, al estilo conocido de Sonar. Natalia era muy hábil, aprendía fácilmente y con poco esfuerzo. Su destreza natural la hacía sobresalir con creces en todo lo que se proponía.

Sin embargo, a Natalia siempre la opacaba un sentimiento de soledad, emoción que no alcanzaba a comprender y que muchas veces la afligía cuando menos lo deseaba.

—¿De dónde sale esta sombra que me persigue? —se preguntaba. Ella no podía determinar exactamente de qué se trataba aquel sentimiento que atormentaba su corazón. Tenía todo lo que cualquier persona podía desear, riquezas, juventud, belleza y la admiración de todos los que la conocían. Había nacido en cuna de oro y le estaba destinado la posición más alta del planeta: ser la reina de Sonar. Entonces, ¿por qué este vacío y esta sensación de insatisfacción?

Muchas noches la asaltaban los desafiantes pensamientos que se debatían entre las contradicciones de su corazón, un mar de emociones que la asediaban como fantasmas en la oscuridad. Era como si su mente y su corazón no se pusieran de acuerdo. Muchas veces se le iba el sueño, especialmente cuando no se daba sus furtivas escapadas con su primo Yeidan. Permanecía despierta hasta muy de madrugada tratando de descifrar la incógnita de su vida.

Su buen amigo Yeidan siempre sabía cómo hacerla reír y olvidar aquellos pensamientos confusos, él era un buen conversador y tenía la paciencia para escucharla. La animaba todo el tiempo y la escuchaba con atención, sin interrumpirla ni juzgarla. Esto era un gran alivio para ella, quien parecía no tener reposo y tampoco muchas personas donde refugiarse. Se sentía muy afortunada de poder contar con su compañía.

Capítulo 4
Entre sueños y lágrimas

Natalia había nacido para reinar y para regir con autoridad. Ella no escogió su destino, este la escogió a ella, uno con el cual no estaba muy complacida. Se sentía como una prisionera de su propia suerte, como si fuera un títere manejado por el designio de otros. No sabía dónde ascender para escapar de aquella suerte o por dónde entrar a refugiarse, parecía que todas las paredes eran de hierro y que las puertas no tenían cerrojos de acceso. Se sentía desdichada en su propia miseria, sin vislumbrar una salida.

Hacía un tiempo, Natalia había estado teniendo un sueño recurrente que la perturbaba mucho. En su sueño o pesadilla, ella veía una especie de silueta de algo o de alguien que la llamaba, pero que permanecía en la oscuridad y no podía distinguir quién era o de qué se trataba aquel misterio. Este enigma sin descifrar la mantenía en suspenso y malhumorada. Se irritaba con facilidad y tendía a aislarse y encerrarse en su cascarón. Yeidan era el único capaz de hacerla salir de allí.

Sin embargo, ni siquiera Yeidan, quien era su gran amigo y su paño de lágrimas, podía tocar la profundidad de la inmensa necesidad que pululaba en su ambivalente corazón. A veces, incluso a él, le parecía como si a ella le hubiesen robado su propio espíritu, como si fuese una especie de contenedor sin esencia. Él también se sentía con las manos atadas y solo podía tocar la superficie de aquel complicado sentimiento. La misma Natalia hubiese empeñado todo cuanto poseía por salir de aquel desasosiego y por el placer de poder respirar el aire fresco de la emancipación.

Aparte de Yeidan, Natalia no tenía nadie a quien recurrir. Ariel, su padre, era muy amoroso y afectivo con ella, la mimaba y consentía siempre que podía. Sin embargo, él también era el rey con un programa que observar y una agenda que atender, la cual, por lo regular, estaba sobrecargada. Así que el tiempo para los mimos y abrazos no era suficiente para ella, había deberes que atender y demandas que cumplir. Por tanto, Natalia estaba ávida de atenciones y afectos. Anhelaba ser una hija normal con un hogar cálido y acogedor y recibir el cariño y la atención de su madre, pero Eunice siempre parecía ausente y era incapaz de percibir aquella necesidad básica en su hija.

Aunque Eunice, su madre, la amaba, ella era incapaz de expresárselo. Se había levantado una pared impenetrable de separación entre ambas. La falta de comunicación y de afecto recíproco las mantenía aisladas una de la otra. No sabía con certeza cuándo se interrumpió aquella relación, pero la distancia se fue acrecentando con el paso de los años hasta hacerse un abismo irreparable.

Al principio todos creían que Eunice había sufrido una crisis de depresión pasajera tras su alumbramiento, pero la situación se perpetuaba, haciéndose más latente cada vez. Ni siquiera el amor que le profesaba Ariel la pudo rescatar de aquel abismo. Paulatinamente, ella se aisló de todos hasta encerrarse en un mundo sin acceso. Pese a que había visto a los mejores médicos del reino, su condición no mostraba mejoría sino que se agudizaba cada vez más. Nadie podía saber con certeza qué era lo que le acontecía.

Natalia apenas veía a su padre y no contaba con el apoyo de su madre, así que ella le fue dando paso a la soledad y abriendo la puerta al resentimiento y la rebeldía. Un sentir de descontento la invadía y se hacía más fuerte con el pasar del tiempo. Su aislamiento e insatisfacción se fueron acentuando cada vez más y los abismos que se acrecentaban iban tomando formas definidas.

—Cuantas personas viven en soledad —se decía a sí misma—. Vivimos en un mundo de solitarios. No hemos aprendido el arte de la empatía y tampoco estamos dispuestos a ofrecer compañía.

Muchas veces también meditaba en una máxima que había escuchado se recitaba en otra galaxia: «Busqué quien me acompañara y estuviera conmigo en mi necesidad, pero no lo hallé. No encontré quien fuera mi apoyo en la lucha, así que luché solo y se fortaleció mi brazo para sostenerme. Obtuve solo la victoria, pues no encontré ayudadores». Ella se sentía luchando sola contra sus sentimientos que, como gigantes, la acechaban. No encontraba quien estuviera con firmeza a su lado para ayudarla.

La victoria es más festiva en compañía y más abarcadora cuando se logra con otros, se consolaba pensando.

Ella pensaba mucho en su amigo Yeidan. Él también estaba muy solo y, hasta cierto punto, al igual que ella, tenía las manos atadas.

—¿En qué nos hemos convertido? En cápsulas selladas que son regadas por la lluvia del egoísmo y saturadas por el recelo de la sospecha. ¡Somos muchas unidades de hierro frías e incapaces de sentir! ¿Cómo puedo ser compañera y cargar a otros en el carruaje de mi paciencia, si ni siquiera tengo el combustible de la perseverancia? ¿Dónde están los oídos que escuchan, los hombros que sostienen y el brazo que levanta? ¿Con quién lloro mi dolor o celebro mi alegría? —Todo eran preguntas en el mundo de Natalia, pero escaseaban las respuestas.

Capítulo 5

Hermanos

Ariel era un hombre íntegro, de valores elevados y de fundamento sólido, gobernaba con justicia y equidad a su planeta y trataba a todos con respeto y dignidad. Por consiguiente, gozaba del cariño y la aprobación de todos los miranos. Había heredado el derecho al trono por ser hijo primogénito en su familia que se componía de él y de su hermano menor, Elisán. El reino se había perpetuado de manera pacífica por muchas generaciones en su familia y se aceptaba como norma que el hijo mayor fuera el sucesor al trono. Su reino se mantenía sólido, aunque había sufrido algunas desavenencias en el trayecto de la historia.

Sonar, que en el lenguaje de los miranos quería decir «el sonido que trasciende» debido a la música que emitía en su rotación, era un planeta especial. Estaba cubierto por una atmósfera de luz, agua y viento que le servía de campo de protección contra cualquier agente intruso que tratara de perpetrar en su sistema.

Su historia, la cual era digna de emular, se remontaba a miles de años. A través de los siglos, la armonía había prevalecido en Sonar y la justicia imperaba en todas las direcciones, nunca se habían suscitado guerras o rumores de ellas en el planeta. La palabra discordia, envidia o competencia no existía en su vocabulario. Cada uno sabía cuál era su rol en la comunidad y funcionaban en acorde con el mismo. Los miranos, que eran seres satisfechos y felices, consideraban un privilegio la porción que les tocaba. No se ponía en tela de juicio quién sería el sucesor al trono, ello era un designio automático y por consenso general.

Más, un nefasto día, la maldad entró en el corazón de un mirano. Fue un día gris donde no hubo mañana ni tarde, todo pasó de manera sutil y nadie se percató del evento que acababa de ocurrir.

Eneva, que para ese entonces se llamaba Elisán, era el hermano menor del rey Ariel. De niños, Elisán y Ariel, crecieron muy unidos y con afinidades insuperables, eran los mejores hermanos y amigos en todo el planeta. Realizaban y compartían todo, juntos. No había secretos entre ellos, pues no tenían nada que esconder. La admiración de Elisán hacia su hermano Ariel era inmensurable. Ariel era su héroe y, ante sus ojos, altamente superior y perfecto.

Elisán siempre supo que estaría disponible como el aval de su hermano para cuanto necesitara. Esto le producía gran satisfacción mientras crecía. Fue un niño feliz que vivía en avenencia con su destino y nunca vislumbró otro futuro para él. Sin embargo, un día se rompió la hermosa armonía que hasta ese momento había existido entre los dos hermanos, suceso que no solo trastocó el estilo de vida de la familia real sino la de todos los habitantes del planeta.

Todo sucedió cuando Ariel conoció a Eunice, la mujer más hermosa que había visto en su vida. Ella había venido de los campos que rodeaban la ciudad de Nun, donde se encontraba el centro de mando de Sonar y la residencia del rey. Se decía que en el Valle de las Flores, lugar de procedencia de Eunice, estaban las mujeres más bellas del planeta. En su caminar, ella parecía a una gacela que apenas tocaba la tierra. Su piel era tersa y delicada como los pétalos de gardenia. Su luz se irradiaba a cada paso como si fuera una estrella que se había dignado a pisar el suelo de Sonar. Ariel quedó sin aliento ante su belleza al verla por primera vez.

Su amistad comenzó de inmediato y de ahí el cortejo y las futuras nupcias. Todo fue tan repentino que no dio tiempo a los que le rodeaban a procesar el acontecimiento. Elisán no podía salir de su desconcierto. De pronto se encontró desplazado y relegado a un segundo lugar. Hasta cierto punto, se sintió traicionado y rechazado por su hermano. No se explicaba por qué no fue incluido en el proceso, pues siempre había sido parte de la coordinación y la toma de decisiones en todos los asuntos importantes de la vida de su hermano.

—¿Cómo es que ahora no fui incluido? —se preguntaba. En su mente, los pensamientos giraban como la sacudida de un violento torbellino, un tornado que arremetía con inclemencia y para el cual no estaba preparado. El resentimiento se fue incrementando en su interior y el descontento terminó por romper los enlaces que los unían de manera abrupta y repentina.

Un sentimiento desconocido para él comenzó a pulular en su corazón. De pronto una pequeña y extraña semilla se sembró en sus sentimientos, la cual fue alimentada paulatinamente hasta arraigarse con raíces fuertes y profundas en su corazón.

Por su parte, Ariel no se dio por enterado de lo que sucedía en el interior de su hermano, todo pasó inadvertidamente. Estaba deslumbrado por aquella mujer que ahora llenaba todo el espacio de su mundo, su nueva vida no dejaba sitio para un tercero. Estaba tan feliz y satisfecho con las nuevas emociones y acontecimientos que pasó por alto el sentir de los demás, sobre todo fue insensible a la necesidad de su hermano. Para Elisán, que así se llamaba Eneva antes de adoptar dicho seudónimo, la situación había tomado un giro inesperado.

Elisán guardó sus emociones dentro de él, sin dejar saber a nadie lo que había comenzado a tomar forma en su interior. Engulló su orgullo y el encono de su dolor e hizo como si nada estuviera pasando. Todo estaba bien, en apariencias, aunque en su interior hubiera un volcán en ebullición.

Elisán no imaginaba la gravedad del sentimiento que había comenzado a incubarse en su corazón. No tenía idea de la magnitud en que aquel veneno afectaría el ambiente y cómo socavaría los cimientos de su propia existencia y la del planeta. El campo atmosférico de Sonar comenzó a debilitarse y un funesto augurio se vislumbró en su futuro. Una grieta irreparable se creó a raíz de aquella proliferación, dejando al planeta vulnerable a la intrusión de enemigos. El velo impenetrable fue rasgado y el balance de armonía se trastocó dando lugar al caos y sus efectos devastadores.

Quizás nuestros sentimientos afectan mucho más de lo que pensamos, tal vez nuestro metrón de influencia no solo afecta lo que nos rodea sino también al planeta entero y probablemente al universo mismo. ¿Será posible que seamos tan importantes y cruciales que nuestras acciones se dejan sentir en toda la creación? Al parecer no somos entidades separadas, sino parte indispensable de un total que ha sido orquestado como un concierto en sincronía armonizada. ¿Y qué sucede cuando se rompe esa armonía? ¿Cuántos sufrirán las consecuencias de mis acciones? Después de muchos años y de muchas lágrimas y sinsabores, Elisán se hacía todas estas preguntas en su jornada hacia el Monte de Noís.

Capítulo 6
La alianza

Próximo a Sonar se encontraba el planeta Tenessa, el lugar más frío y tenebroso de la galaxia. Muy poca vegetación crecía en él y el aire era pesado y tóxico. Se le consideraba más bien como una especie de prisión intergaláctica en la que se exiliaban a los seres no deseados. Noser, un tirano y despiadado dictador que había sido exiliado a aquel lugar, tenía sus ojos puestos Sonar. Sabía que era el planeta más codiciado de todos y se había propuesto conquistarlo, ya que no solo era hermoso por su brillantez sino porque también poseía inescrutables riquezas, incluyendo el gran Zafiro de Noís.

Noser pertenecía al Consejo Galáctico de Mira. Para ese entonces se le conocía como Versa, por su gran habilidad de oratoria y por ser excepcionalmente versado en sus discursos. Todos admiraban y elogiaban su elocuencia y su arte de expresarse. Esto causó que cada vez más Versa se sintiera superior a sus compañeros. Tal actitud fue disgustando a Elior, el consejero mayor de la Galaxia, y eventualmente lo expulsó del Consejo.

Versa no tomó con agrado la decisión de Elior y decidió enfrentarse con él siempre que tuviera la oportunidad. Finalmente, Elior le cambió su nombre al de Noser y lo envió a Tenessa, su lugar de origen, sin permiso de salir de su planeta. En su exilio, el odio y el orgullo de Noser crecieron de manera desproporcionada y se obsesionó con la idea de poseer a Sonar. Él sabía que Elior favorecía aquel planeta y que muchas veces se paseaba por sus campos, asunto que incrementaba el deseo de Noser a desafiarlo.

Por siglos, Noser había maquinado en su mente la idea de conquistar al planeta vecino, pero su plan no había prosperado hasta el momento. Sonar estaba sellado herméticamente por el cerco impenetrable de protección. Todos sus intentos habían fracasado una y otra vez. Finalmente, el maquinador percibió la gran oportunidad que había esperado por tanto tiempo: Sonar se había vuelto vulnerable. Su campo de protección se había quebrado y el portal de acceso al mismo había comenzado a ceder. Noser puso de inmediato su plan de acción y, tomando la oportuna ocasión, decidió hacerle una visita al planeta. Su radal de intrusión le dio las coordenadas adyacentes a la vasta propiedad de Elisán.

Apertrechándose de los peores rufianes de Tenessa, Noser emprendió su viaje hacia el codiciado planeta. Su nave era rústica y maltrecha, pero los condujo a su destino. Una vez ubicado en el suelo de Sonar, comenzó por seguirle el rastro a la frecuencia de animosidad de descontento y resentimientos hallados en Elisán. Esa táctica nunca le había fallado y siempre daba en el blanco. Noser no era sabio en sí mismo, pero sí se valía de mañas que se regían por leyes que, invariablemente, siempre daban los mismos resultados.

En su ociosidad, Noser solo se dedicaba a espiar a otros planetas y a buscar los puntos débiles y vulnerables en los demás. Su táctica era atacar por la retaguardia siempre que olfateaba la ocasión. Él buscaba cada oportunidad de violar la vigilancia y escabullirse sigilosamente, como era su costumbre. Y así, sin levantar sospecha alguna, llegó a las mediaciones de Sonar.

Elisán era todo oídos antes los grandes planes y promesas que le ofrecía Noser. El gran parlanchín, que sutilmente lo adulaba enmarañándolo en su red, estaba extasiado por el éxito de su plan. Aunque Noser no ignoraba el hecho de que Elisán había sido un hombre de altos valores y gran inteligencia, sabía de sobras que el odio y la amargura nublan la razón y entenebrecen la conciencia. El corazón de Elisán ya estaba envenenado por su sed de venganza, Noser solo añadió un poco de leña al fuego que ya estaba encendido y el resto fue historia.

Aquel fue el preludio de la desventurada alianza que se suscitó entre Elisán y Noser. Más para mal que para bien, aquel día se aunaron sus fuerzas en contra del reinado de Sonar.

Decía uno de los ancianos sabios, que el corazón es como una máquina de crear: «Si piensas bien y deseas lo bueno, de eso te rodearás. Lo que absorbe el corazón es la fuerza creadora que hace tangible los deseos y los pensamientos del alma. Un abismo llama a otro abismo a la voz de sus cascadas. El buen árbol da buenos frutos, pero del árbol malo sus frutos también son malos».

Capítulo 7
El descenso

La amistad entre los nuevos aliados se fue incrementando hasta hacerse bastante sólida. Noser le cambió el nombre de Elisán y ahora le llamaba Eneva. Aquel nombre describía perfectamente la condición de su nueva personalidad. Había dejado de ser el mirano feliz y desprendido que era, para convertirse en un enigma indescifrable y misterioso. Ahora siempre estaba malhumorado y resentido. Nunca se sabía cómo iba a reaccionar ni cuál sería su próximo movimiento. Con el pasar tiempo, Elisán se encerró en su mundo hermético, volviéndose extrañamente suspicaz y un enigmático que sospechaba de todo y de todos.

Desde que traicionó la confianza de su hermano Ariel, su mundo se volvió oscuro. Ya nada le alegraba y el reposo se fue alejando de él. Eneva se hacía cada vez más ausente y enajenado de la realidad, parecía que cada día la vida le fuera robando un poco más su esencia de vivir. La palabra felicidad se borró de su diccionario y solo le quedó el odio como el combustible que lo movía. Lo único que le producía un poco de sosiego era su hijo Yeidan y su esposa Valena, solo el afecto que sentía hacia ellos lo mantenía sobreviviendo. Sus sentimientos se alimentaban de la envidia y de su obsesión por destronar al rey Ariel, y su tiempo se consumía haciendo planes para el próximo ataque contra su hermano.

Eneva le había tendido una emboscada a su hermano en un intento fallido por destronarlo, hacía muchos años atrás. Ariel, quien regresaba de un viaje de negociaciones en el extranjero, nunca sospechó del inesperado ataque para el cual no estaba preparado. Confiado, como siempre, regresaba a casa con mucho entusiasmo para estar junto con su esposa Eunice y presenciar la llegada de su primer hijo, quien estaba a punto de nacer. En su cargada agenda no había hecho previsión para un posible enfrentamiento. No había tal precedente en la historia de Sonar, así que no se suscitaba la necesidad de tomar medidas de precaución. Por fortuna, él siempre se acompañaba de un pequeño ejército por si se presentaba cualquier inconveniente.

La derrota de Eneva por parte de Ariel para ese entonces fue tan masiva que a este no le quedaron fuerzas para recuperarse por muchos años. Sin embargo, Noser había logrado con éxito su propósito de distraer a Ariel por varias horas y evitar que estuviera con Eunice en el momento de su alumbramiento, a la vez que veía cómo se incrementaba el abismo que separaba a los dos hermanos. Con mucha satisfacción, Noser vio a Eneva levantarse con más intensidad que antes para planear nuevos ataques contra Ariel. Eneva seguía empleando todas sus energías en buscar nuevas oportunidades para destruir a su hermano, mientras Noser ganaba terreno para seguir libremente con su plan sin ser descubierto.

Ariel mismo nunca se explicó cómo había triunfado sobre aquel ataque que le había tendido Eneva sin estar preparado. Solo recordaba que un ejército desconocido apareció de la nada y se añadió al suyo. Fueron ellos quienes le lograron la victoria de manera milagrosa. El ejército de Eneva era poderoso y estaba bien organizado, mientras que él, Ariel, solo contaba con un puñado de soldados. No había manera de ganar aquella batalla tan desigual por sí mismo, todo aquello era un misterio que él nunca había entendido. Parecía como si el cielo se hubiese aliado con su causa y le garantizaron una victoria que hasta el presente no se explicaba cómo había sucedido.

Después de aquel evento Ariel pudo entender que Eneva era un peligroso enemigo del que tenía que cuidarse y que no podía seguir ignorando. En su complejo vivir, Ariel no había tomado el tiempo para tratar con las desavenencias con su hermano que cada día se hacían más tangibles. Había desestimado sus amenazas, tomándolas de manera ligera. Pensaba que se trataba de un berrinche pasajero y que en cualquier momento Eneva cambiaría su estado de ánimo. Pero los años fueron pasando y las paredes de enemistad se acrecentaban, haciéndose abismales.

Ariel no sintió maldad hacia su hermano y hasta cierto punto le tenía compasión, pero comprendió la gravedad de su vertiginoso descenso. En su desvarío y delirio, Eneva parecía haber caído en una especie de abismo profundo del cual era incapaz de poder salir sin ayuda. Por supuesto, todo había sido planeado por la mente maquiavélica de Noser y Eneva era solo una víctima a la que manipulaba como una marioneta. Él tenía unos planes diferentes a los de su aliado, pero lo adulaba con sus palabras y alimentaba su deseo de venganza, incitándole a atacar. Le hacía creer que tenía en él un gran amigo quien solo quería llevarlo a cumplir sus sueños de ser el rey de Sonar.

Noser era un mentiroso en el meollo de su constitución, mentir era su arma más poderosa y efectiva. Enmascaraba sus verdaderas intenciones tras una apariencia de simpatía. Siempre tenía una carta escondida como reserva con la cual dar el jaque mate a sus víctimas cuando se le presentara la ocasión.

Con el tiempo Ariel pudo darse cuenta de la relevancia que conllevaban sus acciones. Entendió que el verdadero enemigo estaba dentro de él y no fuera. Su problema eran los velos que le impedían ver la realidad que se escondía detrás de cada decisión que tomaba. La convicción era necesaria para tener éxito en cualquier proyecto que emprendiera —pensaba— pero la excesiva autoconfianza hacía vulnerable el consejo.

—Desconocemos tanto de nosotros mismos y de los demás que ignoramos que la programación en nuestro inconsciente es el causal de una realidad velada y fraguada sobre una base de falsedad —meditaba para sí mismo.

¡Cuánto orgullo y pretensión había dentro de él! Pretendía cambiar el mundo sin saber que, para hacerlo, tenía que comenzar consigo mismo. Hasta cierto punto sentía lástima por Eneva, a la vez que ponderaba su responsabilidad por lo que estaba ocurriendo. Después de todo, Eneva era sólo una víctima de su propia terquedad, ignorante prisionero de sus sentimientos. Aun así, Ariel no podía evitar sentirse culpable por la condición delirante en la que había sucumbido su hermano.

—¡Cuántas semillas sembramos en nuestro paso por la vida sin saber la repercusión de sus resultados! Damos por sentado que las cosas sucederán de manera automática y somos propensos a asumir. Pasamos por alto los hechos frente a nuestra vista e ignoramos las consecuencias de nuestras acciones. Pero toda cosecha comienza con una siembra y con cada resultado hubo una acción intencional. Al tiempo no se le puede dar marcha atrás para enmendar el pasado, pero sí podemos aprender de los errores. Necesitaba considerar el presente para poder rediseñar su futuro —Ariel suspiró profundamente, anhelando vislumbrar un destello de luz en su apagado horizonte.

Capítulo 8
El hallazgo

Eneva estaba absolutamente seguro de que nunca podría ser el rey de Sonar, pues los miranos no lo permitirían. Aun así, Noser lo instigaba constantemente a que intentara enfrentarse a su hermano y tratara de arrebatarle el reino. Mas Eneva no estaba dispuesto a arriesgarse, pues él sabía que de intentarlo habría tenido que enfrentarse en batalla con todo el planeta. Por tanto, aquella posibilidad quedaba descartada por completo y no había razón para entretenerla en su cabeza. Sin embargo, Eneva se proponía impedir que el reinado de Ariel se perpetuara para siempre y estaba dispuesto a hacer lo que fuera necesario para lograrlo.

Minuciosamente había planeado, con la ayuda de Noser, la emboscada que coincidió con el alumbramiento de Eunice. Se propuso mantener ocupado a Ariel en una batalla improvisada, mientras Noser se desharía para siempre de la criatura una vez nacida. Ciego por el odio y sin medir las consecuencias de sus actos, Eneva estuvo dispuesto a lanzarse en aquella nefasta emboscada que tendría efectos irreparables. La amargura se hizo más marcada que antes y necesitaba equiparse mejor para poder salir airoso en un próximo enfrentamiento.

Para mayor infortunio, la vida no le dio hijos a Eneva. Ambos, tanto él como su esposa Valena, eran estériles. Esto lo hacía más desdichado aún y no podía evitar la humillación que sentía. Él amaba a Valena, la cual era una mujer hermosa y virtuosa procedente de las colinas de Onne. Mas su corazón era como un río que se había secado en su cauce, por lo tanto, él era incapaz de darle rienda suelta a la expresión de aquel amor. La estrechez en el mismo le impedía el florecer de una relación vibrante y pletórica de nuevos comienzos. Siempre vivía en un invierno frío y apagado, lleno de escasez y sinsabor. Su matrimonio fue muy afectado y Valena se sentía como una pieza de porcelana que brillaba en el exterior, pero gélida y vacía en lo profundo de su interior.

Un día, mientras Eneva se encontraba cazando en el bosque, escuchó el llanto de un niño que procedía desde los arbustos. Cuando se acercó al lugar de donde provenía el ruido, encontró a un pequeño niño envuelto en un edredón de lino bordado dentro de una especie de canasta de espartos. Eneva miró en todas las direcciones buscando divisar con sus ojos la presencia de un adulto. Luego de esperar un tiempo prudente y de no ver rastro alguno de persona, se dispuso a tomar el niño en sus brazos y llevarlo consigo. Por primera vez en mucho tiempo un hálito de esperanza le subió al corazón. Si nadie reclamaba al niño, él lo podría prohijar como propio.

—De esta manera yo también tendré heredero al trono —pensaba de camino a casa—. Contenderé por el trono y no lo cederé fácilmente a la descendencia de mi hermano —se dijo para sí con tono de victoria.

Ariel y Eunice también habían esperado muchos años antes de procrear hijos. Eneva estaba satisfecho sabiendo que su hermano tampoco tuviera prole. Sin embargo, el día que nació Natalia su mundo se derrumbó. Él trató de impedirlo a toda costa por medio de la emboscada que le había tendido para ese entonces. Pero ahora, con la aparición de este niño, por fin la fortuna lo había visitado y la vida le sonreía.

Su sobrina Natalia tendría algunos seis meses de nacida cuando Eneva encontró al pequeño. El hecho de que el niño fuera mayor y varón, le daba una gran ventaja sobre su hermano Ariel. Después de todo, nadie podía probar que este niño no era su propio hijo, pues en lo enclaustrado de su mundo, éste se mantenía como un enigma al mundo exterior y nadie se enteraba de los pormenores que se suscitaban en su vida.

Para la dicha de Eneva, nadie reclamó al misterioso niño y él se propuso hacer un duplicado de su persona en su hijo adoptivo. Lo llamó Yeidan, que en su lenguaje significaba «el primero» y también «la semilla para que penetre la luz». Desde pequeño le enseñó las artes de guerra y de cacería, quería que su hijo sobresaliera en todo y superara con creces a cualquier niño de su edad. Yeidan resultó ser un joven muy diestro y aplicado. Era sumamente inteligente y noble, aunque no poseía sangre real. Guardaba mucho respeto hacia su padre, por tanto, trataba de complacerlo y obedecerlo en todo lo que estuviera a su alcance. Estaba muy agradecido de sus padres adoptivos y no quería contrariarlos.

Por su parte, Valena acogió al niño como un refugio al que se aferró con todas sus fuerzas. Sentía que el cielo se lo había regalado. Empeñó en el niño toda su devoción y se dedicó a enseñarle las cosas que de niña había aprendido, cosas que no compartía con su esposo y siempre las había guardado para sí. Como Eneva pasaba gran parte de su tiempo fuera de la casa, le tocó a Valena la tarea principal de educar a su hijo. Con el camino libre, ella pudo inculcar sin estorbos en Yeidan los valores que forjarían su verdadero carácter.

A pesar de la enseñanza disciplinada de su padre y la amorosa dedicación de su madre, Yeidan sentía que no estaba completo y una inquietud dentro de él le impelía a buscar respuestas. Había un vacío en su vida que necesitaba llenar. Por fortuna, él había descubierto un viejo cobertizo abandonado en la propiedad de su padre. A él se escapaba Yeidan en sus horas de esparcimiento. Luego que terminaba con sus tareas y responsabilidades, allí encontraba solaz y descanso para su inquisitivo corazón.

Capítulo 9

Yeidan

Al ir creciendo, Yeidan comenzó a escaparse por las noches, además de pasar tiempo durante el día en el cobertizo del bosque. Muchas veces entrenaba de manera extenuante, como si se sintiera impulsado a hacerlo por una fuerza superior. Mientras más conocía a su padre, más disentía de su filosofía de vida. No quería heredar aquel enconoso estilo de vivir y mucho menos seguir los planes insinuados que le quería inyectar. Necesitaba sacudirse de aquel programa y para ello se preparaba, de manera inconsciente, para enfrentar a su padre si le fuera necesario. Él se resistía y peleaba contra aquel sentimiento, pero no podía evitar que la idea muchas veces revoloteara sobre su cabeza.

Yeidan veía cómo Eneva se sumía en un abismo que lo llevaba en un derrotero sin regreso, así que se propuso escoger un mejor camino para él. No quería ser una réplica de su desvarío. Evadía la idea de un futuro enfrentamiento con su padre, pero seguía preparándose como guerrero para luchar por su derecho a defender su identidad. Las enseñanzas de Valena y la influencia de LaCruci habían causado un impacto fundamental en su manera de conducirse. Eran sus principios y no los ideales de Eneva los que guiaban su camino a seguir.

LaCruci visitaba con frecuencia a su protegido Yeidan en un escondite secreto. Ella le ayudó a acondicionar el pequeño refugio y le regaló el *Libro de los poemas dorados*, conocido como *Los escritos de los sabios*. También le regaló algunos animales exóticos, los cuales Yeidan recibió con mucha gratitud y se dedicó a cuidarlos con gran entusiasmo. De vez en cuando, ella le traía un sabroso antojito desde las montañas de Nor. Nadie sabía de estos encuentros entre él y LaCruci. Aquella misteriosa mujer aparecía de la nada y se desaparecía como el viento. Yeidan le tuvo confianza desde el primer día que la conoció, le parecía noble y le producía un sentir de seguridad que no podía explicar. Así que él siempre guardó aquellos encuentros como un preciado secreto entre ellos dos. Aquel cobertizo se convirtió en su segundo hogar.

—Cada persona que se acerca a tu vida tiene un propósito —le enseñaba Valena en sus pláticas nocturnas—. Somos dimensiones que coincidimos en un tiempo y espacio dados, causando impactos en nuestra interacción unos con otros. Siempre debemos extraer lo más precioso de esos encuentros con los demás, dejando que también ellos reciban de las virtudes que poseemos. Si alguien no te añade, que no te reste. Evita todo lo que divida y sustrae. Evade esos encuentros. Cada uno de nosotros es un mundo lleno de belleza y riquezas. Necesitamos compartirlas en nuestro espacio de influencia, en el tiempo prestado que se nos ha otorgado y que se le ha extraído a la eternidad. El día de hoy nunca volverá, tenemos que aprovechar cada segundo de este para maximizar toda la abundancia que nos ofrece este presente y no desperdiciarla.

Sus palabras siempre venían como aliciente que le sanaban todo su ser y luego de ellas él se retiraba a dormir con una sonrisa en el corazón.

Capítulo 10
El rey en el campo

Era el mes de Hashira que en el idioma de los miranos significaba «el delirio del cantor», ya que todas las aves salían a dejar volar a sus pequeñuelos. Los árboles se revestían de nuevos colores y las flores brotaban sus pompones con los más variados diseños, emanando su fragancia sinigual. El rey de Niar acostumbraba pasearse por los campos de Sonar durante la hermosa temporada, viajaba desde su lejano planeta solo para escuchar la dulce melodía de su lugar favorito. Nada le satisfacía más que tomar su deseado descanso en el preciado planeta. En cada aura —el tiempo en que Sonar giraba alrededor de Soaris—, Elior descendía al lugar trayendo con él la armoniosa frecuencia de Niar, la cual enriquecía, aún más, la preciosa melodía de Sonar. Esta vez, sin embargo, fue Leo su hijo el que visitó al planeta. Elior había dejado de frecuentar Sonar después de la ruptura del campo magnético de protección.

Leo había venido con sentido de urgencia a cumplir una importante misión de parte de su padre. Aquella crucial encomienda cambiaría el destino de su vida para siempre; de su triunfo en la misión dependía, prácticamente, el destino de toda la galaxia. Ajeno a todo lo que le esperaba en aquel desconocido lugar, Leo se propuso hacer todo lo necesario para llevarla a cabo con éxito.

En su travesía por las mediaciones de la esfera de Sonar, una lluvia de meteoros y escombros rocosos les sorprendió repentinamente. La tormenta había arremetido con ímpetu contra su nave y casi la derribaba. La misma fue dando tumbos hasta que, finalmente, se detuvo sobre una inmensa planicie en el tope de una montaña del planeta. Fueron muy afortunados de no estrellarse contra la enorme roca que les quedó de frente.

Leo salió de la nave malherido y atolondrado, tenía golpes en la cabeza y en distintas partes del cuerpo. Casi pierde la vida, pues era el único tripulante de la nave que era vulnerable en aquella esfera, por su naturaleza, mirana. Los demás miembros de la tripulación eran inmortales, oriundos del planeta Niar, por lo que no se vieron afectados por los golpes. Esa noche pernoctaron en el lugar mientras esperaban que aclarara el día para continuar su marcha. Pero una vez salido Soaris, la lumbrera del planeta, pudieron darse cuenta que la nave había sufrido más daños de lo que imaginaban. Necesitarían varios días para recuperarse y poder continuar su viaje, aún no se habían enterado de que ya se encontraban en los terrenos de Sonar.

Los guardianes que acompañaban a Leo en el viaje tomaron cuidado de sus heridas hasta que estuvo totalmente recuperado. Mientras tanto, se prepararon para descansar un poco mientras se aclimataban al lugar. Después de varios días tratando de arreglar la nave, pudieron malpararla de manera que más o menos funcionara hasta que llegaran los expertos en la materia. Finalmente, en la mañana del cuarto día, se registraron las coordenadas de su ubicación en el radar de la nave. Ahora sabían con exactitud cuál era su localización. Gracias a la Providencia, habían llegado al planeta correcto.

Eventualmente, también arreglaron los diferentes sistemas de funcionamiento de la nave y pudieron comunicarse con Elior, el padre de Leo. La nave tenía un sistema de comunicación muy sofisticado y preciso, con un margen mínimo de error. La nave, de por sí era, muy adelantada, con la mejor tecnología existente. Era necesario un sistema excepcional de comunicación para poder contactarse con el consejo intergaláctico.

Un tiempo después se enteraron de que ellos no habían sido llevados allí por casualidad. Al parecer, una vez se hubieron acercado a la atmósfera del planeta, la nave fue atraída por una fuerza magnética que los llevó exactamente al lugar donde tenían que descender. También descubrieron los guardianes de Leo que, debido a su composición química, ellos podían hacerse invisibles a la vista de los miranos. Leo también descubrió que ahora podía sentir hambre, frío y otras necesidades que nunca había experimentado en el planeta Niar.

Con todos estos detalles e información, los nirianos visitantes estaban preparados para comenzar a realizar el sondeo por el planeta. Se distribuyeron entre los diferentes puntos cardinales y cada uno de ellos se dispuso a hacer su labor. Leo se quedó solo en el tope de la montaña, ya que su constitución física lo hacía más vulnerable que sus compañeros. Él no podía hacerse invisible como los demás, por tanto, necesitaba ser cauteloso. Luego de incursionar en el lugar, se dejó llevar por el radal de su corazón y siguió una senda que le pareció misteriosa, le intrigaba saber a dónde lo conduciría.

Mientras se encaminaba hacia lo desconocido, Leo embebía la espectacular gama de colores que se desplegaba en el paisaje. Los matices de las tonalidades de verdes se armonizaban a la perfección con el contraste de los cálidos rojizos que jugueteaban traviesos con los destellos de luz que hacían confundir la vista del observador. Leo perdió la noción del tiempo y la distancia, fascinado por la hermosura de la vereda. Una extraña pared invisible los despertó del embeleso haciéndole volver a la realidad.

A veces la mejor guía está dentro de nosotros. El fluir de la vida conlleva luz y la luz nunca se equivoca. La comunicación verdadera no tiene palabras audibles, se transmite de corazón a corazón y fluye como un río que vivifica todo lo que toca. Así es el lenguaje escondido en lo profundo del interior, su voz fluye en conocimiento y prudencia, trayendo sabiduría a los que le prestan su atención, como un radar sincronizado con el verdadero norte, siempre guía por la vía correcta. A Leo le parecía que escuchaba a su padre dándole consejos y, mientras meditaba en ello, se encaminaba por la senda que le dictaba su intuición.

Capítulo 11

Crecimiento

Un día inesperado, sin preámbulos o preparación para ello, Natalia se enteró que había sido dada en compromiso con el príncipe de Niar. Aparentemente, tal compromiso se había concertado pocos meses después de su nacimiento. La noticia le fue dada durante la reunión de una cena familiar. La joven permaneció en silencio por un largo rato después de saber que su destino estaba predeterminado y que ella no tenía voz en el asunto.

Aquella noticia la puso furiosa y fue la gota que desbordó la copa. Era un golpe más contra sus principios de libertad y a la ya maltrecha relación que tenía con sus padres. Necesitaba hablar con alguien para desahogarse de aquella ofensiva situación. No tenía muchos amigos cercanos y Yeidan parecía ser el único que podría entenderla en aquel momento. Sin embargo, aquella posibilidad presentaba un pequeño inconveniente, ya que la relación con su primo se había lastimado hacía unos meses atrás. Ambos estaban ofendidos el uno con el otro. Mas ella, determinada a encontrarlo, decidió engullirse su orgullo y salir en su búsqueda.

Unos meses antes, Natalia había tenido un desacuerdo bastante fuerte, tras una acalorada discusión con Yeidan. Ella le reclamó su falta de valor y firmeza ante la vida. Según ella, él no tenía las agallas suficientes para enfrentarse a su padre y dejarle saber cuándo estaba en desacuerdo con él. A Natalia le parecía que el padre de Yeidan era un caprichoso manipulador que orquestaba todo para salirse con la suya. Pero ella desconocía la verdadera historia que se suscitaba entre las dos familias.

En su desesperación, Yeidan había tratado de alejar a Natalia de su persona en un esfuerzo por protegerla de su padre. Sin entrar en mucho detalle, él trataba de explicarle lo necesario que era dejar de verse por un tiempo. Le apremiaba ganar tiempo para convencer a su padre de no comenzar una guerra en aquel momento crucial de su vida. Él estaba dispuesto a enfrentarlo si fuera necesario, pero le desventajaba el sentimiento de gratitud que tenía hacia él. Trataba de ser prudente y ponderar sus decisiones con sabiduría. La tensión bajo la que se encontraba y el no poder confesarle a Natalia la situación, colocaban a Yeidan en una complicada disyuntiva. Mediaba entre los dos bandos para mantener la paz, pero sabía que no sería por mucho tiempo. Tarde o temprano tendría que tomar la decisión de cuál bando escoger.

El asunto molestó mucho a Natalia y en un abrupto estallido de ira promulgó palabras muy ofensivas contra su amigo.

—¡Eres un cobarde que no tiene el valor suficiente para enfrentar la obstinada y absurda obsesión de tu padre! —le gritó. Lo que ella no sabía que el padre de Yeidan planeaba otro ataque contra el reino de Ariel y que este solo estaba tratando de evitarlo para salvarla. Él no podía dejarle saber a ella lo que estaba pasando por temor a perder su amistad.

Yeidan era un joven firme y caballeroso, de acciones sabias y prudentes. Sabía que su padre había llegado muy lejos con el asunto de su venganza y ya no estaba dispuesto a seguirle el juego. Las palabras de Natalia vinieron en el momento menos oportuno. Su incomprensión y falta de empatía lastimaban al joven, añadiendo combustible a su ya estresante situación.

Enojado por la intransigencia de su amiga, Yeidan le replicó:

—¿Quién habla de cobardes? ¿Acaso has olvidado que tú misma nunca te has parado firme en lo que realmente quieres? Eres presa de tu propio temor y ambivalencia, te aterra enfrentarte contigo misma y andas buscando un chivo expiatorio para sacrificar. Tú misma eres ese enemigo a quién temes enfrentar más que a nada en la vida. ¿Por qué niegas que hay un clamor dentro de ti que te grita por ser libre? ¿Por qué has acallado ese clamor durante todo este tiempo? ¿Acaso temes dejar tu zona de comodidad? Eres ese fantasma que te atormenta en tus pesadillas y con quien tendrás que pelear hasta vencerlo algún día.

Yeidan lastimó una llaga que Natalia pretendía no tener, sintió que había ultrajado la confianza que ella había depositado en él. Se valió de su vulnerabilidad para atacarla y ella no se lo podía perdonar. No aguantando más su decepción, Natalia profirió la sentencia que terminó por separarlos:

—Jamás volveré a verte —aquellas palabras se clavaron como un puñal en el corazón de Yeidan, quien trató de detenerla para disculparse, sabiendo que se había sobrepasado con sus palabras. Ella se marchó sin aceptar la disculpa y no volvió a buscarlo por los próximos meses.

Yeidan consideró muchas cosas durante esos meses de la ausencia de su amiga. Había comenzado a crecer y a pensar como un adulto. Sabía que tenía que tomar una decisión y que no podía seguir parado en un terreno neutral. Los problemas no se solucionan solos, tenemos que armarnos de valor y enfrentarlos de cara a ellos, sin seguir evadiéndolos. Reconoció que había soñado con soluciones mágicas, de esas que pasan en los cuentos de hadas y que había estado muy pasivo por miedo a la confrontación. Necesitaba tomar acción y necesitaba hacerlo ya.

Natalia tenía razón, aunque sus palabras fueron hirientes y sobre todo viniendo de ella, a quien le tenía un aprecio especial, sabía que Eneva no pararía hasta destruir con su odio las cosas que más amaba. Él no podía seguir esperando que pasara algo milagroso. Él era el milagro a pasar. El hecho de que cierre mis ojos para no ver lo que ocurre, no va a cambiar la realidad de las cosas. Determinado a hacer algo por la situación, decidió despertar del sueño de la inercia e ir a animar a otros para que se unieran a su causa.

La diferencia entre la magia y el milagro, es que la primera es una ilusión virtual y pasajera, te confunde con su delirante presteza para hacerte creer en una realidad inexistente. Cuando pasa el humo de la farsa que ella arroja, te das cuenta de su carácter efímero y temporal.

El milagro, por su parte, fluye desde tu interior y se fundamenta en la vida misma. Las cosas de la vida toman tiempo, pero al trascender se remonta a la eternidad. El valor no es mágico, se fortalece en la experiencia, pero el creer en lo que puedes lograr hace que se produzca el milagro. Hay que enfrentar al temor para poderlo desplazar pero, una vez vencido, el amor entra para fortalecerse y arraigarse en nuestro ser.

Capítulo 12

El plan

La noche estaba hermosa e invitaba a un paseo por el Valle de las Flores, en la ciudad de Nun. Arriesgada como siempre, Natalia se escabulló por los pasillos que daban a los jardines del Palacio Real, desapareciendo luego en la oscuridad de la noche. Sabía que contaba con el apoyo de su fiel e incondicional nodriza, Cora, quien siempre la ayudaba como cómplice de travesuras. Cora amaba a Natalia como si fuera su propia madre, ella la consentía y le daba los mimos que le faltaban. Sin embargo, Natalia tenía sus reservas pues no sabía cuánto le podía confiar sin que ella pusiera al tanto a sus padres.

Esa noche era diferente a otras tantas en las que ella se había escapado. En esta ocasión Natalia tenía un plan.

Durante el tiempo sin ver a Yeidan, Natalia había considerado detenidamente las cosas que le había dicho su amigo. Sabía que él le tenía un gran aprecio y que solo quería lo mejor para ella. Ahora había llegado el tiempo para crecer y tomar acción. No estaba dispuesta a seguir con los brazos cruzados esperando a que las circunstancias tomaran su propio rumbo, tenía que hacer algo para cambiar el curso de las cosas. Quejarse y buscar victimarios no le ayudaría a resolver el problema.

No sabía por dónde empezar, pero decidirse a hacer algo era en sí un comienzo. *Las puertas se abrirían mientras vayas avanzando hacia ellas*, se decía en su diálogo interior consigo misma. *No se gana una batalla que no se pelea. Prefiero morir en el intento, que morir de descontento.* Pese a que se estremecía ante la idea cada vez que lo pensaba, ella seguía avanzando, cada vez más convencida de que aquello era lo correcto por hacer.

Ella nunca había desobedecido a sus padres y mucho menos los había desafiado. Pero no podía quedarse con los brazos cruzados viendo cómo sus sueños se desvanecían en su juego caprichoso. Se indignaba cada vez que pensaba que no la consideraban una persona pensante con voluntad libre. Un mar de sentimientos se agolpaba dentro de su mente como un vertiginoso torbellino en acción: miedo, coraje, duda y la culpa que no dejaba de hacer reclamos. Más firmemente determinada, ella no se detenía, algo muy profundo en ella le decía que saldría adelante.

Un movimiento en la oscuridad la sacó de sus pensamientos de un sobresalto. Se trataba de Yeidan, que con sus pies hacía ruido sobre las hojas secas del suelo. Ella no estaba segura de que vendría, tal vez todavía seguía enojado. Pero no, allí estaba su fiel e incondicional amigo. Se confundieron en un caluroso abrazo y con lágrimas en los ojos se pidieron perdón y se perdonaron. Luego hablaron por varias horas y se pusieron al día con los últimos acontecimientos entre ambos.

—¡No puedo creer cuán lejos han llegado mis padres y cómo se han atrevido a hacerme esto! Me siento defraudada y que se me ha faltado el respeto —decía Natalia en tono de desahogo, después de haberle contado lo sucedido a su gran amigo—. Ni siquiera conozco a esa persona y lo peor es que ya se comunicó con mis padres. Tal parece que se encuentra en las inmediaciones de nuestro planeta.

Yeidan la escuchaba en silencio. La noticia también lo tomó por sorpresa. Siempre había imaginado su vida alrededor de Natalia, como si nunca fueran a crecer, le costaba pensar que sería de otra manera. No quería decir nada para no expresar sus emociones, pero un sentimiento de tristeza mezclado con celos lo invadieron.

Él sabía que no tenía derecho de pensar así, ellos eran solo amigos con muchas razones que los separaban. Ella era la hija de un rey y futura reina del planeta; él solo era el hijo adoptivo del enemigo del rey.

Ni siquiera mis padres me aceptaron, ellos me abandonaron a mi suerte desde muy pequeño. No soy más que un recogido soñando con las estrellas, debo mantenerme en mi lugar y dejar de ser iluso. ¿Quién me concedió el derecho de soñar? Tratando de alejar aquellos pensamientos de su mente, hizo ruido con su garganta para limpiarla y remover el nudo que se le había formado en ella.

—Bueno, cambiemos el tema —musitó Natalia, como si percibiera los pensamientos de su amigo—. No vine para hablar de ese asunto. Ahora tenemos cosas más importantes que atender.

—Cierto, ya se me había olvidado —replicó Yeidan, un poco más aliviado—. Me tenías en ascuas, pensé que se trataba de nuestras escapadas, que nos habían descubierto. ¿Cuál es la urgencia que te traes? Me has enviado tres mensajeros con apremio para vernos esta noche. Siempre nos hemos visto el segundo y cuarto astra (día en el lenguaje de los miranos). ¿Cuál es la prisa?

—¡Tengo un plan! —le interrumpió Natalia con voz agitada, haciendo caso omiso de sus preguntas—. Es apremiante que tomemos una decisión esta noche.

—¿Decídir qué? —preguntó Yeidan bastante perplejo y desconcertado—. No tengo idea de lo que estás hablando.

Todo saldrá bien —contestó Natalia, como si continuara hablando en un monólogo para sí misma—. He pensado las cosas con mucho cuidado durante este tiempo, he calculado todos los riesgos que podríamos encontrar. Nos iremos en la tercera astra, a la tercera vigilia.

Yeidan guardó silencio, sin interrumpirla, para no frustrarse más de lo que ya estaba. No entendía el acertijo del que ella le hablaba. Esperó a que Natalia se calmara para que le explicara con detalles los pormenores del asunto, pues estaba muy excitada.

Estuvieron varias horas hablando y analizando minuciosamente la planificación y las estrategias que usarían en su huida. Satisfechos con lo que habían planeado, se despidieron el uno del otro y cada uno se marchó a su casa.

Como siempre Cora, un poco ansiosa por la tardanza de Natalia, la esperaba a la entrada de la puerta de los sirvientes en la parte posterior del Palacio. Ya en su recámara, Cora decidió tener una conversación con la joven. Natalia se acomodó en su cama después de escucharla con gusto. Apreciaba mucho sus consejos, que siempre le parecían ser muy atinados. Volteándose hacia un lado, después de escuchar el extraño consejo de Cora, se quedó profundamente dormida. Aquel sería uno de los mejores descansos que tendría en muchas noches por venir.

—El tiempo te enseñará que en cualquier relación, ya sea de padres, amigos o compañeros, escuchar con empatía y atención será siempre una buena aliada —le decía Cora, como si conociera lo que estaba a punto de suceder—. No trates de cambiar a aquellos a los que escuchas. No los juzgues, critiques o les enseñes tus muchas maneras. Cree en ellos, en su capacidad de ver, pensar y decidir. Duplicarnos en otros no siempre funciona, dejémosle ser. Si tropiezan y caen, se levantarán, pero debemos estar ahí para apoyarlos. La vida y los golpes son muy buenos maestros —poco se imaginaba Natalia que tendría en el futuro sobradas oportunidades para poner en práctica los sabios consejos de su mentora Cora.

Capítulo 13

La niñez

Desde niño a Yeidan se le había prohibido cualquier tipo de relación con la familia del rey, quienes eran sus vecinos. No podía ver, jugar, ni conversar con cualquier miembro de esa familia. Nunca supo por qué, pues mientras crecían nadie le explicó. Ese tema era prohibido y no se tocaba en ninguna de las dos familias, él nunca preguntó la razón de ello, eso era así porque los adultos decían que así lo era y punto. Pero los niños, que no alcanzaban a entender los asuntos de los adultos y que no ven la maldad y los peligros que ellos perciben en tantas cosas, pasaron por alto aquellas barreras que se les había impuesto. Ya fuera por inocente ignorancia o sencillamente porque eran niños, ellos permanecieron ajenos a los prejuicios y limitaciones que separaban a los adultos

Así que la curiosidad y la inocencia de ellos los llevó a conocerse. Yeidan era un niño con una imaginación extraordinaria. Un día mientras él jugaba con sus armas y pretendía que cazaba animales, Natalia, que muchas veces se escondía entre los arbustos del patio para verlo jugar, le gritó desde su escondite para llamar su atención. A ella le parecía muy interesante la manera en que el alegre e ingenioso niño se divertía y se desvivía por jugar con él. Ella no conocía otros niños de su edad y la vida del palacio le parecía muy aburrida.

Él nunca se había fijado que ella venía y lo miraba desde allí. Ni siquiera sabía que tenía una niña como vecina. Ese día se acercó a la verja que los separaba y entablaron una conversación. Desde entonces se hicieron muy buenos amigos y jugaban siempre que podían. Pero nadie se enteró de su secreto y por años lo mantuvieron escondido. Valena tuvo sus sospechas, pero guardó silencio y nunca preguntó. Ella solo quería que su hijo fuera libre y tuviera la oportunidad de ser feliz.

El padre de Yeidan siempre estaba muy ocupado con sus asuntos de negocios. Bueno, al menos esa era la impresión que él pretendía infundir. La verdad era que el odio que sentía contra su hermano le ocupaba todo su tiempo y, siempre que compartía con Yeidan, no desaprovechaba la oportunidad para inyectarle su agenda de ambición y odio. Tenía la intención de prepararlo para que en el futuro se aliara con él sin resistencia.

Sin embargo, no todo era lobreguez en la vida de Yeidan pues, de vez en cuando, Eneva lo llevaba a cazar y practicar ejercicios de milicia. Eneva era el mejor guerrero del reino, nadie blandeaba la espada ni manejaba la lanza como él. Era muy diestro y apasionado en lo que hacía, pues su único entretenimiento era envolverse en sus prácticas de artes bélicas.

Por otro lado, Valena era callada. Se había vuelto reservada y asustadiza y siempre procuraba mantener la armonía en su matrimonio. Ellos se habían conocido en un festival que se celebraba cada año en el planeta. De todas las ciudades vecinas, los miranos se daban cita para venir a disfrutar de la alegre festividad, la cual era la actividad más deseada de todo Sonar. Para entonces, Eneva todavía era jovial y agradable, aún no había conocido a Noser ni se había aliado con él. Al poco tiempo de conocerse, Eneva y Valena se casaron y se acomodaron en la residencia adyacente al Palacio Real.

Valena había crecido en los campos de Onne, de las regiones montañosas de Nor. Su familia era humilde, pero muy unida y feliz. No obstante, ella sentía que no pertenecía a aquel lugar. En su espíritu aventurero e inquisitivo siempre había aspirado a mucho más para su vida y, tan pronto tuvo la oportunidad, se mudó al Valle de las Flores cerca de la ciudad Real. Allí se estableció en el Paraje de Helena y se dedicó a estudiar las ciencias y los deportes.

Los primeros años de su vida como pareja, cuando Eneva aún tenía algo de sensibilidad, su matrimonio marchaba bien en una atmosfera balanceada. Luego de la nefasta alianza con Noser, la vida de Eneva se fue apagando y también su matrimonio. Valena se dedicó a los libros y las investigaciones científicas para subsanar el vacío que sentía en su interior. Tenía vergüenza de acudir a su familia y admitir que se había equivocado. Así que cerró ese capítulo de su vida y también la relación con su familia.

Cuando Yeidan llegó a su vida, Valena se entregó por completo a su cuidado como alguien que se aferra a su última oportunidad de salvación. Su conexión con él fue inmediata, como si siempre hubiese sido parte de su vida. Aquello vino a alivianar la soledad en la que se encontraba. Se dedicó a enseñarle conocimientos generales y los deportes que su padre omitía. Ella era buena maestra, pues tenía todo el conocimiento necesario para compartírselo. Se decía que los del Paraje de Helena eran los mejores atletas que nunca perdían una competencia, también se distinguían como buenos científicos y matemáticos. Eran aquellos conocimientos, los más selectos del lugar, los que Valena le infundía a su hijo.

Después del agrietamiento de la atmósfera de Sonar, toda competencia y festividad en el lugar fue cancelada como medida de seguridad. La violencia en el planeta se había incrementado de manera drástica y era peligroso para sus ciudadanos ese tipo de asamblea. Los miranos se aislaron unos de otros y ya no era el planeta feliz y alegre que había sido hace muchos años atrás.

Sonar había sido un lugar donde cada uno creaba su propia realidad. Se hacían felices los unos a los otros, ejercitando el don de la generosidad. La bondad era la esencia del carácter de sus habitantes. Los niños crecían sin miedo y jugaban libres de preocupaciones. Lo teníamos todo, pero no sabíamos que era así. Dábamos por sentado tantas cosas y no apreciábamos lo que teníamos. Hasta que un día llegó sin invitación un personaje no deseado a nuestro mundo y perdimos aquello que ni siquiera nos dábamos cuenta de que poseíamos.

«A veces somos altamente privilegiados, pero damos por sentado que merecemos tales beneficios. La gratitud no parece estar incluida en el paquete de nuestra formación y olvidamos que el acto de apreciar añade mucho a nuestro favor. Ser agradecido es una virtud y practicarlo es un tesoro. La acción de gracias abre las puertas de la abundancia y cierra el portal de la escasez. Aunque parece una lección sencilla, aprenderla es un secreto de sabios». Desde niño, Yeidan creció atesorando las palabras que siempre le compartía LaCruci en sus añorados encuentros.

Capítulo 14
El Árbol de la Sabiduría

Se decía que en el Paraje de Helena en el Valle de las Flores, se encontraba sembrado el Árbol de la Sabiduría y que los ancianos sabios lo cuidaban. Pero hacía muchos años que el árbol había sido tomado de la vista de los miranos y nunca más se había encontrado. Nadie sabía a dónde lo habían llevado ni del misterio que le envolvía. Cuentan que los sabios que cuidaban el árbol fueron esparcidos por muchas partes y que permanecían invisibles a la vista de los miranos comunes. Desde entonces, nadie había podido ver a los misteriosos seres. Sin embargo, se cuenta que de vez en cuando ellos se dejaban ver por algunos. Estos privilegiados que tenían el honor de verlos debían ser muy puros en sus motivos y estar limpios de malos sentimientos.

Valena conocía muy bien aquellas historias que se contaban en su pueblo. De chica, sus padres hablaban acerca del árbol de la sabiduría y de los sabios que lo cuidaban. Ellos les inculcaban el deseo de encontrar el árbol y ser de los privilegiados que verían a los ancianos. Ella poseía una copia del *Libro de los poemas dorados*, pero la mantenía escondida para no contrariar a su esposo. Era de allí que ella leía muchas historias a Yeidan antes de irse a dormir. Él las escuchaba con gusto y disfrutaba mucho el atesorado tiempo que compartía con su madre. Juntos expresaban el deseo de que un día él pudiera ver a uno de esos seres tan especiales. Esta semilla fue sembrada en su corazón y allí se arraigó con raíces fuertes, llegando a ser una de las metas principales de su vida. En sus tiempos de soledad, Yeidan se complacía en meditar en ellas y alimentaba el anhelo de ver su deseo cumplido.

Yeidan casi podía ver su encuentro con uno de esos sabios ancianos y se imaginaba su conversación con ellos, tenía tantas preguntas para hacerles. Era muy poco lo que sabía sobre su familia y su pasado, pues esos temas eran intocables en su casa. Él quería conocer más sobre el Árbol de la Sabiduría y el misterio que lo encerraba. A veces tenía la sospecha de que LaCruci pudiera ser uno de ellos. Pero aquello era imposible, ella era común y esos ancianos debían ser sobrenaturales, haciendo sonar música y expeler destellos de luces estrelladas en sus apariciones.

—LaCruci definitivamente no es así. Ella habla como todos los miranos y actúa en acorde con sus costumbres —aunque a veces se preguntaba cómo era que ella aparecía de la nada y desaparecía sin dejar rastro—. Humm, ¿quién sabe?

A veces lo sobrenatural está al alcance de nuestras manos, pero hay tantos misterios que no podemos explicar de manera racional, según nosotros. Sin embargo, son los conceptos en nuestra mente los que nos dictan cómo deben ser o no las cosas y son esas mismas autoimpuestas regulaciones las que nos impiden ver la realidad que se esconde detrás de la esfera de lo invisible. Es la manera en la que fuimos programados la que nos hace creer lo que no es y rechazar lo verdadero. El programa en el que nos moldearon les ha cerrado la puerta a los sueños y ha cortado las alas a la imaginación.

Capítulo 15

La huida

Natalia se levantó desorientada aquella mañana. En un movimiento automático quedó sentada sobre su cama de manera abrupta. Estaba sobresaltada y con respiración jadeante. Otra vez tuvo el sueño que había tenido antes, con la diferencia de que esta vez era tan real que le parecía ver y tocar aquella persona de su sueño. Todavía podía escuchar audiblemente el tono de su voz. Lo que sucedió después la dejó sin aliento. Cuando se miró en el espejo de su alcoba, su piel estaba morena y sus cabellos negros. Era su cara y su cuerpo, pero tenían otro color. «¿Será que aún estoy soñando?», se preguntó tratando de calmarse.

Ella era de piel tan blanca como la luz y sus cabellos dorados como el sol. ¿Por qué ahora se veía de piel morena y sus cabellos negros? Su corazón comenzó a latir fuertemente y por un instante pensó que algo estaba mal en su cabeza. Estaba viendo alucinaciones con sus ojos abiertos. Sin embargo, al mirarse una vez más, se vio tal y como era. ¿Qué era todo aquello que estaba sucediendo? ¿Quién era la persona de sus sueños y por qué los tenía? Tal vez debería ver a un médico o quizás solo se trataba de la tensión que sentía por todo lo que planeaba hacer.

Poniendo sus pensamientos en orden y sacudiéndose de todo aquello que parecía sobrenatural y sin sentido, Natalia retomó el control de sus emociones y siguió el curso de su día. Mañana sería el gran día, el día tercero. Todo tenía que salir perfecto y estar en orden, cada detalle debía encajar según lo planeado.

Natalia era muy coordinada y siempre usaba de la lógica. No había en su vida lugar para imperfecciones, ni para dejar cabos sin atar. De esa manera había sido enseñada y así debía ser. No había espacio para las fantasías en su cabeza. Aun cuando era muy común escuchar historias de esa índole entre los miranos, para ella aquellas cosas eran irrelevantes y sin sentido y no había que darles crédito a tales tonterías.

Yeidan era más subjetivo y soñador que Natalia. A pesar de haber heredado la mente científica de su madre adoptiva —o quizás lo había aprendido— y recibido las enseñanzas de las artes de guerra por parte de su padre, él tenía el corazón tierno como un niño. En su mente había muchas preguntas y pocas respuestas. Por tanto, le era fácil acoger lo misterioso y desconocido y abrirse a lo sobrenatural. Le parecía que en ello había más sentido que en la árida realidad en la que vivía.

Su madre lo había acondicionado para ser sensible, con una mente inquisitiva y un corazón flexible a los cambios. Nada estaba escrito en tablas de acero y siempre había espacio para ser moldeado. Después de todo, ¿quién sería tan tonto como para pretender tener la verdad absoluta? Quizás algún día se contestarían todas sus preguntas, pero hasta ahora aceptaba que no sabía nada y que solo conocía verdades a medias. Sin embargo, seguiría buscando hasta encontrar lo que buscaba y no pararía mientras durara el día. Sabía que el que busca encuentra y él lo encontraría, aunque, tal vez, lo que él necesitaba era encontrarse a sí mismo.

Finalmente llegó la fecha acordada. Natalia había hecho un excelente trabajo con los preparativos para el viaje, pese a que todo se había logrado en absoluto secretismo. Estaban listos para marchar con todas las provisiones necesarias para el camino y algo de cobija para el frío de la noche. Salieron en la tercera vigilia, a la hora cero, cuando todos estaban profundamente dormidos. Avanzaron toda la noche sin parar y parte del día siguiente. Se aseguraron de no dejar huellas en el camino para que nadie les siguiera el rastro.

Yeidan conocía muchos pasajes secretos que había aprendido en los tiempos de caza con su padre. Después de pasado el meridiano, decidieron que les urgía un merecido descanso en su recorrido. No se habían detenido en muchas horas y el cansancio era evidente. Evitando ser sorprendidos innecesariamente, llegarían hasta una especie de cueva escondida en la falda de la montaña. Yeidan la había descubierto por casualidad en uno de los viajes que hacía para entrenar a sus mandoras. Allí cenarían algo, alimentarían a sus bestias y tomarían una pequeña siesta, pues no habían podido dormir entre los preparativos de última hora y la apurada salida. Luego de descansar un poco, los jóvenes retomarían su marcha por la ruta que les había indicado Ado.

Alguien dijo alguna vez que el que no es capaz de luchar por su libertad, no tiene derecho a disfrutarla. Para libertad fuimos hecho libres y no hay nada que nos emancipe más que el conocer la verdad.

Capítulo 16

Expuestos a la luz

No fue poco el alboroto que se formó al día siguiente cuando ambas familias se enteraron de lo sucedido, especialmente la de Natalia. Ellos buscaron en todos los rincones del palacio, en los lugares de venta de la ciudad, en los jardines y parques, y en todos los posibles lugares donde ella solía concurrir. Por supuesto, todo lo hicieron con suma discreción. Natalia era la heredera al trono y se hacía necesario usar la confidencialidad para protegerla de cualquier peligro. Ellos todavía no habían alertado al ejército para no levantar revuelta entre los ciudadanos. Además, tenían que proteger su reputación de cualquier escándalo.

Después de una búsqueda infructuosa, los padres de Natalia decidieron aguardar un tiempo razonable con la esperanza de que ella hubiese salido temprano a pasear por las inmediaciones del reino y que se hubiese tardado en regresar. Al menos se aferraban a esa posibilidad, aunque sabían muy bien que esa no era la costumbre de Natalia, tampoco era el protocolo del palacio. Se resistían a pensar en la posibilidad de que se tratara de un acto de rebelión.

—Eso jamás ha sucedido en el pasado y nunca le hemos dado razón para actuar de semejante manera. Ella siempre ha sido conmensurada y ha recibido la más excelente educación del reino de Sonar. Esa descabellada actitud no es aprobada por los principios en los que ella se ha fundamentado —con esa manera de pensar, se autojustificaban y rechazaban la vergonzosa e insólita idea de que su hija hubiese escapado.

Por fortuna, Cora no tenía idea de los planes de Natalia. Ella así lo planeó para mantenerla al margen y no involucrar a su querida nana. Fue Cora quien primero notó su ausencia y puso sobre aviso a los sirvientes del palacio para que alertaran a sus padres. Aunque Cora sabía mucho más de lo que todos pensaban, aquel no era el momento para revelarlo.

La madre de Yeidan se dio cuenta de la ausencia de su hijo un poco más tarde que los moradores del palacio. Al notar que este no se había presentado a su desayuno ni tampoco se encontraba en sus tareas de rutina, Valena comenzó a sospechar que algo serio le pudiera estar pasando. A ella le pareció extraña la actitud de Yeidan, pues él se distinguía por ser puntual y estructurado. Ya caída la tarde, ella comenzó a preocuparse al no verlo regresar, y decidió enviarle aviso a su esposo. Acto seguido, Eneva regresó a su hogar para averiguar sobre el paradero de su hijo. Inmediatamente comenzaron la búsqueda en los alrededores de su propiedad y en el centro del poblado.

Los padres de Natalia no estaban tan calmados como sus vecinos. Ellos sabían que tenían enemigos que no perderían la oportunidad de hacerles daño. A medida que pasaba el tiempo, su preocupación iba en aumento. Habían indagado con prudencia y nadie podía darles información concreta. Para ese entonces ninguna de las dos familias sabía que ambos hijos estaban desaparecidos. Esa noche el Rey reunió a sus soldados y servidores y se dispusieron a preparar un plan de acción. Necesitaba encontrar a Natalia antes que los adversarios del reino.

El tiempo iba pasando en el palacio, sin tener noticias de su hija. Ya la tensión había escalado a niveles muy altos y la ansiedad se hacía notoria. Muchos de la ciudad se habían añadido a la búsqueda de la joven y algunos más cercanos venían a consolar a sus padres y a tratar de ofrecerles sus consejos prácticos. Natalia era muy querida en el pueblo y todos estaban muy consternados con la noticia. Hicieron vigilia frente al palacio aquella noche e incluso muchos habían decidido salir en su búsqueda por cuenta propia.

Los padres de Natalia se encontraron expuestos ante aquella embarazosa situación pero, más que nada, les parecía que habían sido desnudados de las pretensiones y las máscaras de invulnerabilidad con las que se cubrían. Se sintieron miserables e indefensos y que habían descendido al mismo nivel de cualquier ciudadano común de Sonar. Un grito estridente que les señalaba la crasa culpabilidad de su negligencia estallaba en sus conciencias.

Eunice estaba desconsolada y sentía que el cielo le reclamaba por todos aquellos años de abandono hacia su hija. Todo su mundo se derrumbó y, por primera vez, despertó a la realidad de que tenía una hija a quien amaba. Ella era todo su mundo, pero en su egoísmo no se había dado cuenta de ello. Había relegado a otros su papel de madre por el mero hecho de que se sentía con derechos a tener su espacio personal. No había entendido hasta aquel momento de que, con la llegada de su hija, también se había creado el espacio para amarla.

Capítulo 17

La jornada a lo desconocido

Yeidan y Natalia cabalgaban en una especie de bestias llamadas mandoras. Ellas eran como gacelas ligeras, pero superaban la fuerza de los caballos y corrían más veloces que las panteras. Cuando tomaban velocidad, estos animales místicos casi podían volar. Avanzaban tres veces más rápido que el más sofisticado medio de transporte de Sonar. Astutas e inteligentes, las mandoras sabían cómo esquivar los obstáculos que se presentaban en el camino, sobre todo cuando estaban entrenadas, como lo era el caso de las mandoras de Yeidan.

En su ámbito natural, las mandoras eran animales salvajes y muy peligrosas, pero una vez domesticadas solían ser muy dóciles y de gran utilidad. Se decía que solo los ancianos sabios podían domarlas y montar sobre ellas. Sin embargo, Yeidan tenía el don de amaestrarlas con mucha destreza y parecía que había buena conexión entre él y sus bestias. ¡Tal vez Yeidan tenía el corazón de un anciano sabio!

Natalia estaba fascinada con la manera en que Yeidan se comunicaba con sus mandoras. Estas parecían tener la inteligencia para escoger el camino exacto a seguir y esquivar cualquier peligro o contratiempo. Era todo un espectáculo ver cómo ellas maniobraban con tanta elegancia. Se deslizaban por los escarpados parajes con una gracia exquisita sin inconvenientes. A ella le parecía que flotaba en el aire como si estuviera en un sueño o un cuento de fantasías.

Ya en la montaña o al menos en los bordes de ella, los jóvenes se adentraron en la espesura del bosque. Allí encontraron una cueva que parecía segura, desmontaron de sus bestias y se dispusieron a descansar. Una vez que hicieron una incursión en el lugar, se refrescaron con el agua que traían y tomaron algo de alimento. Luego, cada cual tomó una esquina y tendió su manta para descansar. Ya habían viajado muchas horas sin tomar descanso o alimento, solo se detuvieron para preguntar por dirección a diferentes personas que parecían muy confiables y que les dieron muy acertadas instrucciones.

Rendidos por el agotamiento, se quedaron profundamente dormidos sin preocupaciones. Luego de haber dormido un buen lapso, ellos sintieron que alguien les interrumpía aquel merecido descanso. Una voz calmada y suave los despertó del profundo sueño diciéndole:

—Jóvenes, deben levantarse y seguir su marcha. Si no se apuran, pronto los alcanzarán los que les buscan —un tanto desorientados, ellos se incorporaron de inmediato y se prepararon para ponerse en marcha—. Vengan, les mostraré el camino. Deben moverse toda la noche sin detenerse. Yo los alcanzaré luego, pero por ahora debo distraer a sus perseguidores, me refiero a los guardianes del rey —replicó el anciano sin hacer preguntas o dar explicaciones.

Los jóvenes confiaron en el anciano y obedecieron sus instrucciones, sin cuestionar sobre quién era o cuáles eran sus motivos para decirles lo que debían hacer. Él les inspiraba confianza y parecía alguien que los podía ayudar. Después de todo, ellos no tenían muchas opciones para escoger, cualquier ayuda sería más que bienvenida. Ellos no tenían idea de qué camino debían tomar, o cuál sería el próximo paso, ni siquiera sabían por qué hacían lo que estaban haciendo. Solo tenían una imperante necesidad que les apremiaba a encontrar respuestas y los impulsaba a lanzarse en aquella descabellada aventura. Era como si en ello se les fuera la vida. Tal parecía que aquello era lo único que se vislumbrara en el horizonte y que conllevaba el cumplimiento de un destino del cual no podían escapar. Percibían que aquel era el momento crucial para hacerlo y no querían perder aquella oportunidad que tal vez no volvería a repetirse en sus vidas.

—La vida es una aventura en la que nos embarcamos para bien o para mal. Con entendimiento y sabiduría podremos distinguir entre aquellas cosas en las que vale la pena invertir o las que son puro capricho y fantasía. Recordando siempre que el tiempo marcha hacia adelante sin retroceder, debemos empeñar suma prudencia para hacer buen uso de él. Habrá puertas que se abrirán una sola vez en la vida y se necesitará discernimiento para saber cuándo se debe entrar por ellas —les instruyó Ado en su primer encuentro con ellos. Yeidan y Natalia entendieron que Kebu era la puerta que se abría en aquel momento y decidieron aprovechar la ocasión.

Capítulo 18
La Intervención de Kebu

El anciano Kebu viajó al valle y avanzó hasta encontrarse con la comitiva del rey, quienes habían recibido órdenes de buscar a la princesa Natalia por todos los lugares posibles. Ella no se había presentado al palacio después de haber pasado un tiempo prudente y ya era meritoria una búsqueda inminente. Ellos tenían órdenes de forzarla a regresar de ser necesario.

Kebu conocía muy bien los atajos que le acortarían el camino a la mitad. Encontró a los soldados pasada la frontera del Valle de las Flores, contigua a la ciudad de Nun. Planeaban tomar el camino hacia la cadena montañosa de Sonar y de allí hacer un sondeo por todas las áreas limítrofes del reino. Ellos se habían detenido a indagar con precisión las posibilidades efectivas para encontrar a la joven y luego se disponían a viajar toda la noche hacia las montañas. Pero Kebu les entretuvo con sus conversaciones llenas de anécdotas e historias muy interesantes, hacía como que les iba a dar claves de la ubicación de la joven y al final les contaba otra historia para entretenerlos en el lugar. Viendo que los soldados cabeceaban y se dormían, Kebu regresó a encontrarse con Yeidan y Natalia por el camino que él les había indicado. Había ganado bastante tiempo para los jóvenes y ahora avanzaba hacia ellos.

Cuando llegó al monte donde había dejado a los jóvenes, ellos casi habían llegado a la salida. Estuvieron toda la noche caminando por una especie de túnel que cruzaba el interior de la montaña. No fue una jornada fácil. El camino era abrupto y bastante accidentado, por tanto, se requería de mucha precaución y destreza para caminar por él. Ya se habían dormido cuando Kebu finalmente llegó, casi rayando el alba del nuevo día. El anciano dejó que los jóvenes descansaran hasta tarde esa mañana para que recuperaran fuerzas.

El bando de los buscadores se levantó temprano aquella mañana, antes de que saliera la lumbrera mayor para continuar su marcha. Todos en unanimidad decidieron cambiar de rumbo en su búsqueda de la joven. Escogieron seguir por un camino que, en lugar de acercarlos, los alejaría cada vez más de su encomienda. Al final de varias semanas de búsqueda infructuosa y llenos de frustración, decidieron regresar al rey con la decepcionante noticia.

Muy enojado por la impericia de sus soldados, el rey decidió que él mismo iría en búsqueda de su hija. Hizo un selectivo escogido de sus más diestros soldados y servidores para que le acompañaran en la misión. Para ese entonces, ya la noticia se había esparcido como la pólvora y todos estaban al tanto de los pormenores de la situación. La ciudad entera estaba muy consternada por los acontecimientos que estaban ocurriendo y querían ayudar.

 El rey se había enterado de que el hijo de su hermano también estaba desaparecido. Saber aquella noticia le dio un poco de esperanza. Aunque Ariel y su hermano eran enemigos, él había escuchado muy buenas recomendaciones de su sobrino. Todos lo admiraban y respetaban. *En nada se parece a su padre*, decían aquellos que habían tenido el privilegio de conocerle.

Ariel sabía de sobras que Eneva, su hermano, tenía toda la intención de usurpar el reino de Sonar para su hijo adoptivo. Sin embargo, ese asunto era lo menos que le preocupaba en aquel momento. Había escuchado de la integridad del muchacho y de su conducta intachable y eso le daba paz, asumiendo la posibilidad de que estuvieran juntos. Al menos, él la protegería y sabría respetarla como todo el caballero que era.

Kebu consideraba muchas cosas mientras el dúo de amigos descansaba. No salía de su estado de admiración ante la sorprendente y perfecta sabiduría de Elior, el anciano mayor de la galaxia. Él había orquestado aquel perfecto plan en el que Yeidan y Natalia se habían embarcado sin saberlo.

—No podía haber hecho mejor elección —pensaba—. Los jóvenes son ideales para llevarlo a cabo, parecen tener la templanza y el tesón del acero —más que nada le sorprendió el hecho que ellos no hicieron preguntas y obedecieran sin poner resistencia, lo cual los hacía ideales para la encomienda.

Un buen discípulo así como un soldado que se une a la batalla sabe, sobre todo, obedecer. No debe insistir o resistir, sino acatar de buena gana las órdenes y directrices en beneficio de la colectividad. Estima como ganancia cualquier obstáculo o inconveniencia que pudiera enfrentar en su jornada y más que nada saben tomar una postura de humildad. Como dijera un viejo proverbio: «Antes del fracaso, se levanta el orgullo y a la altivez le sigue la caída. Pero la humildad te encamina a la grandeza y los que escalan caminos altos se visten de ella en su paso por la vida».

Capítulo 19
Eclosión

Aquel día Lazuli se encontraba más alegre que nunca. Se levantó temprano en la mañana y fue a dar un paseo por el Valle de Elul, también conocido como el Valle del Rey. Imitando los sonidos de las aguas que bajaban por el río, de los pájaros y del viento, Lazuli compuso un hermoso poema. La musa estaba alta e inundaban el ambiente. Como si las notas musicales brotaran de un manantial, ella compuso su más bella melodía. Era el cántico más dulce que hasta ahora había dejado salir de su corazón.

En el fluir de su canción, su voz fue en aumento en un crescendo sinfónico que estremeció los cimientos del bosque, haciéndole sacudir con ímpetu. El aire a su alrededor se tornó espeso y nubloso, como el espejismo que causa el denso calor del desierto. Era como si se hubiese removido el hermetismo de la gruesa pared de velos que la aislaban y una especie de portal se abriera para dar paso a otra dimensión. Lo más extraño fue que cuando miró su reflejo en el agua, su rostro no era el mismo. Su apariencia apenas se podía ver a causa de la refulgente luz que la rodeaba y su tez era blanca como la nieve.

Lazuli era de piel morena, con largos cabellos negros como el ónice pulido que caían como cascadas sobre su delicada figura. Sus ojos, azules como zafiro cristalizado, hacían resaltar las finas facciones de su diminuto rostro. Por eso Ru la había llamado Lazuli, a causa del profundo azul de sus ojos brillantes. Ella parecía una gema preciosa, de las más exclusivas que pudieran existir. Lazuli era para Ru el mayor tesoro del universo. Por tanto, ella era el secreto mejor escondido de la galaxia y siempre se mantuvo enclaustrada en un refugio donde nadie sabía de su existencia.

Rápidamente, Ru corrió hacia donde se encontraba Lazuli.

—¿Qué ha sucedido?, ¿por qué se ha movido el campo de protección? —le preguntó alarmado. Lazuli lo miró con ojos desorbitados por el susto y avanzó temblorosa a refugiarse en sus brazos.

—Solo cantaba —le respondió ella en tono de disculpa—. Esta vez mi voz se elevó muy alto sin proponérmelo. Fue entonces cuando todo se estremeció y comenzó a separarse como una cortina. Luego que pasó la conmoción y todo se hubo calmado, pude notar que el reflejo de mi rostro en el agua era como la apariencia de otra persona continuó ella con voz temblorosa.

Ru quedó absorto en sus pensamientos. Sabía que se había acercado el tiempo de la eclosión. *¡Ha llegado la hora!*, meditaba para sí con un sentir de emociones encontradas. Sin embargo, él guardó silencio y no le dijo nada a Lazuli para no causarle una preocupación innecesaria. La abrazó hasta que se calmó entre sus brazos, y con la voz dulce y serena que siempre lo distinguía, le dijo:

—Sigue tu paseo sin preocupaciones, todo va a estar bien. Te lo prometo.

Dentro de él, Ru seguía ensimismado en sus pensamientos sin dejar de sentir preocupación. Él sabía que el tiempo en que Lazuli tendría que dejar el santuario y enfrentarse a su destino había llegado. Su obra en la crianza de Lazuli era excelente, pero como todo padre pensaba que no era suficiente. Tenía sus reservas y no estaba seguro si Lazuli estaba preparada para enfrentar la nueva fase de su destino. Quizás la amaba demasiado y se había aferrado a su compañía. Pensar en el asunto le causaba mucha angustia. Sabía que tenía que dejarla ir, pero no le resultaba fácil desprenderse de ella.

Tantas memorias afloraron en su mente. Recordó cómo la rescató de las garras de Noser. Ella era una recién nacida cuando el malvado rufián la robó de su madre con la intención de destruirla. En su perversa maquinación la había lanzado desde lo alto sobre una guarida de lobos hambrientos con el fin de que la devoraran. Ru llegó justo a tiempo para ver la caída de la niña. Gracias a su rápida intervención, como un violento torbellino, maniobró para arrebatarla de las temibles fieras y salvarle la vida a la pequeña infanta. Todo pasó tan rápido que Noser no se dio cuenta de lo sucedido y asumiendo que todo había terminado aquel día, nunca más volvió a molestarla. Lo que él no imaginó era que el destino estaba a favor de aquella niña y que nadie podía impedir que cumpliera.

Toda aquella compasión por la desafortunada niña volvió a revivir en su memoria. Él la había acogido en su seno con ternura y dedicó todo su tiempo para protegerla. Para ello, Ru la había llevado al Monte de Noís y allí la cubrió con un campo magnético de protección. La amaba como a la niña de sus ojos y no permitiría que nada ni nadie la dañaran, la cuidaría con su propia vida hasta el día en que fuera revelada a la luz.

Ru entendía que no podía interferir en el destino de Lazuli, aunque lo deseara con todas sus fuerzas. Las lágrimas brotaron por sus ojos mientras consideraba aquellos pensamientos. Era la primera vez que experimentaba esa clase de dolor y no sabía cómo manejarlo. El calor de las lágrimas al correr por su rostro, era algo nuevo para él, pero sintió una gran dulzura al experimentarlo.

Dicen que cada persona nace con un destino que cumplir y que una estrella se crea para ella desde antes de nacer, que hay un libro escrito acerca del propósito destinado para cada uno y llevarlo a cabo es su mayor recompensa. Lazuli no era la excepción a esa regla. Ella tendría que cumplir lo que estaba escrito en su rollo y él no podía interferir, por doloroso que le resultara aquella realidad. Sabiendo esto, Ru dejó a un lado sus preocupaciones y escogió descansar en la sabiduría del perito arquitecto que había diseñado aquel perfecto plan.

Capítulo 20

La cueva de Kebu

El lugar donde Kebu moraba era una amplia gruta muy bien formada por la misteriosa arquitectura de la naturaleza. La variada enramada y las vides que la cubrían le daban a la entrada un elegante toque de misticidad, a la vez que le proveía de la privacidad necesaria para sentirse cómodo. Yeidan y Natalia descansaban plácidamente en la acogedora morada. La mañana estaba avanzada y Kebu había preparado un apetitoso alimento para agasajarlos. Todo en la montaña era fresco y aromático. Cuando despertaron se encontraron con la grata sorpresa de ver a Kebu, pues apenas habían intercambiado palabras con él después de conocerle. Deseaban expresarle agradecimiento por su generosa confianza.

Después de un caluroso saludo y de darles la bienvenida a su hogar, Kebu les hizo señal para que se acercaran a la mesa a disfrutar del suculento manjar. Ellos se acercaron a una mesa que consistía en una redonda roca volcánica pulida hasta ser cristalizada, acomodada sobre un enorme tronco de árbol elegantemente tallado que le servía de base. Era un mobiliario rustico, pero tenía un toque exquisito de elegancia y buen gusto, así como el resto de la decoración. El lugar estaba muy ordenado y en armonía con todo lo que lo rodeaba, ello lo hacía cálido y acogedor. Se sintieron muy a gusto con aquella placentera bienvenida y agradecidos del privilegio de compartir tan agradable momento.

Sin hacer preguntas se sentaron a la mesa para disfrutar del delicioso alimento ya que estaban muy hambrientos. Entonces fue Natalia, quien ya con más confianza, rompió el hielo.

—¿Cómo se llama y por qué nos ayuda?

—Me llamo Qué Buscas y mi trabajo es ayudar —le contestó él sin mucho preámbulo.

—Es un nombre extraño —replicó ella—. Nunca lo había escuchado.

—Así es, todos me dicen lo mismo y aunque suena jocoso, esa es mi verdadera función.

—Son muchos los que no tienen idea de lo que están buscando en la vida. ¿No les parece interesante que al comienzo de cualquier jornada todos deberíamos saber lo que buscamos? —les señaló Kebu sarcásticamente, dejándoles entrever la necesidad que ellos mismos tenían. Luego con una mirada inquisitiva y mezclada de compasión, les preguntó directamente—: ¿Qué buscan?

—Queremos respuestas —se apresuró a responder el joven Yeidan.

—Entiendo, pero ¿quieres o buscas respuestas? —inquirió Kebu.

—No sé qué quiere decir. ¿Hay alguna diferencia? —volvió a preguntar el joven.

—La una es llana y superficial, la segunda es profunda y aclaradora. Están en dos esferas diferentes y te llevan por vertientes separadas que no convergen la una con la otra —le contestó.

—Me parece que es usted un hombre sabio y sincero —le dijo Yeidan.

Kebu se limitó a sonreír y omitiendo contestar a su comentario, continuó.

—Puedes querer muchas cosas, algunas de ellas buenas y otras no tanto. Muchas son necesarias, pero otras son meramente deseos caprichosos. No siempre se consigue lo que se quiere, pero el que busca siempre encuentra. Para poder encontrar lo que buscas, necesitas saber por qué lo estás haciendo y hacia dónde debes dirigirte.

—¿Y cómo sé a dónde voy si ni siquiera sé lo que busco? —preguntó Natalia.

—Todas las respuestas se encuentran en ti, escondidas en las partes profundas de tu ser —le respondió Kebu—. Antes de seguir buscando en el ámbito físico, necesitas embarcarte en una jornada al interior de tu corazón. Si calmas el torrente de pensamientos en tu mente y entras en el reposo absoluto del silencio, podrás oír su voz inconfundible. Verás un cielo despejado desde adentro y oirás con diáfana claridad todas las respuestas a tus interrogantes. Recuerda, la realidad está dentro de ti; lo exterior es tan solo una ilusión óptica.

—Sus palabras venían cargadas de amor y sin trazo de juicio en ellas, pero como espada afilada parecían partir y dejar expuestas las partes internas del corazón.

»Tenemos un juez por dentro —continuó— y un consejero que gobierna en nuestro interior para ordenar todas las cosas. Aprender a ir a ese concilio y poner atención a su consejo es crucial, nos enseñará inequívocamente el camino correcto a tomar.

Luego de una larga conversación, Natalia salió hacia la entrada de la cueva a tomar un poco de aire fresco y recibir el calor de Soaris. Allí descubrió la amplia y acogedora terraza, con la increíble vista del panorama que la dejó sin aliento. No había notado que habían ascendido tan alto y sin demasiado esfuerzo mientras cruzaban el túnel en la noche. Para su sorpresa, se encontraban en una perspectiva de altura sobre el monte.

Todavía no daba crédito a lo que estaban viendo sus ojos. La luz daba sobre la montaña semidesnuda, mientras que a lo lejos se veía un valle que se arropaba de colores y era bañado por los arroyos y las cascadas. Las palabras de Kebu aún retumbaban sobre su cabeza, haciendo eco profundamente en su corazón. Todo parecía sobrenatural, incluso los alimentos de los que habían participado eran únicos y especiales. Sentía como si hubiesen trascendido a una esfera celestial. Estaba extasiada ante la gama de colores que se desplegaba ante ella y la paz que allí se respiraba, la cual acentuaba aún más el encanto del lugar.

—Bueno, en realidad sí lo es —susurró Kebu, quien se había acercado inadvertidamente a la terraza donde ella se encontraba—. La magia de lo que vivimos en nuestra vida diaria es mayor de lo que percibimos con nuestros ojos. Verás, bajo nuestros pies está el polvo miranal. Todo lo que hay sobre tus pies pertenece a lo etéreo y lo celestial. Esa expansión es la matriz donde se gestan todas las posibilidades de la creatividad y es también ese cielo que no tiene límites.

Natalia estaba aún más sorprendida de que él le pudiera descifrar sus pensamientos. ¿Quién era ese personaje que misteriosamente había llegado a sus vidas de manera tan oportuna? Volvió de nuevo a sus meditaciones, la cuales se hacían muy placenteras en aquel mágico lugar. Mientras, Kebu regresaba a la cueva para continuar su conversación con Yeidan.

Capítulo 21
La danza de las memorias

Yeidan seguía entusiasmado por las cosas que sucedían en aquel lugar, no solo por el misticismo que lo envolvía sino también por las cosas inusuales que les habían estado ocurriendo.

—El suelo del túnel que atravesamos para llegar a este lugar es pedregoso y nos fue necesario hacer uso de mucha cautela para no quebrarnos las piernas —le dijo el joven—. Ya eres bastante avanzado en edad, ¿cómo es que viajas por ese estrecho lugar con tanta frecuencia sin lastimarte?

—Lo conozco tan bien que puedo movilizarme por él con los ojos cerrados —le contestó el anciano—. Llevo muchos años caminando por ese camino que ya nos hemos hecho parte el uno del otro. A principios me fue difícil entrar por la puerta estrecha del túnel y permanecer en la angosta senda que me llevaría a un lugar seguro, pero con el tiempo aprendí el camino que me lleva sin tropiezos a mi hogar y a mi destino.

Yeidan se quedó pensativo meditando en las palabras que le hablaba Kebu. ¿Qué quería decir con aquello del camino que lo llevaba a su destino? Recordaba que su padre le enseñó a cazar desde muy temprana edad por los alrededores de aquel andurrial montañoso. Era casi un entrenamiento militar, pero él lo hacía con gusto por ser uno de los pocos momentos agradables que compartía junto a su padre. Sin embargo, durante todas aquellas aventureras andanzas, ellos nunca se habían tropezado con aquella cueva y mucho menos con el camino del que hablaba el anciano. No tenía la más remota idea de la existencia del recóndito escondrijo, a pesar de haber recorrido el lugar cientos de veces. Era como si, hasta ahora, un denso velo hubiese cubierto de su vista aquel misterioso lugar.

—Por cierto, hablando de caminos —apuntó Yeidan, retomando de nuevo el tema—, mientras subíamos en la oscuridad muchas cosas extrañas nos pasaron. ¿Cómo es que el túnel siendo tan oscuro, no tuvimos ninguna dificultad para movernos? Podíamos ver claramente en medio de la densa oscuridad como si alguien hubiera alumbrando nuestro camino. Además, el lugar nos pareció muy conocido, sabíamos cuál sería el siguiente paso sin temor a equivocarnos. Era como si hubiésemos vivido la experiencia anteriormente. Lo extraño es que no recuerdo haberlo hecho.

»Mientras nos adentrábamos en la penumbra del túnel y no muy lejos de la salida, este se iluminó súbitamente. De pronto sentimos haber sido trasladados a un lugar que parecía de otro planeta. El lugar era muy extraño y desconocido para nosotros. Allí se nos mostró la danza de un grupo de jóvenes. En su baile, ellos se formaban en grupos de tres círculos concéntricos desde el centro hacia la periferia, mientras un grupo de adultos los observaba como si fueran sus entrenadores. El grupo de jóvenes del centro se movían hacia una dirección, mientras que los del medio lo hacían en dirección contraria. Los jóvenes que formaban el círculo exterior se movían en coordinación con los del centro. Su coreografía unísona era como rueda dentro de otra que se movía en sincronía de coordinación perfecta.

—Creo que sé de qué me hablas —le interrumpió Kebu—. ¿Cómo era su música?

—Muy hermosa —le contestó Yeidan— pero no alcanzo a repetirla en mi memoria. Era diferente a cualquier melodía que haya escuchado anteriormente. Su frecuencia parecía penetrar muy profundo dentro de mi ser y desde allí se abrieron lugares escondidos en lo secreto de mi interior. En todo mi ser permeaba una sublime paz —continuaba el joven—, trasladándose en sus recuerdos a la escena y suspirando suavemente… Sí, muy sublime —susurró.

—Es la ceremonia de las memorias. Es común tener esa clase de experiencia cuando pasas por la línea del tiempo dentro del túnel —agregó Kebu y luego guardó silencio.

De repente Yeidan comenzó a sollozar. Una profunda tristeza le había invadido. Entonces prorrumpió en un llanto incontrolable y con gritos ocasionales. Natalia, que todavía se encontraba en la terraza al borde de la montaña, al escuchar sus gemidos avanzó hacia el interior de la cueva tratando de saber lo que le estaba ocurriendo a su amigo.

—¿Por qué me abandonaron? —repetía una y otra vez desconsolado.

—¿Quién te abandonó? —inquiría ella, tratando de consolarlo—. Nadie te ha abandonado, tus padres te adoran, ellos siempre han estado contigo.

—¡No son mis padres! —exclamó Yeidan—. ¡Ellos no son mis padres!

—¿De qué hablas? —le preguntaba ella, perpleja ante lo que oía.

—Lo pude recordar —respondió él—. Vi al niño llorando después de que la mujer lo pusiera cuidadosamente debajo del árbol. Luego que lo hizo, corrió a prisa y se escondió. ¿Quién soy en verdad? ¿Por qué mis padres no me quisieron? ¿Por qué me abandonaron? —Yeidan seguía llorando mientras se hacía todas estas preguntas.

Natalia se acercó a consolarlo y mientras lo abrazaba tiernamente le preguntaba:

—¿Qué fue lo que viste? ¿Cómo sabes eso?

—Mi padre no es Eneva. Él me adoptó después que mi madre me abandonara. Pude ver que ella se escondió en la distancia hasta que Eneva me encontró y que luego me llevara a su casa con él. Por fortuna, él cazaba ese día en el bosque cuando oyó mis gritos de temor. ¿Por qué lo hizo?, ¿por qué no me aceptó? —seguía repitiendo entre sollozos el joven.

—Tu madre siempre te amó —le interrumpió Kebu—. Si ella lo hizo fue para protegerte.

—¿La conoces? ¿Conoces a mi madre? ¿Está viva? ¿Dónde vive? ¿Y a mi padre lo conoces? —preguntaba agitado Yeidan sin escuchar las respuestas.

—A su debido tiempo lo sabrás, por ahora mantente confiando y sigue adelante. Sin duda hallarás lo que buscas, porque todo el que busca encuentra. Por ahora, lo único que debes saber es que ella te ama —le respondió Kebu volviendo a guardar silencio.

Kebu era un hombre venerable, de edad indescifrable. Su voz era calmada, pero hablaba con mucha autoridad. Sus palabras, que estaban cargadas del poder de su experiencia, parecieron calmar a Yeidan y ya no se atrevió a hacerle más preguntas. La certeza de sus palabras le infundió una paz profunda y produjo en él un sentir de esperanza que iluminó su corazón. No recordaba haber sentido esa emoción que, por primera vez, le daba confianza para creer.

Se siente hermoso poder creer y tener una esperanza a que aferrarse. Un destello de luz se dejaba entrever desde su interior. Los recuerdos del pasado ya no parecían el fantasma de un enigma sin resolver. Quizás algo había sucedido en aquella extraña experiencia con la danza de las memorias que ahora se traslucía en su existencia. El vacío que había sentido por tanto tiempo de pronto cedió paso a la posibilidad de ser infundido por el deseo sustancial de llenar de contenido la escasez que succionaba y drenaba sus energías. Sentía la felicidad rebosante de poder elevarse sobre los temores que le impedían disfrutar de lo que poseía. Nuevas fuerzas para cambiar su realidad llenaron su presente.

Fui creado para estar lleno y satisfecho, entendió Yeidan. Su semblante quedó iluminado por el despertar de aquella revelación que no tenía nada que ver con las circunstancias externas.

Capítulo 22

El comienzo de los recuerdos

En aquel momento regresaron las memorias de lo que había acontecido desde que dejaron atrás la ciudad de Nun. Tal parecía que el cansancio del viaje y la extraña experiencia que tuvieron al cruzar el túnel, les habían hecho olvidar los acontecimientos de la travesía.

Cuando salieron de la ciudad de Nun la noche en que se escaparon, Yeidan recogió las mandoras que le había regalado LaCruci desde que era niño. El día que recibió aquellos místicos animales, recordaba que él corría tratando de atrapar un ave que había descendido al suelo en busca de semillas para comer. Mientras corría tras el ave, que empecinada no quería emprender el vuelo sin su comida e insistía en correr en lugar de volar, Yeidan perdió la noción del tiempo. Corrió por horas sin poder alcanzarla y al final el niño no sabía cómo regresar a su casa. Nunca pudo atrapar el ave y para colmo de males se encontraba perdido en un lugar desconocido.

Fue entonces cuando LaCruci lo encontró divagando por el bosque. Ella lo confortó hasta que el niño estuvo completamente calmado. Luego de ganarse su confianza, ella le regaló las misteriosas mandoras que aparecieron como salidas de otra dimensión.

—Cuídalas y aliméntalas bien —le dijo— pero nunca permitas que sean vistas. Ellas te serán muy útiles en algún momento en tu vida y además te llevarán a tu casa en poco tiempo pues son muy veloces. —LaCruci le entregó los hermosos animales después de haberle dado instrucción a las bestias de regresarlo a su casa.

Yeidan cumplió al pie de la letra la encomienda que le había encargado LaCruci. Se entregó con dedicación al cuido de las mandoras y pronto aprendió todo acerca de ellas. Con los años ellas procrearon un par de crías que crecieron tan altas y hermosas como ellos. Eran blancas como la nieve y se traslucían en la luz. Corrían con tanta gracia que parecían nubes que volaban cuando lo hacían. Las mandoras eran muy obedientes a sus dueños y parecían usar de discernimiento para mantenerse sin ser vistas de los extraños.

Ellas le alegraban la vida a Yeidan mientras crecía. Él no tenía mucho contacto con otros niños de su edad, sus únicos amigos eran sus mascotas y su prima Natalia cuando lograban comunicarse a escondidas. Él amaba a sus padres y nunca había dudado de su amor hacia él. No obstante, ellos vivían aislados del mundo exterior y sus roces sociales eran mínimas. Con excepción de las extrañas reuniones que esporádicamente Eneva sostenía con sus foráneos visitantes, Yeidan apenas se comunicaba con otros miranos del vecindario. Los amigos de su padre nunca le inspiraron confianza, por el contrario, extrañamente le producían un molesto sentir de desaprobación y desagrado y por tal razón no participaba de tales reuniones, aun cuando su padre era bastante insistente en persuadirlo.

Luego de tomar a sus mandoras, él había ido en busca de Natalia, quien ya estaba lista y esperándolo con sus pertenencias. De ahí se lanzaron en marcha por un camino incierto y desconocido. Las mandoras eran muy intuitivas y parecían tener la extraña virtud de tener el sentido de la orientación correcta, como si estuvieran conectadas con el pensamiento de sus jinetes.

No habían recorrido muchos kilómetros cuando se encontraron con Ado. En realidad, no podían precisar si ellos lo habían encontrado a él o si fue Ado quien los encontró a ellos. Él los detuvo y con mucha amabilidad les hizo algunas preguntas. Luego de darles varias instrucciones que les resultaron muy beneficiosas, les entregó lo que llamó un regalo que no deberían abrir hasta el momento oportuno.

—Sabrán cuando llegue el momento indicado en que precisen abrirlo —les indicó. Luego, sin dejar rastro, el anciano se marchó del lugar.

—¿Conocieron a Ado? —interrumpió Kebu, asombrado de que lo hubiesen encontrado en su camino.

—¿Lo conoces? —preguntó Natalia.

—Somos buenos amigos, pero hace mucho tiempo que no lo veo —le contestó—. No sé por qué me sorprende, me olvido que siempre está al comienzo de cada jornada. Su verdadero nombre es Adonde Vas, pero le decimos Ado de cariño. Él es muy oportuno y le gusta dar instrucciones. Supongo que les dio algunas —añadió Kebu con una simpática sonrisa.

—Por cierto, muy prácticas y efectivas sus instrucciones —indicó Yeidan.

—Luego encontramos a LaCruci, según las instrucciones que él nos dio —comentó Natalia—. Ella nos guio en el resto del camino hasta el lugar cercano a la cueva donde nos encontraste.

—¡Oh, la buena de LaCruci! —añadió pausadamente el anciano. Y con tono de admiración continuó—: Ella es la mejor para dirigirlos a encontrar el camino a tomar hacia el interior de las montañas. Deben sentirse muy privilegiados de haberla conocido, son muy pocos los que la encuentran en su camino. Su nombre va muy acorde con el llamado de su función, ella es la que te muestra al camino real y único que conduce a tu interior.

—Pues sí que nos ayudó —contestó Yeidan—. Nunca te hubiéramos encontrado sin su ayuda. No sabíamos hacia dónde nos dirigíamos, ni siquiera podíamos discernir claramente qué era lo que buscábamos. Bueno, no es que ya lo sepamos exactamente, pero la intervención de Ado y LaCruci fueron muy oportuna y justo cuando la necesitábamos.

Luego del comentario, Yeidan guardó silencio. *¿Quiénes son estos personajes que nos ayudan y por qué lo hacen?*, se preguntó. Yeidan no habló acerca de su larga amistad con LaCruci, pues nunca violaría aquel secreto que guardaba de manera sellada en su corazón.

—No somos tan individuales como pensamos —contestó Kebu, dejándole entrever que él podía leer sus pensamientos—. Dependemos unos de otros mucho más de lo que pensamos. Todas las cosas están conectadas en una interdependencia colectiva. Lo que uno hace en lo secreto afecta a todos los demás —luego del comentario Kebu guardó silencio, pero sus palabras siguieron añadiendo revelación al corazón de Yeidan.

La conversación se extendió durante largas horas en la agradable compañía e inmejorable hospitalidad de Kebu. Su anfitrión resultó ser muy empático y de recursos inagotables. Muchas memorias que habían estado ocultas comenzaron a aflorar en la mente de Yeidan. Además de recordar su primer encuentro con LaCruci, el cual había olvidado por mucho tiempo, también le vino a la memoria aquella mujer determinada a darles ánimo cuando ya no tenían fuerzas para caminar, Tanía. Su infusión de yerbas les había reforzado las energías necesarias para llegar hasta su primer descanso.

Aquel torrente de recuerdos se activó justamente a partir de la experiencia que tuvieron al cruzar el túnel. En algún punto del mismo, se cruzaba la línea del tiempo según les había explicado Kebu. Durante el transcurso de la jornada todos los recuerdos volverían, les había advertido el anciano. Pero aquella experiencia con el túnel y con la danza de los jóvenes, misteriosamente, había creado en ellos la capacidad para reescribir la historia de sus vidas. Sin embargo, les tocaría la responsabilidad de decidir tomar la rienda de sus destinos de allí en adelante, nadie podía hacerlo por ellos.

—Bueno, a descansar —les advirtió Kebu—. Les aguarda una larga jornada y necesitan recuperar las fuerzas. A medida que vayan avanzando, verán que muchas puertas se irán abriendo. Las cosas fluirán de manera armoniosa, así que por nada estéis afanosos.

Después de aquellas palabras, cada uno se marchó a su respectivo lugar a descansar y Kebu se fue a la terraza de la cueva para meditar en todas las cosas que habían sucedido. Luego de un rato se le unió un grupo de amigos con los cuales conversó hasta casi rayar el alba.

Yeidan no podía conciliar el sueño. Había tantas cosas que no tenían explicación a menos que hubiesen sido magistralmente orquestadas por la sabiduría de una mente sobrenatural.

¿Será que nuestra vida no es tan simple como parece y que no estamos tan solos como pensamos? ¿Será que somos parte de un conjunto universal y que como ente global somos el producto de una obra maestra? Los recuerdos de sus encuentros con LaCruci le decían que su vida era parte de un plan superior a su poder de comprensión y su capacidad de controlar. Alguien estaba detrás de lo que estaba sucediendo y él no pararía hasta llegar al fondo de aquel asunto.

Capítulo 23

El llamado del amor

Lazuli no podía sacar de su pensamiento la apariencia de su rostro al mirarse en el reflejo del agua aquella mañana. También pensaba en la reacción de Ru y el aspecto de su semblante ante el estremecimiento del lugar tras la elevada nota de su cántico. Ella nunca había observado tal expresión en su rostro, siempre parecía tan seguro de sí mismo y que tenía todo bajo control. Algo debía inquietarle, pero ella no podía precisar de qué se trataba.

Ella confiaba incondicionalmente en Ru y de una manera pura e inocente creía y esperaba todo cuanto le dijera.

—Él me aseguró que todo estaría bien, que siguiera mi recorrido y así lo haré. Hoy es un día de alegría y regocijo, no hay necesidad de alimentar dudas y tampoco de darles espacio en mi corazón.

Confortándose con las palabras que le había hablado Ru, Lazuli seguía con la rutina de sus paseos matutinos de cada día. Pero mientras se encaminaba por la senda hacia la cascada, los recuerdos de lo acontecido aquel día volvieron a asaltarla. Aunque trataba en vano de sacarlos de su mente, ellos insistían en recurrir. Absorta en sus pensamientos, Lazuli no se percató de que alguien se había acercado y que caminaba junto a ella tratando de entablar conversación.

—Hola, ¿me puedes ayudar? —le preguntaron. Sobresaltada por la inesperada voz, se dio vuelta para ver de quién se trataba. Casi se desploma ante la sorpresa de ver a un joven parado frente a ella—. ¿Quién eres? ¿Qué quieres? ¿Cómo entraste aquí? —Ella le hacía muchas preguntas a la vez, mientras su corazón se aceleraba cada vez más por la impresión. El joven, que estaba tan azorado como ella al ver su reacción de sorpresa trató de calmarla, pero no conseguía hacerlo.

»¿Por qué está aquí y cómo has llegado a este lugar? —le preguntaba Lazuli mientras llamaba a Ru para que viniera a socorrerla.

—¿Te refieres al anciano de la roca? —preguntó calmadamente el joven.

—¿Qué le has hecho?, ¿cómo lo conoces? —seguía preguntándole Lazuli sin esperar por las respuestas.

—Pasé por la cueva antes de llegar aquí. Quería pedirle ayuda, pero descansaba plácidamente y no quise despertarle.

¿Dormido?, pensaba ella. *¿Cómo puede dormir en un momento como este? Ru no haría algo así. Él siempre está alerta y al tanto de todo. No se mueve una hoja sin que él lo sepa.*

—No se atreva a acercarse, sé muy bien cómo defenderme —le replicó ella poniéndose en posición de defensa.

—Ten paz, no tengo ninguna intención de hacerte daño. Vengo en una misión a este planeta —le contestó el joven—. Te confieso que no sé cómo he llegado a este lugar, me dejé llevar por el sentir de mi intuición al seguir una senda desconocida para mí. De pronto escuché el sonido de un cántico melodioso en el aire, estaba tan extasiado con la hermosa melodía que fui transportado a otra dimensión. Fue entonces cuando noté algo que parecía como un portal que se abría y lo próximo que supe era que estaba atrapado en este lugar, y no podía encontrar mi camino de regreso. Solo necesito que me digas cómo encontrarlo y me iré de este lugar sin tocar nada de lo tuyo.

—¡Oh! —dijo ella, sintiéndose muy avergonzada por la embarazosa reacción. Su acción apresurada la llevó a tomar una percepción parcializada de las cosas. Había deseado tanto el momento en el que pudiera conocer otro ser como ella y ahora no sabía cómo comportarse ante el hecho de tenerlo de frente—. No sé si hay salida, nunca he estado fuera de este lugar —le contestó Lazuli con voz entrecortada—. Si no tienes prisa podemos buscar el camino, juntos. No te puedo asegurar que se pueda salir y tampoco sabía que se podía entrar aquí, pero si hay una salida, la encontraremos. Como disculpa, quiero invitarte a conocer a Ru y si tienes hambre puedo prepararte algo rápido y delicioso.

—Acepto tu amabilidad —le contestó de manera cortés el apuesto joven—. He venido desde un lugar muy lejos y llevamos mucho tiempo viajando. Mis compañeros fueron de paseo a las ciudades cercanas, pero yo me quedé para descansar un poco. Nuestra nave se averió al entrar a la esfera sonariana y todo se nos ha complicado. Los medios alternos de transporte se averiaron, afectando el funcionamiento normal de su mecanismo. Por ahora estamos confinados en estas montañas hasta que podamos repararla. Pero no tengas miedo, somos muy pacíficos y una vez cumplida la misión en el planeta nos regresaremos a nuestro lugar de origen.

»Mi nombre es Leo y vengo del planeta Niar —añadió el joven extendiéndole su mano a Lazuli para presentarse formalmente con ella, a la vez que se disculpaba por no haberlo hecho antes.

—Es un gran placer conocerle, Leo —le contestó amablemente la joven reciprocándole el saludo—. Me llamo Lazuli, soy originaria de Sonar y vivo cerca de aquí, en el corazón del bosque. ¡Bienvenido a Elul! Quiero disculparme por mi descortés recibimiento. Es la primera vez que veo a alguien como tú y no tenía idea de que reaccionaría de esa manera. Tampoco imaginaba que poseía ese mecanismo intuitivo de defensa, perdone mi descortesía.

—Me pareces muy hermosa, aun con tu espontánea reacción para defenderte —dijo Leo con una sonrisa en sus labios—. Eres muy valiente.

Lazuli se turbó ante sus halagos y no supo cómo responder, solo se sonrojó y esquivó la mirada. Leo se disculpó por la imprudencia de su comentario, pero volvió a mirarla embebiendo aquella extraña hermosura que jamás había contemplado. No podía resistir el poder de atracción que su mirada ejercía sobre él y se sentía impotente ante aquellos profundos ojos azules. Era la primera vez que experimentaba tales emociones y no sabía cómo actuar ante la situación.

Juntos caminaron hacia el lugar donde ella vivía. De camino, Lazuli conversaba con él de manera natural, como si se hubiesen conocido de toda la vida. Ella estaba ajena al tumulto de emociones que se había desatado en el corazón de Leo. La delicada personalidad de la joven era exquisita y lo deslumbraba cada vez más. Tratando de distraer su mirada para no dejar traslucir sus sentimientos, Leo le compartía las aventuras que tuvo en su viaje a Sonar. Era muy buen conversador y tenía muchas anécdotas interesantes que contar. Lazuli, a su vez, le mostraba la belleza del lugar, pero él estaba tan embelesado ante la hermosura de la joven que no podía concentrarse en otra cosa.

Su persona era tierna e inocente y todo lo que hacía tenía la frescura de la ingenuidad. Cuando sonreía, sus ojos de azul intenso se iluminaban como estrellas en el firmamento. Ella era como un pétalo humedecido por el rocío que brilla con la luz del amanecer. Sus mejillas se sonrojaban cada vez que él la miraba con aquella intensidad y su corazón parecía que se iba a salir de su lugar por la extraña sensación.

Todo aquel fascinante torrente de emociones era muy extraño para Lazuli y la hacían actuar con torpeza frente a él. Sentía como si todo un mariposario revoloteara en sus entrañas y temía que Leo pudiera notar lo que estaba ocurriendo dentro de ella y que pudiera escuchar el acelerado latir de su corazón.

Capítulo 24

Retomando la jornada

Yeidan y Natalia emprendieron de nuevo su camino después de haberse despedido de Kebu. Contentos y llenos de ánimo avanzaron adelante con la certeza de que se encaminaban hacia el camino correcto. Cuando habían avanzado algunos kilómetros, Ado volvió a salirles al encuentro. Los jóvenes se alegraron mucho de volver a verle. Habían comprobado que todo se aclaraba cuando él estaba presente.

—Ado, ¡qué gusto de verte! ¿Qué te trae por aquí? —preguntó Yeidan.

—¿Hacia dónde se dirigen?

—Aun no estamos claros —le contestó el joven—. Creo que descendemos al Valle de la Apatía, pero ni idea de dónde queda.

—Entonces deben seguir lo que les dicte la intuición en sus corazones, ella nunca se equivoca —les respondió Lino, quien se había acercado a ellos mientras conversaban con Ado—. Les advierto, sin embargo, que van en dirección contraria.

—¿Quién es usted? —inquirió Natalia.

—Me llamo Lino, pero mi verdadero nombre es Libertad al final del camino. Es un nombre largo y para acortarlo usé la primera sílaba de libertad y la última de camino, de ahí el sobrenombre Lino. No me malentiendas, me gusta mucho mi nombre pues va muy a tono con mi personalidad, pero estoy de acuerdo en que es un poquito largo —le contestó el amable caballero.

»La jornada que han comenzado, como toda jornada que se lleva a cabo con el mismo propósito, siempre comienza en el extremo sur y va en ascensión hacia el verdadero norte. Es allí donde se alinean y sincronizan las verdaderas intenciones que nos motivan. Solo entonces encontrarán las respuestas a sus interrogantes. Se sorprenderán de la libertad que se experimenta al hacerlo. Es la verdad la que nos hace libres. No desistan, ni se amilanen ante los contratiempos. Nada que se considere valioso; se gana de manera fácil. Mientras más alto el precio a pagar, más preciado el tesoro que adquirimos.'

»Con el pasar de los años, Sonar se ha visto afectada por las corrientes de pensamientos ponzoñosos. Junto con el fluir de las enseñanzas filosóficas distorsionadas, el balance armonioso de nuestro planeta se ha puesto en peligro. Ya no se divisa un norte claro y definido, y la percepción del sentido de dirección se ha oscurecido, haciéndose prácticamente nulo. La corriente del pensamiento se ha inclinado hacia el austro occidental y se ha perdido el verdadero pensamiento septentrional. A causa de la confusión, la frecuencia meridiana se ha interrumpido y los nativos no saben qué dirección tomar. Por tanto, les recomiendo que usen la intuición que está instalada dentro de ustedes para que encuentren la senda que los guiará a sus destinos, pero recuerden que siempre se asciende hacia el norte.

Haciendo mención del regalo que anteriormente les había entregado Ado, Lino les reiteró la importancia de saber el momento preciso en que deberían hacer uso de él. Aquella instrucción, aunque parecía insignificante, era de crucial importancia para ellos.

»No duden en llamar cuando me necesiten, estaré complacido en servirles en lo que sea necesario —añadió Lino.

—¿Cómo te llamaremos si ni siquiera sabemos a dónde vas a estar? —inquirió Natalia.

—Ya sincronicé mi frecuencia interior con la de ustedes. Podemos comunicarnos desde cualquier lugar en que nos encontremos, solo tienen que conectarse con su interior. Ánimo, sean fuertes y valientes sabiendo que no estáis solos en este camino —luego de sus instrucciones Lino se marchó de su vista sin alcanzar a escuchar la próxima pregunta que les querían hacer.

No bien se había marchado Lino, cuando los jóvenes comenzaron a ver claramente frente a sus ojos la vereda que debían seguir. Ella los llevaría hacia el sur. Así que, camino abajo, emprendieron su marcha de descenso. Después de una larga caminata se sentaron sobre las rocas que se encontraban en los espacios abiertos a la orilla del camino. Un sentir apesadumbrado de cansancio le sobrecogió de repente. Sin explicarse por qué, ellos tuvieron el presentimiento de que aquel agotamiento no era natural. El denso aire que fluía en el lugar les dificultaba su capacidad de respirarlo. Poco a poco, perdían las fuerzas para sobrevivir aquella batalla y se rendían impotentes ante el nocivo letargo. Fue entonces cuando Natalia recordó el regalo de Ado.

—¡Es el momento de abrirlo! ¡RÁPIDO! ¡ÁBRELO! —gritó Natalia. Apresuradamente Yeidan abrió la cubierta de la caja que contenía el regalo de Ado. De ella salió una luz resplandeciente que les cegaba y que iluminó todo el lugar. El aire fresco comenzó a fluir nuevamente y ellos pudieron respirar sin dificultad. En aquel momento ellos recordaron que el Lino les había instruido a seguir el camino del norte. Sin embargo, algo en su interior les indicaba que no podían subir al norte sin antes descender al sur. Ya se habían recuperado bastante del incómodo percance y se disponían a marchar cuando se percataron de que había un personaje junto a ellos.

—¿Quién eres y cómo llegaste aquí? —preguntó Natalia sorprendida de que no la hubiesen visto llegar.

—Me llamo Graciela, pero muchos también me conocen como Gracia.

—¿Acaso eres el regalo de Ado? —le preguntó asombrada la joven.

—Lo que escojas creer en tu corazón se hará tu realidad. Yo viajo con y desde la luz y solo me acerco a los que me necesitan.

—¿Y cómo sabes o pudiste determinar que te necesitábamos?

—Soy muy poderosa para ayudar contra la muerte. Sin embargo, se necesita que haya una apertura en el corazón y la humildad de este para reconocer que hay muchas cosas que no se pueden hacer sin la ayuda de otros. Es el grito interior que clama por ayuda, lo que me otorga el consentimiento para poder actuar.

—¿De dónde vienes y quién te envió a nosotros? —preguntó Yeidan.

—Soy guerrera y pertenezco al Ejército Especial de la Galaxia. He sido activada para esta comisión especial que ustedes llevan a cabo. Deben seguir el camino trazado y el destino cederá el acceso a todas las puertas que necesiten que sean abiertas.

Yeidan y Natalia no entendía claramente el lenguaje de Graciela. ¿Era guerrera o era un regalo? ¿Cómo es que llevaban a cabo una misión si nadie los había comisionado? Querían preguntarle para que les explicara lo que a ellos les parecía un acertijo, pero no se atrevieron.

Pero ella entendiendo su confusión se adelantó a responderles:

—Verán, no todas las adversidades son para causar aflicción. Con una actitud correcta, la adversidad se convierte en la catapulta que activa el potencial que llevas dentro. De otra manera nunca descubrirás el poder tan grande que posees. Se necesita gracia para activar la virtud que está esperando ser accionada como la fuerza escondida en las cámaras del corazón. Lo paradójico del asunto es que cuanto más se debilitan las fuerzas exteriores, mayor es la capacidad de fortalecer aquellas que llevas en lo profundo de tu interior. Estaré disponible todo el tiempo y en todo lugar, siempre y cuando me necesiten —les reiteró Graciela.

Capítulo 25
La Misión y el Amor

Sin proponérselos, una nueva realidad se había hecho patente entre Leo y Lazuli. Los lazos de unión que se produjeron entre ellos fueron casi instantáneos. No tuvieron que analizar, ni tratar de comprender o justificar sus sentimientos. Como si el amor se hubiese abierto paso desde eternidad y ahora se encontrara en el tiempo, lo que ocurría dentro de ellos no necesitaba palabras para expresarlo. El sello indisoluble de aquel amor se había plasmado para siempre en sus corazones.

Leo era tranquilo y amoroso. Su sola presencia derribaba cualquier temor e inspiraba confianza. Su mirada profunda y penetrante hacía que ella se estremeciera cada vez que él la miraba. Era como si sus ojos pudieran leer en su corazón y que nada se le podía ocultar. Su voz era calmada, pero a la vez poderosa como las aguas imponentes. Él tenía porte de rey con una personalidad majestuosa y distinguida, pero a la vez su ser emanaba humildad y sencillez. Parecía que a su paso todo le rindiera pleitesía a aquel misterioso personaje.

Sin embargo, aquella encrucijada de emociones hacia Lazuli que ahora experimentaba lo confundían y entristecían profundamente. Su destino lo llevaría por valles de sombras y de muerte y no quería lastimar la ternura de aquel amor que comenzaba a florecer. No debía distraerse de su misión y aquello le preocupaba. Necesitaba cumplir con la encomienda requerida por su padre y le precisaba enfocarse solamente en lo que se alineara con su designio. Además, ¿cómo podía tener sentimientos por esta joven cuando ya había sido dado en compromiso con una mirana a quien aún no conocía? Quería consolarse pensando que a lo mejor se trataba de la misma joven. Pero si no era ella, ¿cómo cumpliría con la promesa que le había hecho a su padre ante aquella paradójica situación?

Leo fue enviado a resolver el problema social de Sonar, según lo convenido por el Consejo de Ancianos de la galaxia. Su padre Elior era el anciano mayor de dicho consejo. Su madre era una habitante de Sonar y, por tal razón, era Leo el único capacitado para realizar la exclusiva encomienda. Cualquier cosa que se antepusiera a la inmensurable misión, tenía que ser relegada un segundo lugar. El deber le llamaba y sus intereses tenían que sujetarse a ese llamado, no había espacio para distracciones.

Originalmente los planetas de Sonar y Niar tenían muy buenas relaciones. Eso era antes de la ruptura del campo de protección de Sonar. Ellos viajaban de un lugar a otro, sin inconvenientes, por medio de los portales de acceso entre los dos planetas. Dichos portales eran espacios invisibles en el aire que comunicaban las diferentes dimensiones. Una vez se rompió el equilibrio que balanceaba la armonía entre ellos, las fronteras de Niar se cerraron y ya no hubo tráfico ni acceso, solo a los ancianos sabios que habían ganado altas posiciones en el consejo galáctico les era permitido cruzar las fronteras de vez en cuando. Pero cuando las guerras se desataron por causa de la intrusión de Noser, Elior se llevó a su hijo a Niar junto con el Árbol de la Sabiduría y luego selló todos los portales de acceso.

En el planeta Niar solo existían seres de luz, sin definición física y sin las limitaciones del espacio y el tiempo. Elior era el creador de aquellos seres de luz y él también era uno de ellos. Estos seres podían tomar cuerpos físicos, pero no estaban sujetos a ellos. No obstante, Elior se sentía muy solo y quería tener una familia como las existentes en Sonar. La idea estuvo en su corazón por mucho tiempo, aunque ella parecía imposible. Por miles de años estuvo considerando la posibilidad hasta que al final supo exactamente qué hacer.

Sabiendo que tenía el poder para crear, Elior envió la palabra con un mensajero a una joven doncella que había observado en sus paseos por el planeta. El mensajero llegó en el momento en que la doncella se encontraba hablando con Viento. Fue en presencia de Viento que aquellas palabras se hicieron vida y la joven vino a ser la madre de Leo.

Elior no pudo llevarse a la madre de Leo para Niar, aunque deseaba mucho que su hijo creciera a su lado. La frecuencia de los miranos se había hecho muy baja a causa de los conflictos y los malos sentimientos entre unos y otros. Ella no hubiera podido sobrevivir en la alta energía de la que estaba constituida Niar. Entonces Elior le pidió que criara su hijo hasta la adultez y que luego él se lo llevaría consigo para que heredara su reino. A cambio de esto, él le prometió cuidar de su descendencia para siempre. La joven accedió con gusto criar el niño de Elior, sintiéndose muy honrada de tener el privilegio de ser la madre del futuro rey de la galaxia. En cumplimiento con aquella promesa, Leo fue enviado a Sonar después de muchos años para rescatarlos de Noser.

El necesitaría casarse con la hija del rey Ariel para tener derecho al trono de Sonar y desde aquella posición poder ayudar a derrotar el terrible enemigo de los miranos. También se le había dado la encomienda de tomar cuidado de su madre y sus hermanos. Los miranos estaban sufriendo bajo la tiranía indirecta de Noser, y le tocaba a Leo destronar al intruso dictador. Solo él cumplía con el requisito necesario para enfrentarse al temible enemigo.

Absorto en sus pensamientos, Leo había olvidado dónde estaba. Él amaba inmensamente a su padre, quien había sufrido mucho para salvarlo de Noser y de su cosmos. Además, quería conocer a su madre, no la había visto desde hacía muchos años. Ya casi no la recordaba.

La dulce voz de Lazuli lo sacó de su ensimismamiento.

—¿En qué piensas? —inquirió ella—. Te has quedado callado de repente.

—Tengo hambre, ¿qué vas a preparar? —le preguntó Leo, tratando de cambiar el tema para no contestar a su pregunta.

—Siempre preparo lo mismo y no me aburre —le sonrió Lazuli—. Pero esta vez te haré algo diferente que a veces preparo para Ru.

—¿Es tu padre? —preguntó Leo.

—Más que un padre —le contestó ella con una sonrisa de satisfacción en su rostro—, aunque no soy su hija biológica. Él siempre cuidó de mí y todo lo que sé y soy se lo debo a él.

Después de un rato, los tres estaban sentados a la mesa y entre risas y pláticas disfrutaban de un rico manjar. Ya se habían conocido y presentado el uno con el otro. Ru le confesó a Leo que conocía muy bien a su padre. Ante la sorpresa de Lazuli, Ru le comentaba a Leo que ellos eran muy buenos amigos y que fue él quien le encomendó que cuidara de Lazuli.

Lazuli estaba perpleja ante la confesión que Ru le hizo a Leo. *¿Cómo es que Ru conoce a su padre y cómo es que él me conoce a mí? Nunca me había comentado nada y ahora le cuenta todo a alguien que conoce por primera vez.* Lazuli guardó silencio y no hizo preguntas. Sabía que Ru la amaba demasiado y no tenía dudas de que él debía tener una muy buena razón para que le ocultara aquel importante detalle.

—Humm, esta comida está deliciosa —apuntó Leo al notar que Lazuli se había quedado callada—. ¿También te enseñó a cocinar Ru?

—Sí, él me ha enseñado todo lo que sé —dijo ella.

—Pero el crédito no es solo mío. Ella es muy aplicada y diligente en todo lo que hace, así que siempre excede con creces todo lo que yo le enseño —comentó Ru.

Luego de la cena charlaron por largas horas. Lazuli estaba tan sorprendida de la conversación tan profunda entre ambos. No pensaba que alguien pudiera saber tanto como Ru. Pese a que Lazuli podía descifrar casi todos los idiomas, no alcanzaba a decodificar lo que ellos platicaban. En ese lenguaje desconocido se comunicaban Leo y Ru para no causar angustias antes de tiempo a Lazuli quien los observaba llena de admiración.

Entre palabras y risas, Leo no perdía la oportunidad de contemplar a Lazuli. Mientras más la miraba y admiraba más pronunciado latía su corazón.

¿Cómo puedo amarla tanto si apenas acabo de conocerla? Perdóname, padre, si he traicionado tu amor y tu lealtad. Nunca había sentido tanto amor por alguien aparte de ti, confesaba secretamente Leo mientras pensaba en su pronta partida del santuario de Lazuli. No podía distraerse con nada y tenía que suprimir ese sentimiento que había comenzado a brotar. *No vine aquí por mí, sino para ayudar a otros a conseguir su libertad,* se reclamaba a sí mismo.

Leo pensaba en las enseñanzas de su padre. Él siempre le hablaba en comparaciones: *Un viajero de profesión que buscaba tesoros en sus travesías, alcanzó a ver el zafiro más preciado de todo su mundo. Luego de esconderlo en un campo fue y vendió todo lo que poseía, sus bienes, sus metas y sueños, hasta su vida y su libertad con tal de comprar aquel campo, tal era el precio que él estaba dispuesto a pagar por aquel tesoro.* Leo nunca había entendido aquella enseñanza hasta ese momento en la que ponderaba aquella disyuntiva de emociones.

Capítulo 26
La ciudad de los teanos

Mientras Natalia pensaba en las profundas palabras de Lino y la extraña aparición de Graciela, su mente limitada no alcanzaba a entender el móvil de las cosas que estaban sucediendo. Antes de conocer a Kebu, ella consideraba aquella andanza como algo que solo se trataba de un capricho trivial de jóvenes rebeldes, pero las cosas estaban tomando un giro diferente, parecía que se habían convertido en protagonistas de un libreto escrito de antemano exclusivamente para ellos. De manera inocente, pensaba que su jornada se había convertido en toda una interesantísima aventura que por ahora se veía increíblemente emocionante. Ella no tenía idea de que el tiempo probaría que sus vidas serían irreversiblemente marcadas para siempre.

Graciela les instaba a que tomaran algo de alimento, para que luego se fueran a descansar. Les esperaba un largo día y deberían marchar antes de la tercera vigilia de aquella noche. Era necesario que llegaran al Valle de la Apatía antes de que la ciudad despertara para camuflarse entre la multitud sin levantar sospechas

Los jóvenes se levantaron de madrugada. Bueno, en realidad fue Graciela quien los despertó, pasada la segunda vigilia, apurándolos a salir de sus cobijas.

—Necesitamos estar en Teán (así se llamaba el primer poblado que visitarían en el Valle de la Apatía) antes de que el pueblo se despierte y ponernos al tanto con cada detalle de la ciudad para no parecer ante sus habitantes que somos advenedizos en el lugar. Tenemos que saber lo que estamos haciendo y dar la impresión de que somos residentes de la ciudad —les dijo Graciela—. De otra manera podríamos estar en peligro.

Apertrechándose de sus pertenencias, los jóvenes emprendieron la marcha hacia su destino. Antes que el comercio de la ciudad abriera sus puertas y las calles se llenaran de tráfico y bullicio, Natalia y Yeidan, junto con Graciela, habían recorrido la mayor parte de esta. Ellos llevaban consigo todo lo necesario para su estadía, gracias a la gran generosidad de Kebu. Se proponían pasar por el lugar sin ser reconocidos o detenidos. Para ello, Graciela les había provisto del atuendo necesario para moverse en la ciudad sin llamar la atención.

Los teanos no eran hospitalarios, ni acogían con agrado a los extranjeros o visitantes que transitaban por las inmediaciones de sus territorios. Muchas veces podían ser muy crueles e incluso hostiles. A ellos solo les importaba su propio bienestar y se entregaban al placer de manera desmedida hasta desbordarse en la indulgencia. Les gustaban las fiestas, los juegos, las conversaciones vanas y superficiales, y se envolvían en toda clase de negocio ilícito. En su música le cantaban a todo: al amor, al odio, a los árboles, a las estrellas, a las féminas y a los varones, etc. Tú lo mencionabas y de ahí ellos componían su canción. Por supuesto, su música muchas veces rayaba en lo vulgar, convirtiéndose en un sonido de mal gusto que atraía una frecuencia baja y debilitante.

Su lema era: «Comamos y bebamos que mañana moriremos; la vida es corta y hay que disfrutarla». Su filosofía de vida era en el plano físico y el centro de su mundo era su propio ego. No había lugar en ellos para nadie, excepto para ellos mismos. Cada uno hacía lo que bien le parecía sin preocuparles si afectaba o no a los demás. Estaban desensibilizados y vacíos, y eran víctimas de su propia idiosincrasia.

Nuestros visitantes caminaban lo más casual posible, tratando de camuflarse entre la multitud. Evitaban mirar directamente a los demás o envolverse en conversaciones con los teanos. Se esforzaban por imitar las jergas del lugar y de adaptarse al ambiente a su alrededor, para pasar de incógnito entre ellos, algo que hasta el momento habían logrado con mucho éxito.

Para su beneficio, esa semana se celebraba en Teán el Festival Anual de las Artes. Los artesanos y negociantes teanos traían toda clase de piezas artesanales para la exhibición y venta de sus productos. Todo el pueblo se preparaba con entusiasmo durante el año para el anhelado festival, ellos se esmeraban en hacer los mejores proyectos pues era el evento más concurrido de la ciudad.

Entre otras cosas, los teanos también incluían narcóticos, alucinantes y sustancias embriagantes para el consumo de los visitantes durante el festival. Para olvidar la miseria que los envolvía, los teanos trataban de drogar el vacío y la falta de esperanza en la que se encontraban y así inundar en la embriaguez sus pesares y el poco incentivo que motivaba su existencia. Pretendían aparentar que tenían todo bajo control creando una falsa realidad para mitigar el dolor de su abrumante frivolidad. Así que aprovechaban cada oportunidad para atenuar el ámbito de incertidumbre y de soledad en el que se sumían sin aparente salida.

Casi sin volverse a la derecha o la izquierda, nuestros viajeros se movían con prisa hacia delante. Yeidan trataba de avanzar sin detenerse, cuando de repente tropezó con una dama y casi la hace caer al suelo. Él se proponía disculparse con ella cuando oyó que Graciela gritaba emocionada:

—¡Ana! ¡Amiga mía! ¿Qué haces en este remoto lugar del mundo? De tantos lugares que hay, ¿cómo es que coincidimos aquí? ¡Qué gran placer encontrarme contigo en este lugar! —exclamaba mientras la abrazaba—. ¿Qué te trae por acá?

—Vengo a pescar —le susurró Ana con su risa contagiosa—. ¡Shhh! —apuntaba con el dedo cubriendo su boca y, haciéndoles señas con sus manos, los invitó a que se movieran a un lugar apartado para conversar con privado—. ¿Adónde iban con tanta prisa? Casi me atropellan con sus pies —les dijo Ana en su manera jocosa y eufórica que siempre la distinguía—. ¡Vengan! Conozco un sitio excelente donde podemos tomar una taza caliente de zumo de flores aromáticas. Yo les invito —les sugirió ella y sin que ellos pudieran decir palabras se encaminó hacia el lugar. Los jóvenes accedieron con mucho gusto, pues ella parecía genuina y muy agradable.

La tarde estaba avanzada y la niebla se posaba sobre el valle de Teán trayendo corrientes heladas de aire. Ana conocía la ciudad y la gente del lugar la reconocía, y aunque no era muy popular entre los teanos por las cosas que decía, ellos la respetaban. Luego de tomar el reconfortante brebaje se marcharon con mucha discreción a un rincón escondido de la plaza que Ana conocía muy bien. La fiesta estaba encendida en todo su apogeo en el lugar. Había música, bailes tradicionales, espectáculos y toda clase de comidas y bebidas para la venta, además de los trabajos de arte que cada artesano presentaba en sus kioscos. Pero ellos no estaban interesados en lo que allí estaba sucediendo y se internaron en su escondido rincón donde no se oía tanto el bullicio del festival.

—¿Qué quiso decir cuando hablaba de pescar, señora Ana? El lago está bastante retirado, ¿no hablaba en serio?, ¿o sí? —preguntó Yeidan.

—Me gusta bromear y reírme con ganas, pero cuando digo algo me comprometo con lo que hablo.

—¿Entonces sí va a pescar? —le preguntó con un tono ingenuo.

—Sí, pero no es la clase de pesca en la que estás pensando —le dijo Ana.

—Verás, en un ratito viene mi amigo Dasor y él siempre tiene muchas preguntas.

—¿Tienes amigos aquí? —le preguntó sorprendida la joven Natalia.

—Sí —respondió Ana con mucha naturalidad—. Son los peces a los que me refiero. Por eso fuimos a tomar el extracto de flores a su kiosco. Él estuvo esperando nuestra llegada para luego cerrar su negocio y más tarde encontrarse aquí con el grupo.

—Cada vez me sorprendes más, Ana. Siempre tomando cuidado de los demás —comentó Graciela dejando entrever la admiración que sentía por su amiga.

—¿Cuándo planeaste todo esto? ¿No nos conoces?, ¿o sí? —preguntó Natalia, un tanto perpleja.

—No los conozco formalmente a ustedes, pero sí conozco a Graciela y el estilo de ropa con que viste a sus protegidos. Es único de ella y lo puedo distinguir a distancia. Además, ustedes son más conocidos de lo que se imaginan —le contestó Ana.

Aquella respuesta de Ana los dejó pensativos y algo preocupados, tanto a Natalia como a Yeidan. Ellos pensaban que todo estaba muy bien escondido y que nadie, excepto sus padres, se interesarían por ellos.

—Pero no tienen por qué temer, estamos aquí para ayudarles —les habló con ternura Graciela al ver sus caras de preocupación.

—Claro que sí —añadió Ana al advertir que su comentario había sido un tanto indiscreto.

Y, efectivamente, al cabo de un rato llegó Dasor. Mientras él llegaba, el grupo aprovechó para presentarse y darse a conocer con más detalles los unos a los otros. La mayoría de las preguntas, como era de esperarse, iban dirigidas a Ana. Ella era un personaje alegre y a la vez muy interesante. Le gustaba conversar y era muy placentero estar en su compañía, para todo tenía una respuesta práctica y, por supuesto, nada tímida y sí muy extrovertida. Le gustaba conocer nuevas personas y se interesaba genuinamente por sus problemas. Siempre frecuentaba los festivales para «pescar», como decía ella. En realidad era una excusa para hacer nuevos amigos. Fue así como conoció a Dasor.

Capítulo 27

Se sella el amor y se abre la puerta

Finalmente, luego de un tiempo de búsqueda, llegaron a un lugar que parecía ser una salida. Frente a ella estaba un inmenso árbol que cubría de la vista a una roca que se mostraba inaccesible. No obstante, Leo le habló a la roca y esta obedeció moviéndose hacia un lado y dejando al descubierto el camino que daba a la puerta de entrada.

—No te preocupes, tengo las llaves que abren todas las puertas en Sonar —declaró Leo al ver la expresión de incertidumbre en el rostro de Lazuli—. Vendré por ti, pero antes tengo que cumplir una importantísima misión. Cuando pienses en mí, sentirás que estoy a tu lado y me puedes decir lo que sea, yo siempre te escucharé. Una vez que regrese ya nunca más nos separaremos —y diciendo estas palabras, le puso un anillo de diamante en su dedo, el cual tenía como un río en miniatura en su interior. Con ello sellaba el compromiso de su amor por ella y su promesa de volver.

»Este es el sello de mi promesa de que volveré por ti —le declaró Leo, besando dulcemente sus mejillas. Y abrazándola con ternura y se despidió de ella.

Ellos habían compartido juntos por algunas semanas mientras buscaban la puerta de salida para Leo. Durante ese tiempo, aprovecharon para conocerse mejor y ponerse al día el uno con el otro sobre detalles de sus vidas. De allí surgió la más hermosa relación de amor entre ambos, sentimiento que ninguno de los dos había experimentado anteriormente. Además, Leo aprovechó la oportunidad para hacer algunos planes con Viento, conocido como Ru, y tocar algunos pormenores que eran sumamente importantes para el éxito de su encomienda.

Mientras se despedían, Leo recordaba el día en que la conoció. Fue unos días antes de presentarse formalmente con ella o quién sabe si se trataba del mismo día. En aquel lugar, el factor del tiempo parecía omitido. Había seguido una senda desconocida para él, después de separarse de sus compañeros y de que cada uno tomara una ruta diferente para incursionar en el planeta. Mientras caminaba por aquel sendero, oyó las ondas sonoras de la canción más dulce y hermosa que había escuchado en su vida. En ella había tanto sentimiento y expresión que todo su ser se estremeció ante el profundo impacto que aquella melodía causara en su interior. Ese día, Lazuli cantó una melodía que se elevó en un crescendo alcanzando una nota muy alta, debilitando así el campo magnético de Elul y permitiendo el acceso de entrada al santuario. Fue así como Leo se encontró dentro del lugar donde ella residía.

Leo divagaba, desorientado por aquel lugar desconocido, cuando se percató de la presencia de la joven. Escondiéndose tras los árboles para no asustarla, Leo se propuso observarla más de cerca. Cuando pudo verla desde la perspectiva apropiada, el joven sintió que una flecha de alto voltaje le penetró su corazón, dejándole casi sin aliento. Era una criatura diferente, exquisitamente delicada y atractiva. Pero no solo era su belleza física el poder que lo atraía, era el profundo misterio que la rodeaba. Desde afuera se podía observar la diáfana transparencia de su corazón. Era más hermosa que cualquier criatura en su planeta, las cuales eran innumerablemente variadas.

Desde su escondite observaba cada movimiento que ella hacía. Se movía con tanta gracia y facilidad que parecía ser el aire que fluye sin límites, más ella era tangible y real. Se lanzaba desde las alturas de las cascadas como si fuera parte de ellas y las aguas parecían que se sujetaban a su dominio. Sobre ellas se refrescaba sin que estas la anegaran. Tenía dominio y control de todo lo que la rodeaba. Él estaba extasiado ante gracia de su bella personalidad.

¿Será esta la joven con quien planean comprometerme para que sea mi compañera? Si es así, ella llena todas mis expectativas y aún las rebasa, pensaba.

Pero, en un descuido, Leo se movió abruptamente causando ruidos y Lazuli se escabulló entre la arboleda que tan bien conocía, desapareciendo por entre el bosque. Leo la buscó en vano por varios días. Y mientras la buscaba, recorría el vasto territorio analizando cada detalle en el panorama. Estaba totalmente absorto ante la hermosura del lugar y su inmensa variedad de frutos y flores. Se preguntaba por qué su padre nunca le había hablado de aquel lugar y de la existencia de la joven. Ellos conocían todos los misterios de la galaxia y no había secreto entre ambos, ¿por qué ocultarle este importante detalle?

Alguna razón de peso mayor debió tener mi padre para no revelarme este asunto. Ya me dirá lo que debo saber en el momento oportuno, pensó. *Por ahora debo confiar y esperar.*

Al fin, después de unos días, Leo se encontró cara a cara con Lazuli. Ese día ella había decidido salir a dar un paseo y regresar a su rutina normal. Después de la ruptura del campo de protección, ella sentía que debía ser cautelosa en sus movimientos. Habían estado sucediendo cosas que estaban fuera de su control últimamente y le urgía ser prudente en sus decisiones. Pero ahora que estaba frente a él después del pequeño lapso de conocerse, ella entendió que lo que sucedió era más hermoso que cualquier sospecha. Aquel amor echó fuera todo su temor.

—Volveré por ti —le volvió a declarar Leo, mientras aun sostenía sus manos contra su pecho.

Al pronunciar estas palabras por segunda vez, una nube se posó sobre ellos como un tapiz de gloria que los cubría. Las lágrimas de felicidad corrían por el rostro de Ru y todas las criaturas del lugar expresaban en su lenguaje el regocijo que sentían. Las flores parecían sonreír y se engalanaban con resplandecientes colores. Las aves cantaban y hasta los árboles se movían como si celebraran el acontecimiento con aplausos. Era como si todos ellos fuesen testigos de la crónica de amor más hermosa de la historia.

Lazuli estaba exuberante de felicidad. La lozana cabellera que caía como cascada sobre sus hombros le fue adornada con el rocío mañanero, creando sobre ella la impresión de un velo de diamantes que la cubría. En su tersa y suave piel morena se traslucía toda la luz y la ternura que llevaba en su interior. Ella se ruborizaba ante la presencia de Leo y ello resaltara aún más su exuberante hermosura. Sus ojos de azul profundo eran como dos grandes zafiros que hacían que aún Leo se ruborizara y volviera de ella su mirada. Muchas veces le apartaba la mirada porque sus ojos, lo vencían.

En ese momento se encaminaron hacia la puerta de salida y allí se detuvieron antes de despedirse. Los ojos de ella se nublaron como si un presentimiento extraño la invadiera. Lo abrazó llorosa, como queriendo cubrirle y comunicarle corazón a corazón lo que sentía en sus entrañas. Él también se compungió en su interior y le reciprocó el abrazo de consuelo.

—Aunque tenga que dar mi vida por ti para hacerte libre y sacarte de este lugar lo haré, amada mía. Ni aún la muerte podrá separarnos, porque nuestro amor sobrepasa la misma eternidad —la besó nuevamente en la frente y luego desapareció por la puerta que nunca se abrió para que él pasara.

Lazuli se abrazó a Ru y regresaron por el camino que daba a la roca y luego al árbol, los cuales desaparecieron tras ellos sin dejar rastro de su existencia.

—Cuídala, Ru —se oyó una voz potente en el aire.

—Lo haré, amigo Leo —respondió Ru—, lo haré —luego ambos se miraron sonriendo y procedieron por el camino de regreso a casa.

Una vez fuera de Elul, Leo miró hacia arriba en dirección a Niar y agradeció a su padre. Sabía que él había arreglado todo lo sucedido. Leo pensaba que solo batallas y sufrimientos le aguardaban en aquel pequeño planeta, nunca imaginó que el encuentro del amor era la parte principal de su misión. Y pensar que creía que estaba ofendiendo a su padre con darle rienda suelta a aquel sentimiento que buscaba un cauce de salida en su corazón.

No tenía idea que mi padre fuera tan romántico. Lo consideraba parco y pragmático y que estas cosas emocionales no eran importantes para él. *¡Que concepto tan equivocado el mío acerca de mi padre!* Se disculpó ante él, pero el padre solo le contestó: *Mientras más crezcas en madurez, más conocerás de mi verdadero carácter.* Y luego, con una sonrisa, se despidió de su hijo. Así que con este nuevo aliado (el amor), Leo sentía que su encomienda era mínima.

También Lazuli, después de haber considerado todo lo que estaba sucediendo, sentía que había traicionado el amor de Ru. Aquel amor llenaba todos sus pensamientos, emociones y su corazón. El solo hecho de pensar en ello la llenaba de angustia. *Perdóname, Ru*, pensaba. *No sé cómo sucedió todo esto. Fue tan repentino e inesperado que no tuve tiempo para detenerlo.*

—¿Que tonterías estás pensando? —le reclamó Ru—. Tienes un corazón tan grande que es capaz de amar al universo de manera ilimitada. Lo maravilloso del amor es que se ensancha cada vez que tiene un objetivo para expresarse. No estoy triste ni celoso. Conozco la pureza de tu amor y la intensidad de este. Nada hay que perdonar, tontita —le dijo acariciándole la barbilla—. Anda, hoy seré yo quien te prepare el banquete para el desayuno. En el amor no hay espacio para la competencia, solo hay lugar para dejarlo fluir.

Leo llegó donde estaba su nave y sus soldados. Ellos no eran muy numerosos, pero eran valientes y fieles y tenían la capacidad de poner en fuga al más temible ejército. Conocían el secreto de cómo derribar las fuerzas enemigas. Ellos eran especialmente unidos y era esa unidad parte del gran secreto de vencer cualquier obstáculo que enfrentaran.

Mostraron mucha alegría de volver a ver a Leo, del cual se habían separado hacía varias semanas. Se sorprendieron de verle tan contento y animado, pero no se atrevieron a preguntar. Luego de ponerse al día con los pormenores de sus hallazgos en los distintos lugares del planeta, procedieron a planear las estrategias y medidas que habrían de usar en el plan que se había trazado.

Capítulo 28

Dasor

Los viajeros estaban tan enfrascados en la conversación con Ana que no advirtieron cuando llegó el amigo Dasor, quien con un saludo se acomodó en el círculo como si fuera parte de ellos.

—Hola (bueno no se decía así en Sonar, pero tengo los derechos de interpretación del lenguaje del planeta), les traje un bocadillo de mi negocio. Es muy popular aquí y creo que les va a gustar.

—¡Oh, qué amable! ¡Gracias! —le dijeron, mientras se presentaban con Dasor.

Luego de romper el hielo, Dasor les contó con detalles sobre su negocio, sobre el festival y la ciudad. Ya después de entrar en confianza, les empezó a hablar de las penurias de su vida. Él no tuvo inconvenientes para abrirles su corazón, pues se sintió en confianza para hacerlo. Ellos lo escuchaban atentamente y él hablaba sin reservas.

Todos estaban bien atentos a la narrativa de Dasor, quien tenía la gracia de cautivar la atención de su audiencia.

—Recuerdo cuando conocí a Rechazo por primera vez —comenzó— y con él vinieron Menosprecio y Apatía. Apenas tenía 5 años cuando el siniestro huésped se acercó a mi vida para tomar posada como un intruso indeseado. Quizás había estado allí anteriormente, pero no fue hasta ese día que sentí por primera vez la punzada de su aguijón. No le di la bienvenida, pero de igual manera se quedó allí. Hasta el día de hoy su exhalar nocivo sigue lastimando mi enconado corazón. Es un inquilino que he tratado de echar de mi vida, pero mi dolorido y machacado orgullo propio no ha podido reponerse. Perdí lo más que amaba en mi vida: a mi esposa y a mi hija por causa de mi amargura —dijo entre sollozos.

»No hallo espacio para el perdón y de mí se alejó la alegría y el sosiego. Me siento sin esperanza, ella nunca se pasea en este lugar maldito. En mi alma solo queda una red llena de hoyos y encrucijadas sin destino alguno. Aquí no se encuentran amigos, solo conocidos que se acercan con la intención de obtener ganancias de tu amistad. Por eso aprecio tanto a Ana y la atrapo cada vez que pasa por este lugar. Ella es como una panacea para mi alma. Cuando hablamos se me olvidan todos mis dolores y me ilusiono con la idea de que sí puede haber luz al final del camino.

—Para eso son los amigos —le respondió Ana, dándole una palmadita en la espalda—, para levantarnos cuando nos caemos, mi querido Dasor. Mmmmm, estos bocadillos están deliciosos, cada día los haces mejor. Eres el mejor cocinero de todo Teán —le animó con sus palabras.

—Y tú, la amiga más aduladora que conozco —le dijo Dasor.

—Verás, amigo, con cada decisión que tomamos hay una copa que apurar. Decidir es un regalo que se nos ha otorgado y debemos administrarlo para nuestro mejor provecho. El ayer no lo podemos cambiar, pero somos diseñadores de nuestro mañana. Todo lo que quieras cosechar mañana, tienes que sembrarlo hoy. En el asunto de la vida no hay víctimas ni victimarios a quien culpar. Tú eres el artesano de tu camino y el arquitecto de tu destino. Tú decides quien entra o no en tu casa y a quién escoges como inquilino. Es tu casa, es tu vida, es tu elección. Tú eres el mayordomo que administra la porción que se te ha legado. A eso se le llama crecer y tomar responsabilidad de nuestras acciones —le decía Graciela con mucha autoridad.

Dasor suspiró profundo y pensó con detenimiento en las palabras de Graciela. De pronto, como si una luz se abriera paso en su interior por aquellas palabras, su entendimiento comenzó a desbloquearse. Entonces comenzó a entender que siempre había venido donde Ana a llorar sus penas, sin la mínima intención de salir de su sumidero.

Estaba tan cegado por la autocompasión que no veía que la solución estaba en su poder y no en manos de los demás. Siempre había culpado a otros por sus penurias, pero en realidad eran meras excusas para esconder su pasividad de actuar. Se acostumbró a amamantar su dolor y a hacer de este su identidad. Así se consolaba con su papel de víctima y esto era el motor que lo movía, aunque lo llevara en dirección contraria.

—Tienes razón, Graciela. ¿Cómo es que no lo vi antes? ¡Solo yo puedo dar un giro a mi vida y reescribir el guion de mi destino! —exclamó Dasor como despertando de un prolongado letargo que se había perpetuado demasiado tiempo en su vida. Y abrazando a su nueva amiga, las lágrimas le corrían por sus mejillas, pero esta vez eran de felicidad y no de amargura. Ambos se fundieron en un abrazo de alegría y también se les añadió el resto del grupo que reían y lloraban simultáneamente.

—Ahora necesitas actuar, ese es el acróstico de mi nombre —le dijo Ana—. Tienes que ser fuerte y decidido para empezar a tomar acción en cada área de tu vida. Necesitas recuperar todo lo que se te ha robado. Estoy aquí para darte apoyo y ayudarte en lo que sea necesario.

—También yo —dijo Graciela—. Siempre que me necesites, llámame. Me anima mucho tu historia. También estaré aquí para darte fuerza y sostenerte hasta que logres tu propósito. Sé valiente, esfuérzate. Todo lo que se hace con determinación, se logra. Solo tienes que poner tu mente y tu corazón en ello.

—Cuenta con nosotros —añadió Yeidan hablando por él y Natalia.

—Ah, casi se me olvidaba —replicó Ana—. Te traje el regalo que te había prometido la última vez que nos vimos. Es el *Libro de los poemas dorados*.

—¡Ana, trajiste ese libro en el momento más oportuno! —exclamó Dasor en actitud de agradecimiento—. Soy tan afortunado de tenerte como amiga.

—La dicha es mía, amigo Dasor —agregó Ana.

—Ya debemos continuar la marcha, amigos —interrumpió Graciela—. Necesitamos encontrar un lugar donde descansar. Mañana seguiremos nuestra travesía y ya se hizo un poco tarde.

—Pueden alojarse conmigo en mi pequeña posada —dijo Ana—. Siempre la rento cuando vengo por estos lugares.

—Nada de eso, esta noche seré yo vuestro anfitrión —insistió Dasor—. Tengo varias habitaciones en mi hogar, es amplio y hay lugar para todos. ¿Qué les parece?

—Suena mejor que dormir a la intemperie —añadió Natalia.

—Entonces no se diga más, esperaremos unos minutos y cuando comiencen a repartir los premios pasaremos por entre la multitud sin ser notados —les explico Dasor.

Y así lo hicieron. Una vez en la casa, continuaron la conversación hasta muy tarde en la noche saboreando el zumo de extractos de flores y los exquisitos bocadillos que preparaba Dasor. Él tenía tantas preguntas para ellos. Antes de retirarse a dormir, él les pidió de favor que se quedaran otra noche en su casa para que también les dieran aquellas palabras de aliento a algunos de sus vecinos y conocidos.

—Pienso que ellos se pueden beneficiar mucho con todo este conocimiento que ustedes poseen. Claro, si no tienen mucha prisa de marcharse.

Los ojos de Ana, que también había decidido hospedarse con ellos, brillaron de emoción, pero no pronunció palabra para no imponer su sentir sobre los demás. Ellos acordaron que un día más no les afectaría sus planes, pero en realidad se detuvieron con Dasor y su grupo por otros cinco días. Había tanta necesidad de palabras de aliento en aquel lugar entenebrecido, que cada noche la casa de Dasor se llenaba de teanos deseosos escuchar palabras de esperanza. Ellos tenían hambre y sed de justicia y escuchaban atentamente, absorbiendo cada palabra se les hablaba.

Entonces Dasor comenzó a contarles cómo él mismo recibió luz y fue libre de su autoimpuesto cautiverio. Ana estaba delirante de gozo.

—¡Cuánto había pescado! ¿Cómo es que nunca había logrado este éxito ella sola? ¿Será que nuestra victoria se multiplica cuando se unifican nuestras fuerzas?

Después de unos días, el grupo de Yeidan y Natalia se despidió de sus nuevos amigos y emprendieron la marcha hacia su nuevo destino, pero Ana se detuvo por un tiempo en Teán junto con Dasor para ayudarle a alimentar al nuevo grupo de la esperanza que se había levantado. Era la primera vez que algo semejante ocurría en el lugar y la labor era bastante demandante para un solo mirano. Lo que estaba pasando no tenía precedente y el éxito de lo emprendido se dejó ver al pasar del tiempo.

Capítulo 29
El camino a Asiyán

Ya en camino a Asiyán, la próxima ciudad, Natalia volvía a reconciliar sus pensamientos y a ponderar los acontecimientos ocurridos en los días pasados. Había aprendido una lección monumental sin proponérselo. ¡Cómo las palabras sabias y prudentes dadas de manera oportuna pueden hacer brillar la luz de la esperanza, aun en el lugar más oscuro! El hablar de Graciela y Ana había fluido cargado de amor y comprensión, no había juicio ni demandas en ellas y fueron para el corazón lastimado de Dasor como manzanas de oro en bandeja de plata.

Recibí tantas enseñanzas sobre los protocolos, modalidades y filosofías del reino. Pero, ¿cómo es que nunca aprendí a consolar ni a ser empática con el dolor de otros? La sabiduría de los príncipes y la filosofía de los pensadores quedan nulas por la escasez de amor. El amor y la compasión son la mejor disciplina y la etiqueta más acertada para edificar de manera saludable. ¡Verdaderamente que el amor es el don más perfecto!

Yo también me había enclaustrado en mi autocompasión, pensaba. Me encerré en la mezquindad del sufrimiento y en la exaltación de mi necesidad, derrochando la preciosidad del tiempo que se me había prestado. No entendía que el cosmos sigue girando sin nuestro permiso y que el tiempo no se detiene a esperar por nosotros. El ego, como un pasivo que sustrae de nuestro capital, el cual no añade beneficio alguno, consume inmisericorde tan preciado tesoro. Si no se encarrila el tiempo que poseemos en los rieles apropiados terminará por arruinar la herencia que hemos recibido. Al igual que el poder de decisión, el tiempo es también un don, no un privilegio merecido. Es un préstamo

que se nos concedió y al que necesitamos administrar con prudencia
para maximizar su caudal de beneficio.

—Así es —atinó Graciela, respondiendo a los pensamientos de Natalia—. Solo tienes el presente y el poder de decidir de este momento. Lo que pasó y el porvenir son cosas que están fuera de tu control, pero el presente y el espacio donde te afirmas son tuyos y son redimibles en este ahora. Parece un argumento insignificante, pero el tiempo y el ahora son una gran riqueza que poseemos cuando hacemos sabio uso de sus caudales. El tiempo que no se aprovecha es una pérdida que jamás se recupera.

—¿Cómo puedes leer los pensamientos? —preguntó Natalia al percatarse de la manera tan acertada que Graciela describió lo que pasaba por su mente.

—Es sencillo —respondió ella—. Cuando tu corazón es puro para con los demás y tienes un deseo genuino de ayudar, entonces podrás ser sensible a su necesidad. El ser escondido que hay en ti y que está fuera del entorno que te lleva en su corriente vertiginosa, te enseñará lo que acaece en los demás y aun sus sentimientos más profundos te serán develados. Debes afinar tu oído interior para escuchar el lenguaje que se habla sin palabras. Si pudieras sincronizar tu corazón para aprender a leer entre líneas las palabras que se omiten, habrás obtenido una gran virtud. Necesitas aprender a decodificar los signos que se envían a través de las ventanas del alma. Pero, primero que nada, debes recordar que el amor es el lenguaje universal.

—Nunca he prestado atención a esos detalles —agregó Natalia—. He estado ausente y ajena a todo lo que pasaba a mi alrededor. Solo me alimentaba de mi escasez y me lamentaba por las cosas que me faltaban. Pero me he dado cuenta de que hay tantas riquezas en servir, en estar presente y consciente del devenir en tu derredor. Poseemos tanto y podemos dar sin medida, si así lo proponemos. Es nuestra estrechez la que cierra las puertas de la abundancia. Siempre hay más que suficiente cuando creemos. Ahora entiendo que esto es parte de la verdad que estaba buscando. Necesito saber quién soy y cuál es mi propósito para estar aquí.

»Cuando cruzábamos el túnel de Kebu —continuó Natalia— pude recordar muchas cosas en la ceremonia de las memorias. Esos recuerdos se hacen más claros y patentes cada vez. Casi puedo ver los ojos de mi madre llenos de amor y alegría cuando de niña me tomaba en sus brazos. Luego, al pasar del tiempo, sus ojos se quedaron vacíos y sin expresión. Poco a poco fue relegando su rol de madre y finalmente quedé al cuidado exclusivo de mi niñera. Ella vino a ser lo más cercano al calor de una madre que he conocido.

»Nunca he entendido la razón de su alejamiento. Al principio, ella comenzó a ocuparse en sus actividades monárquicas como si huyera de un fantasma que la acosaba. Luego se refugió en su grupo de amistades y compromisos sociales. Finalmente se abandonó por completo a la soledad. El enclaustramiento la hizo más inalcanzable cada vez.

»Tenía tantos pensamientos de venganza y rebelión dentro de mí, mezclados con un profundo dolor que amargaba mi existencia. Solo quería ser adulta y huir en busca de libertad, aun cuando pretendía que todo marchaba bien y que nada anormal estaba sucediendo. Cumplía con todo lo que se me requería como hija del rey durante el día, pero en las noches me escapaba con mi primo Yeidan para aprender todos los menesteres y las artes de guerra necesarias para prepararme para el día en que me escapara del palacio.

»Hoy puedo comprender que yo no estaba en mejor posición que los teanos que viven sin esperanza. Me cegaba mi deseo de venganza y me traicionaban mis emociones fluctuantes. ¡Cuánto necesito las palabras de Ana, el cuidado de Kebu y tu apoyo incondicional, Graciela! Aunque no he alcanzado la plenitud de lo que busco, sé que estoy en el camino que me lleva en esa dirección —aclaró Natalia.

Graciela se limitó a abrazarla y dejar que su compañía le infundiera toda la fortaleza que ella necesitaba en aquel abrazo.

Capítulo 30

La emboscada de Keki

Por su parte, Yeidan se había quedado completamente dormido después de llegar al Rancho de los Leprosos. Así se llamaba el lugar donde descansaban esa noche. Era allí donde se alojaban los forasteros que pasaban por aquellos lares y no conseguían hospitalidad en el vecindario. Habían dejado atrás la ciudad de los teanos y se adelantaban con presteza hacia el próximo poblado.

Natalia y Graciela también dormían plácidamente en otro rincón del rancho. De repente, Yeidan sintió que alguien le tocaba la espalda y le llamaba con una suave voz de mujer. Un tanto atolondrado se levantó y sin hacer preguntas siguió a la mujer que lo llamaba. Ella lo condujo hasta una pequeña aldea que no estaba distante del Rancho de los Leprosos. Al llegar al lugar, Yeidan reaccionó como si hubiese despertado del efecto somnífero de una hipnosis. Era la voz de la mujer la que le producía ese efecto hipnótico que lo desorientaba.

Lo primero que vio al abrir sus ojos fue el conocido rostro de Kebu. Con aspecto de sorpresa al ver a su gran amigo en aquel lugar, Yeidan exclamó:

—¡¡Kebu!!

—¡Oh!, ¿qué tal querido amigo? —le contestó el anciano con la voz un tanto diferente—. Ven, tengo un festín preparado para ti.

—¿Un festín? —Yeidan estaba confundido con lo que estaba sucediendo, pues aquello definitivamente no era el estilo de Kebu.

—Sé que mi voz te suena diferente, pero hoy quiero agasajarte al estilo de los teanos. Nadie te ha dado la bienvenida a nuestra ciudad y queremos celebrar tu estadía en nuestro territorio —le contestó. A Yeidan le pareció muy extraño que él le dijera que Teán era su ciudad, pues Kebu moraba en las montañas. Sin embargo, no prestó mucha atención al asunto, pues sabía que él era un amigo de confianza y que bajo ninguna circunstancia trataría de hacerle daño.

Entre las bebidas espumosas y efervescentes y las atenciones de la hermosa joven, Yeidan perdió la noción de la realidad. Como si estuviera bajo la influencia de un poder sugestivo, Yeidan no tenía idea de lo que estaba sucediendo.

—Kebu, querido amigo, ¿qué me has servido en tus bebidas? Siento que todo me da vueltas y no alcanzo a balancearme —le inquirió el joven.

—No soy tu amigo y tampoco soy Kebu —le respondió con una sarcástica sonrisa—. Me llamo Keki, el hermano gemelo de Kebu —y mientras él aún hablaba, se le acercaron unos teanos que no tenían cara de buenos amigos.

—No te hemos dado la bienvenida formal a nuestra ciudad, perdona nuestra descortesía —le decían maliciosamente los vagos rufianes que le rodearon de repente—. Aquí nos aburrimos mucho y siempre aprovechamos a los viajeros que nos visitan para divertirnos un poco. Es para nosotros un placer ver sus inocentes caritas tornarse en rostros de terror —y acto seguido se abalanzaron sobre Yeidan para propinarle una golpiza.

—No tan de prisa, amigos —retumbó la voz de un extraño personaje que estaba parado firmemente ante ellos—. Si quieren divertirse no lo hagan con un ebrio, la diversión les durará muy poco. Me ofrezco en su lugar, pues estoy sobrio.

—Ah, como tú digas, tonto. Parece que tienes razón, pero eres mirano muerto —le advirtieron los rufianes.

—Correré el riesgo —les contestó el personaje sin inmutarse.

Entonces todos los presentes corrieron hasta él con palos y objetos contundentes y se dispusieron a golpearlo. Pero apenas se acercaban al joven, de un golpe salían unos y otros volando en todas las direcciones. Cuando salían del aturdimiento, se agolpaban y arremetían contra él nuevamente, pero lo mismo pasó una y otra vez hasta que ya todos maltrechos aunaron las pocas fuerzas que les quedaba para huir a toda velocidad por la primera salida que encontraron.

Al ver la jugada, Keki salió corriendo para escaparse de las consecuencias que le esperaban, pero en ese momento le salió al encuentro su hermano Kebu.

—¿Por qué tanta prisa, hermano? —le preguntó mientras lo ataba de pies y manos, y lo llevaba a donde estaba Yeidan y el joven—. ¿Cuándo vas a aprender que este camino solo te llevará más y más a la destrucción? —continuaba ahora con un tono de compasión—. Necesitas un buen descanso para que medites en tus opciones. Irás a un lugar solitario y aislado de malas compañías para que tengas la oportunidad de ver con más claridad. Quizás aprendas a tomar mejores decisiones en el futuro y te encarriles en una buena dirección.

Entonces vinieron los acompañantes de Kebu y llevaron a Keki a las cuevas de la reflexión, que era una de las prisiones que se utilizaban en aquella ciudad. Allí pasaría el tiempo que fuera necesario para pensar y reflexionar sobre sus acciones. Mientras tanto, Yeidan muy avergonzado se presentaba con el joven que le ayudó.

—Gracias por ayudarme, fue muy oportuna tu aparición. ¿Cómo supiste que estaba en aprietos? —le preguntó Yeidan.

—Me llamo Gardo, es mi placer haberte ayudado —le contestó el joven mientras le extendía la mano en señal de saludo—. Escuché el llamado de Kebu, quien me contactó cuando percibió que estabas en peligro.

—¿Kebu? Pero estaba tan lejos de aquí, ¿cómo pudo saber?

—En realidad fue Graciela la que lo puso sobre aviso al notar tu ausencia en el cobertizo —le explicó Gardo.

Yeidan sentía tanta vergüenza al pensar en Graciela y Natalia. No sabía cómo las enfrentaría.

—Le he fallado a ambas, ni siquiera me atrevo a mirarlas a la cara —les dijo Yeidan.

—Todo fue un plan de Keki —interrumpió Kebu que se había acercado nuevamente a ellos—. Siempre ha tenido rivalidad conmigo y trata de dañar a todos mis amigos —continuó el anciano—. Él envió a la mujer que te tocó con un narcótico en su pañuelo para que la siguieras sin poner resistencia. Ya drogado, Keki terminó por embriagarte para que así sus amigos terminaran su obra de destruirte.

—Lo siento tanto, Kebu. ¿Cómo pude confundirlos? Él se parece tanto a ti y su aspecto no es el de un hombre malo. Y aunque su estilo era muy diferente al tuyo, sus palabras parecían honestas. Todavía no entiendo cómo pudo engañarme y cómo caí en su trampa —se reprochaba el joven Yeidan.

—Las cosas no siempre son lo que aparentan —le comentó Kebu—. Es cierto que nos parecemos mucho, somos gemelos idénticos y los miranos siempre nos confundían de niños. Pero a medida que fuimos creciendo, se fueron separando nuestros destinos. Él se aventuró por otros rumbos y se acompañó de malas compañías, corrompiendo así su fundamento y terminó por confundirse en su camino.

»Keki se dejó influenciar por Noser y sus sutiles adulaciones. Muchos tantos han caído en el mismo error que él. Noser no juega trucos divertidos, ni tampoco le interesa medir sus fuerzas con los miranos, su único propósito es destruir tanto a sus enemigos como a los aliados. Él nunca enseña las dos caras del numerario y siempre se reserva una carta escondida para utilizarla en el momento oportuno. Noser no es de fiar, en lo absoluto, aun su nombre deja entrever su verdadero carácter: es la encarnación de lo falso, de lo que no es.

»Verás, en cuanto a mi hermano y yo, te diré que mi nombre es Kebu derivado de *qué buscas* y su nombre es Keki, seudónimo de *qué quieres*. Pareciera que ambos nombres quieren decir lo mismo, pero no es así. El que busca algo, por lo regular lo encuentra. Hay un sentir de responsabilidad y honestidad cuando te embarcas en una búsqueda genuina. Muchas veces es más una demanda interior que una opción caprichosa. Por otro lado, cuando quieres algo, ello puede ser importante o meramente un deseo superficial. En cuanto a lo personal, ellos te llevarán por dos caminos diferentes. El querer nunca se sacia y siempre se desea más. El buscar tiene una meta y un fin definido, y una vez logrado te llena de satisfacción. Te recomiendo que uses tu discernimiento para que puedas entender la diferencia.

—De niño, mi madre siempre me hablaba de los ancianos sabios —le dijo Yeidan—. Si ellos existieran pienso que deben ser tal y como tú eres, Kebu. Todo lo que hablas está impregnado de sabiduría y paz. —Kebu simplemente lo miró y se sonrió.

En ese momento llegaron a toda prisa Natalia y Graciela, quienes avanzaron hacia la reunión de amigos. Al ver que Yeidan se encontraba con ellos y que todo parecía estar bien, se tranquilizaron. Natalia corrió a abrazarlo, al tiempo que le reclamaba el hecho de no haberle avisado que planeaba salir.

—Fue angustioso pensar que algo malo te hubiese ocurrido —le cuestionó Natalia.

—Lo siento —le contestó Yeidan mientras la abrazaba con ternura. Natalia se secaba las lágrimas disimuladamente a la vez que la invadía un sentir de alegría y gratitud.

Después de llegar al rancho, Natalia pensaba muchas cosas antes de volverse a dormir. Nunca había considerado que la vida también era un regalo que no nos pertenece, es un tesoro preciado de valor incalculable que se nos ha encomendado. No tenemos el derecho de dañarla o ponerla en riesgo por cosas triviales. Necesitamos ser muy responsable en guardar y proteger tal tesoro, por tanto, es imperante que tomemos cada decisión con mucha prudencia. Somos parte de un total que nos conecta a unos con otros. Como parte de la creación, todo lo que hacemos afecta de una manera u otra a los demás, incluyendo a la creación misma. Desde ese día Natalia decidió que no arriesgaría aquel don que se le había encomendado por tonterías. *Solo algo que sea más preciado que la vida misma, merece el riesgo de ponerla en juego.*

Capítulo 31

El sentir de la culpa

En el otro extremo del hemisferio, los padres de Yeidan y los de Natalia se disponían a salir con sus respectivos ejércitos en busca de sus hijos. Ambas familias estaban conscientes de los peligros a los que estaban expuestos su hijos si alguien descubriese la identidad de ellos. Ser parte de la familia real los hacia más vulnerables que al ciudadano común. Sonar había sido un planeta no solo hermoso sino también armoniosamente balanceado antes de la alianza de Noser y Eneva. Sin embargo, ahora el peligro acechaba en cualquier esquina y sus ciudadanos no estaban a salvo de los asaltantes inesperados.

Toda la ciudad de Nun —o al menos una gran cantidad de ella— se unió al ejército del rey en búsqueda de la princesa. Incluso la reina Eunice, quien había sido negligente y despreocupada, también se añadió a la muchedumbre. El hecho de sufrir la separación de su hija la había despertado a la realidad de su existencia. Por primera vez en su vida, pudo entender el importante lugar que ella ocupaba en su corazón. Torrentes de emociones se agolpaba en su pecho sin encontrar una salida. No soportaba el tormento de la culpa por el tiempo que había perdido en su egoísmo y frivolidad. En aquel momento de incertidumbre Eunice no sabía si volvería a ver a su hija. Hubiera dado todo cuanto poseía a cambio de poder escucharla una vez más, necesitaba darle el abrazo que por tantos años le negó. No estaba dispuesta a perder la oportunidad de pedirle perdón y decirle cuanto la amaba.

Llevaba muchas noches que no dormía a causa de la angustia y apenas probaba bocado. Era muy grande el peso de la culpa que llevaba en sus entrañas. Se sentía impotente y aquel enclaustro la asfixiaba.

—Necesito salir del palacio y hacer algo para encontrar a mi hija. Me mata la angustia de la espera —insistía Eunice ante la renuencia de su esposo a que se uniera al grupo—. Hace muchos años debí hacer algo, espero que no sea muy tarde —musitaba entre sollozos. Ariel también se sentía culpable por los sucesos que estaban aconteciendo.

—Yo la abandoné cuando más me necesitaba, le impuse mi voluntad sin honrar su capacidad de escoger y su sentir como ser pensante. Nunca le pregunté sobre su parecer en cuanto a las decisiones que afectaban su vida y le quise imponer un matrimonio forzoso. La traté como un objeto de quien me sentía dueño y como una marioneta involutiva. ¡Cuán equivocado estaba al pensar que ella sería un duplicado exacto y la prolongación de mi persona —se decía en tono doloroso.

»Me importaban más mis estúpidos compromisos que mi obligación de padre. ¡Cuán sola debió sentirse! ¿Cómo es que nuestra balanza se inclina a lo que menos tiene valor? ¡Qué errados nuestros juicios y nuestra perspectiva! Todos los tesoros del mundo no sirven para comprar la vida y son ofensivos ante la comparación con el amor. ¡Cuánto daría por escucharla reír y por ver el brillo de sus ojos cuando estaba a mi lado! Ella era la luz que alumbraba mi mundo y ahora todo está en tinieblas —suspiraba Ariel tratando de consolarse con la empatía de su esposa.

Capítulo 32

Los padres de Yeidan

La escena difería bastante en el caso de Valena y Eneva. Valena había sido una madre amorosa con su hijo y, por su lado, Eneva lo había preparado para enfrentarse a la vida, con una agenda egoísta, por supuesto, pero con un resultado efectivo. Aun así, Eneva se estremecía ante el pensamiento de perder lo único que traía un poco de sosiego a su vida.

Aparte de Yeidan y su esposa Valena, nada parecía tener sentido para él. Su vida se había secado con el veneno de su odio. Incluso su matrimonio se sumía en la oscuridad y él veía cómo se apagaba la mujer que amaba y se desvanecía el brillo de su vida. Lo más que le irritaba era que, irónicamente, su hermano —a quien consideraba su peor enemigo— no parecía afectarse con el odio que cada día lo consumía. Al contrario, era él quien ingería su propia pócima venenosa e iba muriendo cada vez más en su amargura y soledad.

—¡Cómo se ha burlado de mí el eco de mi traición! Como búmeran que vuelve a su punto de partida, así ha regresado a mí la maldad que había planeado.—En aquel momento de desesperación, nada parecía consolar el decepcionado corazón de Eneva. ¿Quién de sus enigmáticos amigos, si es que podían llamarse amigos, llenaría el espacio que dejaba en su vida la ausencia de su hijo?—. ¡Que ironías de la vida! —pensaba con frustración e impotencia—. Quise destruir a mi hermano y a su familia, pero ahora la vida se vuelve contra mí. Ella me ha reciprocado el mal que había fraguado.

»¿Qué edifica el objetivo de las guerras y quiénes se beneficia de ella? ¿Qué precio se puede pagar a cambio de la vida? No hay tesoro que pueda comprarla, ni tampoco hay poder que la retenga. La muerte no se intimida ante nadie, ella ejecuta todo cuanto le place. ¡De qué valen los muchos recursos, las mañas o el poder de persuación, si ante el dolor todos somos impotentes! —Eneva se sentía defraudado y con la rabia del dolor por un pasado que no podía recuperar. Confió ciegamente en las promesas de Noser, pero ahora ¿dónde estaba el fanfarrón embaucador que con sus mentiras e instigaciones no había podido validar ni una sola de sus promesas?

Capítulo 33
Al rescate

Al día siguiente ambos ejércitos partirían por caminos separados en búsqueda de los jóvenes desaparecidos. Ariel iría por las montañas, mientras que Eneva tomaría el valle. La travesía no debía ser muy complicada o al menos así lo pensaban. Podían viajar la mayor parte de la trayectoria por lugares secos. Sonar poseía caudalosos ríos y grandes lagos que parecían océanos, pero no había mares en el planeta. Aunque no tenían idea del tiempo que les tomaría la jornada, ellos se proponían encontrar a sus hijos y encontrarlos con vida. Ariel se dejaba llevar por algunas pistas que le proveían claves a decodificar. Mas por su parte, Eneva era experto en cacería y conocía la zona montañosa a la perfección. Dejándose llevar por los datos que ya conocían, ambos líderes se sentían seguros de su éxito.

Andrea también, quien vivía en las montañas adyacentes al Valle de Helena, reunió un grupo de amigos y vecinos que estuvieron dispuestos a unirse en la búsqueda de los príncipes desaparecidos. Su grupo tenía la ventaja de contar con las veloces mandoras. Aquellos exclusivos animales se reproducían únicamente en el Monte de Nor y solo la familia de Andrea los poseía. Se decía que ellas fueron un regalo que le enviara Elior desde el planeta Niar.

Ella era madre de cinco hijos, aunque dos de ellos hacía muchos años que no vivían con ella. Para entonces, su esposo Zado había muerto y la carga de levantar a su familia cayó sobre ella. Andrea era muy respetada y honrada por toda la comunidad. Había tenido que levantar sola a su familia y cuidar de su esposo enfermo por muchos años. Ella era una mujer con una gran resiliencia y había enfrentado la adversidad y el temor con un valor inquebrantable. No se intimidaba ante los retos y estaba dispuesta a enfrentar a la misma muerte con tal de defender lo que le parecía justo.

Con la esperanza de encontrar a sus hijos entre la multitud, Andrea decidió salir de su escondite y marchar a enfrentar su destino. Sus amigos la apoyaban cien al por ciento y se dispusieron a marchar unánimes con ella. El resto de sus hijos también se unió en la aventura, aunque ella no estaba muy convencida de ello. El camino sería largo y pedregoso, pero todas las veredas conducían al Monte del Elevado.

Capítulo 34

Los sinitos

Totalmente ajenos a lo que ocurría en el otro lado del planeta, Natalia y Yeidan, acompañados de Graciela y el recién añadido joven Gardo que decidió unirse al grupo, seguían su trayectoria. Sin detenerse avanzaban hacia la siguiente ciudad, Asiyán, que estaba de paso en su jornada al Monte del Elevado.

Yeidan estaba contento de que Gardo los acompañara. Hablaron gran parte del camino y congeniaban muy bien. A pesar de la juventud de Gardo, el joven parecía muy sensato y se conducía con juicio y prudencia. Él les indicaba el camino a escoger y cuales debían evitar. Parecía tener pericia con acierto, como si estuviera muy familiarizado con el lugar. Todas sus sugerencias resultaban prácticas y muy acertadas.

Ya cerca de la ciudad, se podía apreciar el bullicio de la gran aglomeración pueblerina y el apiñamiento de residencias. Desde arriba se veía el acopio de los techados con impresionante uniformidad en su diseño y el color cobrizo pardo que se mostraba desgastado por el paso de los años. En el horizonte se vislumbraba el fulgor de los alumbrados de las calles, mientras que la noche comenzaba a posarse lentamente sobre el panorama. Aquella era la gran ciudad de los sinitos.

Sus habitantes eran suspicaces y no se fiaban de nadie. Se les hacía difícil mantener una relación de amistad cercana debido a su cultura cerrada, se mantenían privados sin abrir espacio para los extraños. Cada cual a lo suyo, era su manera cultural de pensamiento. Su filosofía de vida era que solo existe lo que está frente a ti y es causa de interés aquello de lo que te puedas beneficiar. La compasión no era parte de su lenguaje. Si no había ganancia en cualquier transacción que hicieran ni siquiera se molestaban en considerarlo. Ellos nacían, trabajaban y se morían; esa era su doctrina e idiosincrasia. Aprovechaban todo aquello que los beneficiara, lo demás carecía de importancia.

La estadía en aquel lugar no fue nada fácil para nuestros amigos. Encontraron la peor estancia para pasar la noche y, por supuesto, al precio más alto. El dialecto que hablaban los sinitos era bastante complicado y a Natalia y Yeidan se les hacía difícil comprenderlo. Gracias a la habilidad de Gardo para entender los diferentes dialectos, ellos pudieron avanzar en su camino, pero no sin penurias y sinsabores.

Aun así, no todo fue lobreguez en aquella ciudad asentada en tinieblas. Mientras ellos pasaban de vecindario en vecindario, algunos de los ciudadanos se les acercaban, especialmente los de las minorías. Ellos querían conocer un modo de vivir diferente a su sombrío estilo de vida.

Ana, la famosa Ana, amiga nacional de los advenedizos, ya se les había adelantado llegando a la ciudad mucho antes que ellos. Con su inigualable carisma había ganado la simpatía de muchos sinitos. Por supuesto, ella no perdía tiempo, siempre andaba equipada con copias del famoso libro que advocaba por doquiera que pasaba. Esto causó muchas interrogantes en los ávidos lectores, quienes devoraban sus páginas con hambre de novedad. Por fortuna, Graciela y Gardo parecían tener todas las respuestas a las preguntas del grupo que se arremolinaba y que iba en aumento cada día. Natalia y Yeidan eran meros espectadores, pues no tenían idea de lo que estaba ocurriendo. Aquel asunto era nuevo para ellos y apenas entendían la dinámica que permeaba en su comunicación.

Después de algunos días, los caminantes partían hacia los límites de la ciudad. Entre la mezcla de sentimientos encontrados y un sabor agridulce en sus emociones, los viajeros dejaban atrás la ciudad de los sinitos, no sin antes haber causado un gran impacto en muchos de sus habitantes. Ellos no pretendían ser portavoces de ninguna ideología, solo querían llegar a su destino lo antes posible. Sin embargo, parecía que dejaban huellas en su paso a medida que avanzaban por aquellas ciudades. No era lo que hacían o lo que decían, simplemente la esencia de lo que eran generaba en otros la catapulta que impulsaba en ellos la necesidad de ser libres.

No obstante, la experiencia era recíproca. Sus vidas también eran tocadas por las vivencias y los retos que cada día experimentaban. Una transformación se iba calvando en el carácter de ellos. Este proceso metamórfico los iba definiendo y marcando de tal manera que ya jamás volverían a ser lo que eran antes.

Lo que los jóvenes habían aprendido y experimentado en los últimos meses superaba todo lo que hasta ahora habían vivido. ¡Quién diría que lo que comenzó como una aventura sin horizonte, ahora se había convertido en todo un plan maestro que parecía haber sido meticulosamente diseñado por un perito arquitecto y del que ellos eran los protagonistas! Ya no eran dos jóvenes caprichosos que se habían lanzado en una aventura de rebelión en contra de sus progenitores sino que ahora eran líderes de un grupo que iba tomando forma y que cada vez se hacía más grande. Por supuesto, todo esto iba sucediendo sin que ellos lo hubieran planeado.

Capítulo 35

Incursionando en nuevos retos

La próxima ciudad que les tocaba cruzar era la más difícil de todas las ciudades del valle de los teanos. Nuestro inocente grupo no tenía idea de lo que les esperaba en esta ciudad. Hasta la fecha la jornada había sido bastante llevadera, aunque no había dejado de tener dificultades. Ellos pensaban que estaban preparados para enfrentar lo que fuera necesario, pues sentían que ya lo habían visto todo. Poco se imaginaban que apenas estaba comenzando la carrera. Mas eran aquella ignorancia e intrepidez, sus mejores aliados en ese momento. Les servía de soporte el desconocer el peligro que afrontarían en el camino.

Cada detalle que ocurría en la esfera física reflejaba una realidad que se expresaba a voces desde su interior; como si fueran dimensiones paralelas. Mientras más incursionaban en la incertidumbre de aquel desconocido paraje, más se adentraban en la jungla de lo incógnito de su mundo interior. Todavía había muchos velos que necesitaban removerse, tanto en la esfera física como en la invisible. No obstante, la maraña se iba desenredando y las piezas del rompecabezas se acomodaban en su lugar.

Ellos aún no tocaban la superficie de la capacidad que poseían para enfrentarse a cualquier desafío. El caudal de las riquezas con que fueron dotados superaba su más inconcebible imaginación. Poseían la suficiente elasticidad como para expandirse hasta los cielos y al universo mismo. Las adversidades que se presentaban a su paso solo les daba la oportunidad de conocer la flexibilidad con la que contaban para acomodarse a cualquier circunstancia. Una vez superado los temores y las limitaciones en sus mentes, nada sería imposible para ellos.

¿Qué harías si te dijeran que eres ilimitada, que todo está al alcance de tu mano si lo pudieras creer? Si tan solo pudieras superar el programa y los conceptos aprendidos que gobiernan tus acciones y reacciones, si supieras que todos los límites están en tu mente, que ninguno de ellos es real sino que son humo que se esfuma con el tiempo, ¿cuál sería tu perspectiva? ¿Cómo afectarían tu vida? Natalia escuchaba la voz de su diálogo en su interlocución interior tratando de sacudir los pensamientos de su cabeza. Le parecían demasiado buenos como para ser ciertos. Cuando miró a Yeidan, le pareció entender que por su cabeza pasaba el mismo apotegma, como si estuvieran sincronizados en una frecuencia simultánea.

Capítulo 36

Los nuevos aliados

Graciela y Gardo consideraron que sería prudente tomar un atajo por las montañas, aunque llevara más tiempo hacer el viaje. Sería una vereda más llevadera y segura para entrar de incógnito en la ciudad de los TPU. En toda la jurisdicción del valle de los teanos, los topanos eran los más despiadados e implacables de todos. Ellos no se limitaban al tomar las medidas que fueran necesarias para llevar a cabo su cometido de adoctrinamiento según la agenda de su filosofía, consideraban legal cualquier medio utilizado para lograrlo. Nuestro grupo necesitaría de mucha osadía y maña para cruzar la ciudad y salir ilesos de ella.

Luego de coordinar los detalles pertinentes para la ruta a seguir, el pequeño grupo decidió tomar la trayectoria que se desviaba un poco hacia el occidente. Subiendo en dirección a las montañas, tomarían el camino que se retiraba lo suficiente de la ruta principal. La lumbrera mayor comenzaba a hacer su descenso por el poniente y nuestros viajeros necesitaban ascender un poco hacia las colinas para pernoctar allí. Querían asegurarse de no recibir visitas inesperadas mientras descansaban.

Una vez llegados al tope de la colina, los cansados caminantes se disponían a desempacar sus pertenencias y prepararse para pasar allí la noche antes que la oscuridad arropara el lugar. Las lunas de Sonar no brillaban aquella noche, pero las estrellas en el firmamento parecían diamantes que se antojaban espectacularmente brillantes y cercanas en la densa oscuridad. Ya se habían calmado y estaban listos para descansar cuando, de pronto, sintieron el ruido de pasos que se acercaban demasiado al lugar donde ellos se encontraban. De inmediato, se pusieron en posición de alerta para defenderse y contraatacar en caso de ser necesario, pero una voz familiar les advirtió:

—Tranquilos, somos nosotros.

Eran algunos de los amigos de Dasor que, para ese entonces, se habían convertido en una multitud numerosa. Ellos querían conocer de cerca al grupo que había causado tal revuelo en la ciudad de los teanos. Luego de hacer las averiguaciones necesarias para encontrarlos, subieron antes que lo hiciera nuestro grupo para reunirse con ellos en la montaña. Algunos de los sinitos también se habían añadido al grupo de caminantes aquella noche. Ya más tranquilos, al saber que se trataba de amigos y conocidos, los jóvenes bajaron la guardia y se dispusieron a darles la bienvenida.

Leo también llevaba constancia bastante precisa de todos los movimientos que hacía el pequeño grupo de viajeros. Él había enviado un selecto grupo de guerreros para que mantuviera una vigilancia a cierta distancia. Con ello, Leo se proponía enviarles protección en caso de ser necesario.

Capítulo 37

La velada

La conversación en el grupo se condujo de manera agradable, en una atmósfera amena y placentera. Cada uno contaba las anécdotas vividas en el trayecto del camino y conversaban plácidamente, entre risas y suspiros. No obstante, esa noche parecía que todos los insectos del lugar decidieron hacerles compañía y la espesura del bosque parecía favorecer la intrusión de aquella molesta plaga. Por suerte una de las residentes de Asiyán que los acompañaban, era especialista en especias aromáticas. Ella diseminó una infusión de yerbas amargas en el aire que, muy atinadamente, hizo que todo insecto e intrusión de alimaña se esfumara.

El grupo recién integrado parecía acoplarse de manera natural, como si llevaran tiempo conociéndose. Tal parecía que una fuerza superior a ellos los entrelazaba en un mismo deseo. Les urgía la necesidad de ser libres de toda enseñanza limitante y llegar a la cumbre de la verdad emancipadora. Mientras hablaban de diversos temas, la noche seguía avanzando en aquella velada inolvidable.

Repentinamente, Natalia advirtió un grupo de estrellas rojas hacia el noroeste del lugar. Impresionada por el descubrimiento quiso anunciarlo al grupo, inquiriendo sobre su existencia. Fue Graciela, quien muy versada y documentada en la historia de las galaxias, le contestó la pregunta con su manera única de explicar las cosas.

—Es la Galaxia Roja, también conocida como la Galaxia de Rubí —les comenzó a explicar—. Cuenta la leyenda que la diseñó una niña en honor a su rey. Se dice que había un rey justo y pacificador, el cual era muy amado por su pueblo. Mas aquel noble murió en manos de sus propios hermanos, quienes por envidia lo mataron. Cuando la niña leyó en la profecía que el monarca a quien ella amaba tanto tenía que morir a causa de su pueblo, con trazos rústicos de niña inexperta, dibujó y coloreó la Galaxia Roja para él. Al Gran Sabio de las Galaxias le agradó tanto lo que hizo la niña que, inspirándose en aquel inocente acto de amor, creó la galaxia y la puso en el firmamento en honor al rey justo y a la niña sabia.

—Que leyenda tan hermosa y significativa —suspiró Natalia—. ¡Quién nos concediera tener un rey como ese! Parece que su amor y su justicia sobrepasaban los modelos de todos los reyes que conocemos —Natalia guardó silencio después de aquel comentario. Recordó a sus padres y un sentir de melancolía le vino a la memoria—. ¡Cómo hubiera deseado tener un padre como aquel rey amoroso y ser aquella niña que tenía tal relación con él! —A pesar de todo el camino que había recorrido en su experiencia, todavía le quedaba mucho espacio vacío que necesitaba llenar.

El comentario de uno de ellos la sacó de sus pensamientos. El apuntaba hacia el gran monte que se encontraba hacia el fondo del lugar:

—Se dice que en el tope de ese elevado monte hay una gran meseta. En ella se encuentra el tesoro más preciado de Sonar, conocido también como el Gran Zafiro Azul. Según cuenta la leyenda, tal tesoro está muy oculto entre los portales de luz. Si alguien lograra hallarlo tendría todas las respuestas a sus interrogantes; podrá conocer la verdad de todos los misterios que encierran el universo —les platicaba el joven.

El corazón de Natalia dio un salto de emoción al escuchar el relato.

—¿Cómo sabes estas cosas? —preguntó ella. Mi nana solía contarme esa leyenda cuando era pequeña.

—¿Tienes nana? —preguntó Ágape, así se llamaba el joven que había hecho el comentario—. Debes ser rica para tener niñera.

—Oh, es solo una vieja amiga —contestó Natalia, cambiando el tema para desviar la atención de la pregunta del joven.

—¿Y quién te habló de estas cosas? —preguntó Yeidan al joven que hizo el comentario.

—He leído sobre ello en el libro que me regaló Ana —le respondió—. Ningún mirano ha subido a ese lugar, ya que está protegido por los temibles guardianes de fuego. Necesito encontrar ese zafiro y salir de la irresolución que rodea mi vida para ser libre —añadió el joven, mientras bajaba el tono de su voz. Un suspiro de tristeza dejaba entrever los anhelos que abrigaba en su corazón. Ágape nunca había conocido a sus padres, ellos murieron sin dejar rastro de su existencia cuando él era aún muy pequeño.

—Yo también he escuchado del Gran Zafiro de Sonar; también me urge conocer esa verdad, que conteste todas mis interrogantes. Pero pensaba que solo yo sabía de este asunto y que se trataba simplemente de una leyenda imaginaria. Aunque no lo proclamé abiertamente, ese fue el motivo secreto por el cual me embarqué en esta aventura. ¡Qué tonta y egoísta mi manera de pensar! Creía que era la única persona sufrida en este planeta. He dejado que mis sentimientos sean mi mundo y no he alzado la mirada para ver más allá de la estrechez y la mezquindad —decía Yeidan un poco avergonzado.

Entonces todos contestaron a unísono:

—Yeidan, todos sabemos esa historia que nadie se atreve a expresar y tampoco la creen en un cien por ciento.

Entonces, acercándose unos a otros y haciendo una rueda gigante, cada uno expresaba detalles de sus vidas de manera sincera y abierta. Se envolvieron en un invisible abrazo que los solidificaba con lazos profundos de unanimidad. Aquella unidad que ahora los entrelazaba, trascendía los lazos genéticos de familia y también a los límites del tiempo y el espacio.

—Gracias por llevarnos con ustedes hasta ese misterioso lugar —exclamó uno de ellos.

—En realidad nadie sabe en dónde queda ese lugar, todos estamos en el mismo nivel. Nosotros solo seguimos la guía de nuestro corazón y lo que vamos aprendiendo a medida que avanzamos en nuestro recorrido —les confesó Yeidan.

—Yo sé dónde queda —afirmó Gardo—. Vengo de allí. También Graciela conoce el lugar como a la palma de su mano.

—¡¿QUÉ?! —Todos exclamaron a la misma vez, con expresión de incredulidad. Entonces comenzó la avalancha de preguntas, a lo cual ellos contestaron de la manera más discreta posible.

—Si hemos aceptado la encomienda de venir en este viaje con ustedes y hemos decidido ser incluidos en esta misión es porque podemos discernir la transparencia de vuestros corazones. Ningún corazón impuro en el que se encuentre avaricia puede pasar el portal de fuego que está camino al lugar. La pureza de corazón es la cualidad principal para subir al Monte Elevado y hemos visto que ustedes la poseen.

La vida puede ser como una orquesta coordinada y armónica, y tu corazón el conductor que la dirige. De ti dependen los integrantes que la compongan. Según la frecuencia que emitas, así serán los elementos que atraerás a ti. Tú eres la puerta que se abre a las posibiliades, pero también la pesadilla que te aprisiona, si ese es el camino que escoges seguir. Dime quién eres y te diré de quién te acompañarás. Ese era el gran refrán de los miranos y Graciela lo repetía en esta ocasión para enfatizar el hecho de que lo que ocurría aquella noche era el resultado del poder de la atracción. La luz atraerá más luz y las tinieblas solo atraerán más oscuridad.

Capítulo 38
La Galaxia Roja

Esa noche nadie podía dormir en el campamento, eran demasiadas emociones para una sola noche. Entre la Galaxia Roja que se desplegaba majestuosamente en el firmamento y la noticia del Gran Zafiro Azul sus emociones estaban demasiado aceleradas y ellos no podían conciliar el sueño. Aquellos era más de lo que su limitada capacidad podía asimilar, parecía que iban a estallar en un éxtasis de emociones. Además, ya habían empezado a sospechar que Graciela y Gardo no eran miranos comunes. Quizás se trataban de ancianos sabios, pensaban aquellos que conocían sobre el asunto, aunque no estaban tan seguros porque Gardo era muy joven para considerarlo parte del selecto grupo.

Mientras todo aquel océano de expectación invadía sus emociones, ellos aún digerían el hermoso poema que les recitó Graciela acerca de la Galaxia Roja:

Cuando supo la niña que su rey se iría,
buscó como loca llevarle un regalo.
Trató de atrapar la esencia del día,
capturar la luna quiso con sus manos.
Quizás una estrella le regalaría,
o tal vez las aguas que había en los mares.
Por montes y valles viajó cada día,
buscando un presente para regalarle.
Muy triste y frustrante parecía su suerte,
su búsqueda en vano había resultado.
Pero el rey, muy sabio, la tomó en sus brazos

y sobre el firmamento la llevó muy alto.
Desde allí la niña miró las alturas
y su corazón la historia, pudo comprender.
Tomó su papel y con muchas pinturas
con trazos de niña grabó sobre él.
La Galaxia Roja pintó para el rey,
sabiendo que un día muy lejos se iría,
que a un cruento mundo y a un pueblo sin ley,
por buenos y malos, su vida daría.
El rey, sin palabras, recibió el regalo
y en honor a la niña la galaxia creó
para siempre plasmando en un cielo lejano
el amor de una niña por quien su vida entregó.

Y así, cada uno en el lugar que habían seleccionado para dormir y tratando de sosegar la avalancha de emociones que se agolpaba sobre ellos, buscaban conciliar el sueño que finalmente lograron antes de rayar el alba. Para entonces, el clan de Leo se había acercado al campamento sin que nadie se percatara de ello.

Capítulo 39
El ejército de Andrea

Andrea, la valerosa mujer de las montañas de Nor, también había descendido con su pequeña comitiva y se disponían a cruzar el río de Las Perlas cuando repentinamente escucharon un ruido estrepitoso que retumbaba dentro del bosque. Acto seguido, se percataron de una estampida de antílopes que corrían despavoridos como si huyeran de un espanto. Todos los del grupo se dispersaron por entre los árboles y las cuevas del lugar para esconderse del peligro. Con mucha cautela, esperaron a que pasara el peligro para no ser descubiertos. Tras los antílopes marchaba Noser con sus aliados, pero en su apremio no se percataron de la presencia del pequeño ejército.

Un tenebroso presagio cruzó por la mente de Andrea y un profundo dolor le atravesó el corazón ante la pasada de aquellos jinetes que corrían a toda velocidad. Sus piernas se debilitaron y flaquearon por un instante, pero como en reacción automática Andrea recordó la promesa que le había hecho Elior hacía muchos años atrás y aquello la confortó. Aún le parecía escuchar su voz cuando le hizo la promesa al despedirse de ella. Entonces, recobrando el aliento y sobrecogida por un sentir de paz, procedió a reagrupar a sus amigos para seguir la marcha hacia adelante. El grupo era pequeño, pero contaba con miranos íntegros de gran fortaleza y valor. Ellos siempre fueron su apoyo y nunca la abandonaron cuando ella más los necesitaba, todo estaría bien y no había razón para temer.

Noser estaba perturbado por la ruptura de su socio Eneva, quien le había cambiado sus planes súbitamente. Eneva había sido su mejor aliado y ahora ya no contaba con su confianza. Enfurecido y con palabras de maldición, se había lanzado en una embestida en su contra para echarle mano.

—¡Ese estúpido sentimental! ¿Cómo se atreve a desafiarme? ¡Ya conocerá todo el peso de mi venganza! Seré implacable y no tendré misericordia. De ninguna manera me quedaré con los brazos cruzados, lo enfrentaré y nos mediremos en las fuerzas. Veremos quién es más fuerte —Noser maquinaba en sus pensamientos mientras avanzaba en su carrera para alcanzar a Eneva. Luego de haber reunido a sus secuaces, marchaba con furia en la búsqueda de él y de su hijo—. Si tengo suerte obtendré una doble victoria. Eliminaré toda oposición y si no accede a mis demandas me desharé del padre y del hijo, y quién sabe si también de la odiada princesa Natalia.

El rufián de Noser necesitaba recuperar terreno, presentía que estaría perdido si el pueblo descubría sus verdaderas intenciones y se volvían en su contra. Era un lujo que no podía darse, sobre todo ahora que su mejor aliado lo había abandonado. Él siempre se alimentó del odio que Eneva sentía por su hermano, esa era su mayor fortaleza y si la perdía estaría peligrosamente vulnerable. Sabía que Eneva poseía un gran poder de influencia y necesitaba, como diera lugar, tenerlo de su parte. Estaba dispuesto a hacerlo volver a su lado o tomaría medidas radicales en contra de su exaliado.

Después que pasó el estresante percance y, una vez a salvo, el grupo de Andrea montó de nuevo sus mandoras y se dispusieron a cruzar el río. Los veloces animales pasaron las aguas como si volaran sobre ellas. Aunque era un río extenso y caudaloso, ellos no necesitaron de puentes para cruzarlo pues las mandoras no solo eran ágiles y veloces, sino que también eran muy buenas nadadoras. Ellas eran rápidas para esquivar los obstáculos y se escurrían con suma habilidad por lugares estrechos. Podían subir lugares escarpados y rocas muy altas con suma facilidad. Funcionaban bien en las montañas, pero los desiertos les eran contrarios y no resistían el intenso calor y la aridez de ellos.

Aunque el grupo de Andrea fue el último en unirse en la búsqueda del príncipe y la princesa, ellos tenían la posibilidad de ser los primeros en llegar a las alturas del Monte debido a las mandoras. Además, ellos eran muy diestros en los lugares montañosos y conocían al dedillo todos los escondrijos y pasajes secretos a través de ellas. Eso los ponía en posición ventajosa sobre los demás. Así que avanzaban con confianza y osadía, no tenían temor de nada y estaban dispuestos a dar sus vidas por la causa de ser necesario.

Capítulo 40

Los TPU

El ejército de Yeidan tardó unos cinco días en llegar a la ciudad de los TPU. Afortunadamente, evitaron el tráfico de comercio y de la milicia de la vía principal. En esos parajes nunca faltaban grupos de rebeldes y atracadores, por lo cual resultó muy conveniente el atajo que tomaron por las montañas gracias al sabio consejo de Graciela y Gardo.

Cuando llegaron a la ciudad, Ana los estaba esperando con su característica única y peculiar que la distinguía: todo el tiempo bullía en positivismo, risas y alegría. Pareciera que nunca dormía y que mientras todos descansaban ella aprovechaba, de manera sigilosa, para adelantarse hacia su próximo destino. Por tanto, siempre estaba un paso adelante de los demás.

Ana estaba tan contenta por el avance que habían tenido en las ciudades visitadas que no podía contener la expectación que anticipaba en su corazón sobre la ciudad de los topanos. Nunca había tenido tanto éxito en sus proyectos cuando se movía de manera individual. Por tanto, confiaba en que ahora debía ser igual o mejor que en los viajes anteriores. Su positivismo era casi molesto por ser un tanto desbalanceado. Debido a su entusiasmo, ella no medía las consecuencias que cualquier imprudencia suya pudiera acarrear.

—A veces somos tan cautelosos que perdemos la oportunidad de ser efectivos —esta era su respuesta cuando le señalaban que contuviera un poco su excesiva euforia.

Antes, Ana no tenía mucha influencia, pero ahora, después de lo sucedido con Dasor y cómo la vida de este había cambiado, todos estaban interesados en lo que ella tenía que decir. Todos querían conseguir el *Libro de los poemas dorados*. Dasor se había convertido en el mejor portavoz de la causa de Ana, pues era evidente que él irradiaba alegría y sobriedad. A raíz del cambio producido en Dasor, muchos teanos querían conocer la razón de tal cambio. Ellos sabían que su vida había sido sombría y sin sentido antes de la visita de los viajeros buscadores.

Dasor, ni tonto ni perezoso, no perdía la oportunidad de enfrascarse en la conversación que más le interesaba y dejaba todo de lado para ser de beneficio a los que se le acercaban con la necesidad. El esfuerzo y la diligencia de Dasor no eran en vano y se veía la cosecha del fruto de su labor.

Una vez en la ciudad de los TPU, el grupo se propuso pasar inadvertidamente. Los topanos eran crueles y despiadados, más que todas las demás tribus vecinas. En su filosofía reclamaban ser todos para uno y uno para todos. Todo debía ser compartido entre la comunidad y nada podía ser de pertenencia privada. *La comunidad debía ser el enfoque de los ciudadanos topanos y su beneficio la meta que perseguían.* Ese era su lema.

Irónicamente, la práctica de esa ideología distaba mucho de la realidad. Los bienes de todos eran para unos pocos y esos pocos lo controlaban todo. La comunidad solo recibía la forma y la doctrina, pero los líderes se beneficiaban del caudal de sus riquezas. Ellos no podían poseer propiedades, diferir de opiniones, y mucho menos podían reclamar sus derechos. Por tanto, ellos no se sentían libres para pensar por sí mismos. Cualquier indisciplina era castigada con todo el peso de la ley. Se consideraba insurrección diferir de la manera de pensar o actuar de la élite gobernante. No obstante, los líderes y filósofos de TPU se autoproclamaban superiores a todos los demás teanos en su política y administración.

TPU era un pueblo de miranos sombríos y desleales. Nadie se fiaba de nadie, pues en cualquier lugar se encontraba la traición. Aunque tenían aparente libertad para moverse donde quisieran, los topanos se sentían confinados en su interior y eran cautivos de su propia impotencia. La motivación para seguir adelante era mínima y no eran incentivados para proseguir sus sueños. La penumbra extinguía y cercenaba cualquier brote de imaginación. El desánimo se extendía como un espeso manto que apagaba la esperanza de libertad y ni se diga de la expresión de la creatividad. No muchos extranjeros visitaban el lugar por el ambiente poco atractivo que no apelaba a los sentidos. La miseria y el desaliento se paseaban libremente por las calles de TPU.

Capítulo 41

El asedio

Nuestro grupo había crecido bastante y se hacía más obvio y visible cada vez. Ahora se les hacía difícil esconderse y pasar inadvertidos. Ellos trataron de mezclarse entre el populacho para avanzar hacia su destino sin ser interrumpidos, pero debido a la tensión en el ambiente no podían evitar sentirse nerviosos e intranquilos. Y no era para menos, los topanos eran hostiles y poco hospitalarios. Ellos esquivaban la mirada para evitar cualquier contacto visual o acercamiento con los demás. Escaseaban los mercados y no había establecimientos de comidas preparadas. Los jóvenes viajeros necesitaban hacer algo pronto para conseguir alimentos, ya que el abasto de suministros no alcanzaba para sostenerlos a todos durante el tiempo que les tomaría cruzar la ciudad que era bastante amplia.

Ana, que siempre tenía la virtud de creer más allá de lo que veían sus ojos y la ingenuidad para ver bondad en todo lo que la rodeaba, no podía percibir ningún problema en la situación. Con su candidez entablaba conversación con todos sin discriminar. Así que ella se convirtió en un boleto para atraer problemas, lo cual no tardó mucho en suceder.

El grupo se mantenía a una distancia prudente unos de otros, donde cada cual tenía contacto visible con los demás y así podían moverse sin levantar sospechas. La sincronía con que funcionaban era impresionante. Se movían de manera coordinada aún sin hacer arreglos previos y parecían una red secreta que con solo mirarse dejaban ver lo que estaban pensando dentro de ellos. Al ver los movimientos de Ana, todos comenzaron a sospechar que caminaban en terreno minado y que era asunto de tiempo para encontrarse en problemas.

Intuitivamente, comenzaron a hacer planes para escapar de cualquier situación inesperada.

No bien habían ponderado sobre el asunto, cuando todos se percataron de que uno de los guardias había echado mano de Ana. De manera automática y sin pensarlo dos veces, Yeidan corrió a socorrerla. Fue entonces cuando todos acudieron en ayuda de Yeidan que estaba siendo golpeado por los guardias del lugar. Natalia se abalanzó sobre uno de los guardias que maltrataba al joven, pero los otros guardias procedieron a arrestarla.

Súbitamente, Anán apareció en la escena y el grupo desapareció misteriosamente con excepción de Natalia que había sido atada con cadenas y llevada a la cárcel. Los guardias buscaron en vano al resto del grupo, pero no pudieron encontrarlo. La noticia se difundió como la pólvora por todas partes y ese era el tema de conversación en cada hogar. La intriga de todos iba en aumento ya que no podían dar crédito a lo que había sucedido. Muchos suspiraban con la esperanza de que tal vez la salvación de ellos estaba en manos de aquellos jóvenes.

Capítulo 42
La prisión

Ellos pusieron a Natalia en una sombría cueva helada que le servía de celda. Esta tenía como puerta una piedra pesada en la entrada que solo podía abrirse con un poderoso brazo mecánico. Allí pasó la noche siendo hostigada por la crueldad del frío inmisericorde y la densa oscuridad que la cubría. Los innumerables recuerdos danzaban en su cabeza, impidiéndole conciliar el sueño. Su cuna de oro en la que vivía y la niñez que había dejado atrás se asomaban a su mente como burla tortuosa. Le afloraban las memorias de las pocas veces que su madre la sostuvo en sus brazos y le parecía ver a su padre dándole consejos sobrios. Las lágrimas de sus ojos corrían por su rostro, limpiando los recuerdos de su alma y alivianando el peso de las memorias que se agolpaban en su corazón.

Al día siguiente, luego de pasar largas horas encerrada sin ver el sol o probar bocado, la pasaron a un salón donde solo había miranos de facciones toscas y apariencia despiadada. Los guardias sabían de sobras que ella no podría sobrevivir la crueldad y brutalidad de aquellos confinados.

Natalia era una hermosa y delicada joven de modales refinados y serenidad de realeza. A pesar de su frágil juventud, ella era como una espada templada y moldeada por el fuego. Su presencia era imponente y la firmeza y seguridad que emanaba de ella podía traspasar como un arma punzante. Parecía tener control de sí misma y nada la intimidaba. Se había embarcado en una jornada decisiva y crucial donde tanto la vida como la muerte estaban en la balanza. No había marcha atrás a estas alturas del juego. Era un asunto de vivir o morir, pero en estas circunstancias la muerte la dignificaba en lugar de intimidarla. Había sido creada para reinar y allí se probaba el tesón de su realeza.

Si vas a dar tu vida por una causa, que ella sea más valiosa que la vida misma. Pensar así la fortalecía y la llenaba de gran valor.

Los hombres de aquel lugar la rodearon con maliciosa intención. Los guardias se habían alejado deliberadamente de los alrededores para dejarles el campo libre a los pérfidos malvados, con el propósito de que les dieran rienda suelta a sus instintos bestiales. La barbaridad era la que establecía las pautas en la mazmorra y los más fuertes dominaban el territorio. Ellos eran la ley en sí mismos, los cuales, irreverentes e implacables, carecían de toda conciencia de escrúpulos. Sus ojos, como hienas insaciables y dispuestas a devorar la presa, trataban de infundirle temor a la joven. Sin embargo, para sorpresa de ellos, Natalia permaneció firme e inconmovible como una roca. Una fuerza superior se había apoderado de ella y la sostenía de manera sólida sobre sus pies.

Paradójicamente fueron ellos los que comenzaron a dudar de su seguridad y autoestima, parecían como paralizados por una mano invisible que los desarmaba y detenía. Fue entonces cuando Roco, el más temible y feroz de ellos, se armó de valor y la reclamó para sí. Todos le cedieron el paso sin protestar, pues le tenían terror al confinado. Ya no tuvieron oportunidad de despedazar o hacerle daño a la joven. Abriéndose paso entre ellos, Roco dirigía la joven a su celda sin ponerle una mano encima. Luego de perder la oportunidad de tener un poco de diversión y salir del aburrimiento que los consumía, los reos se dirigieron a sus respectivas cámaras y cada cual se retiró a descansar.

Los prisioneros habían aprendido a sobrevivir en aquel ambiente inhóspito e inhumano. La penitenciaría se encontraba en un campo raso de poca vegetación, con la excepción de algunos árboles espinosos de escaso follaje. Muchos de ellos cavaron cuevas para protegerse del inclemente frío de la noche y el candente calor del día. El amplio territorio, que era protegido por una cerca electrificada, estaba herméticamente sellado y hacía imposible la fuga de los reos confinados. Pero Roco se las había ingeniado para aprovechar las piedras del lugar y hábilmente había preparado su cueva bastante acogedora.

Capítulo 43

El cumplimiento de los sueños

Una vez en su celda, ambos se quedaron callados por un largo rato. Entonces Roco, rompiendo el silencio, le preguntó:

—¿Quién eres? ¿De dónde vienes? ¿Por qué te trajeron a esta prisión?

—Soy Natalia —respondió ella sin titubeos y con indubitable autoridad—. Soy la hija del rey Ariel. Vengo de la Ciudad de Nun y ando en busca de la verdad que haga libre a mi pueblo —Natalia no se intimidó ante la tosca apariencia del confinado reo y no temió revelar su verdadera identidad ante él.

En aquel momento Roco enmudeció. No podía dar crédito a lo que escuchaban sus oídos. Paso seguido, cayó de rodillas poniendo su rostro en el suelo y haciendo reverencia ante la joven Natalia, exclamó:

—Princesa Natalia, ¡cuánto tiempo esperándola! Ya habíamos perdido la esperanza de verla y nuestros sueños de desvanecían como se esfuma el humo en el viento. Ya nos habíamos desanimado y cada uno de nosotros había vuelto a su vieja manera de comportarse —ella lo miró con escepticismo y perplejidad mientras le hacía señas para que se levantara.

—No tengo idea de lo que está hablando, señor. No creo que sea la persona a la que se refiere —protestó.

—No tengo la menor duda respecto a lo que estoy diciendo, princesa Natalia —replicó él—. Verá —le dijo mientras se presentaba formalmente ante ella—, me llamo Roco porque dicen que soy como una roca dura de quebrar. Estoy en esta prisión por causa de lo que ellos llaman un caso de insurrección, debido a que creo en el libre pensar y en el poder de escoger. Nadie tiene derecho de ejercer coerción para imponer sus ideas sobre otros. Nacimos para ser libres y así debemos vivir —le señalaba—. Para enseñarme a ser sumiso y acallar la voz de mi intelecto, las autoridades de la ciudad me pusieron en esta mazmorra con los más desmesurados criminales.

»Al principio me castigaban y torturaban sin cesar, para doblegar y quebrar mi voluntad y así forzarme a entrar en el molde de su programa, pero yo me aferraba con más ahínco y determinación a mi forma de pensar. Luego trataron de adoctrinarme por medio de enseñanzas intelectuales, pero tampoco les funcionó. Así que ellos decidieron que los años en la cárcel y el maltrato de mis compañeros terminarían de completar la obra de acabar con mis ideas o con mi vida. Todas estas adversidades fueron cincelando en mí un carácter que se endureció con el tiempo y de mí solo quedó la imagen de una roca inquebrantable. De ahí nació mi nombre y el respeto que me he ganado.

»Tú eres fina y delicada, ¿cómo es que no te intimidaron la apariencia de los presos ni la crueldad de los guardias? Al contrario, el pavor los sobrecogió con tu firmeza. ¿No le temes a la muerte o a ser torturada?

—La muerte no es la falta de vida sino la falta de luz. Si estás en tinieblas, aunque vivas, ya estás muerto, porque lo opuesto a la vida no es la muerte sino las tinieblas. Pero las tinieblas no pueden vencer la luz. Así que si estás en luz, aunque estés muerto vivirás —respondió Natalia con mucha autoridad.

—Entonces sí eres ella, la mujer de nuestros sueños —suspiró Roco con lágrimas en sus ojos.

—Por favor, dime de qué hablas —preguntó Natalia—. No entiendo ni tu acertijo, ni tu enigma.

Entonces Roco procedió a contarle con detalles cómo muchos de ellos habían tenido sueños acerca de ella. El primero en tener tales sueños fue el mismo Roco, pero luego se extendió a otros compañeros de la cárcel. Fueron estas conversaciones las que causaron el desarrollo de una extraña amistad entre nosotros. Ellos no confiaban en nada ni en nadie, pero entendieron que solo si nos manteníamos unidos lograríamos nuestro propósito. Así que nos fuimos uniendo sin proponérnoslo y empezamos a hablar un lenguaje que solo nosotros comprendíamos. Desarrollamos un sistema de códigos para comunicarnos y nos fuimos haciendo más fuertes cada vez.

—Los guardias ya no nos perseguían y lo atribuían a la locura en la que habíamos entrado, según ellos. Con el tiempo algunos de los guardias comenzaron a tener las mismas experiencias que nosotros y nos dejaban entrever su conocimiento del asunto. Nos hicimos fuertes y esperanzados, pero el tiempo pasaba y nada sucedía. Así que el desánimo caló más hondo que la esperanza y en los últimos meses todo ha sido violencia y amotinamientos, hasta el día de hoy que, con tu llegada, las cosas parecieron tomar otro giro —continuaba Roco—. Ninguno lo ha advertido debido al desánimo, pero yo comencé a discernir algunas señales en ti al ver la firmeza con que te condujiste ante la temible situación. Por eso intervine al rescatarte de ellos para que no te hicieran daño.

»En nuestros sueños o al menos en la mayoría de ellos, tu cabellera era como una cascada de agua que fluía de lo alto de una roca. Esta tarde cuando te vi, no lo pude apreciar de primera instancia a causa de los golpes en tu rostro y el cabello desarreglado. Pero mirando más allá de tu apariencia física, pude notar ciertas cualidades en ti que no eran normales en personas comunes. Entonces empecé a estremecerme ante la idea de considerar que aquellos sueños se iban convirtiendo en realidad ante nuestros ojos. Fue cuando te paraste ante aquellos hombres toscos e intimidantes con autoridad desafiante y firmeza inconmovible que mis sospechas se fueron corroborando. Eso me llevó a tomar acción antes que se formara una revuelta y te lastimaran, pero lo que desbordó la copa fueron las palabras que acabas de pronunciar acerca de la luz —expuso Roco.

»Hemos buscado la luz que nos libere de la muerte en la que nos sumimos. Por favor, dinos dónde encontrar esa luz de la que hablas. No nos importa seguir viviendo en esta mazmorra donde nunca llega el amanecer, pero sí nos urge ser libres de la muerte que ha resquebrajado los últimos hálitos de esperanza para salir de la penumbra que arropa nuestro interior —Roco se había puesto de rodillas y en forma de súplica y desesperación le dejaba saber a Natalia la urgente necesidad que les apremiaba.

—Roco —le dijo Natalia con mucha dulzura—, yo misma estoy en busca de esa luz. Quisiera ayudarte, pero no tengo las respuestas a tus interrogantes. Vengo de un pueblo que hace muchos años se sumió en un estado de ánimo fantasmagórico, como si anduviésemos muertos en vida, como si alguien nos hubiese robado el espíritu y con ello la alegría de vivir. Por eso necesito encontrar luz y esperanza para mi pueblo.

—¿Pero, cómo es que sabes tanto de la luz? —preguntó Roco.

—Está en mi interior, sé que está allí, pero no sé cómo tener acceso a ella —le contesto Natalia con angustia—. Pero dime, ¿qué más veían en sus sueños?

—Tú no estás sola en esta carrera, hay muchos otros contigo, sobre todo un poderoso valiente se cruzaba en tu camino. Él es el libertador, pero eres tú quien abre la puerta para que vayamos a él... Es extraño —continuó él—, siempre hay otra joven contigo, como si fuera tu hermana gemela. Pareciera como si ella viviera escondida y cuando sale a la luz es tan hermosa como las piedras preciosas, es un ser tan sublime que no todos tiene el privilegio de poderla ver. Por cierto, ¿dónde está ella?, ¿por qué no ha venido contigo? Ella anda siempre a tu lado como si fuera tu sombra.

Natalia se quedó muda y absorta en sus pensamientos por lo que le contaba Roco. ¿Quién era aquella misteriosa persona de la que le hablaba? ¿Sería acaso la mujer que le aparecía en sus sueños y visiones? ¿Cómo podía él saber algo que aún desconocía y que era tan íntimo para ella? Sus lágrimas se asomaron a sus ojos y un extraño estremecimiento se apoderó de ella. Todo aquel insólito y misterioso relato la dejó sin palabras ante la electrificante emoción que corría por todo su cuerpo.

—Soy hija única, nunca tuve hermanos o amigos cercarnos. Solo Cora, mi nodriza; ella era mi confidente y compañera. Los demás eran súbditos, siervos y oficiales del reino, pero no nos unía ninguna relación de amistad. Yeidan, mi primo, es el único amigo y pariente que tengo, y en este momento no sé si aún está con vida —dijo Natalia, conteniéndose para no llorar.

—¿Quién es Yeidan? —le preguntó Roco—. Parece que es alguien importante en tu vida. Tengo un gran sentir de que el joven vivirá y que no deberías abrigar ninguna duda al respecto —le aseguró él con firmeza—. Si él es parte de este plan maestro, por consiguiente, también será parte de la colosal victoria que los aguarda. El destino se cumplirá y tú necesitas armarte de confianza, pues no has corrido la carrera en vano ni ha sido de balde las circunstancias que has atravesado. No es coincidencia que estemos teniendo esta conversación ahora mismo, lo que ha de pasar sucederá y no se tardará —le reiteró—. Somos muchos los que abrigamos el mismo sueño.

»Bueno, ahora a dormir, ya es tiempo de descansar. Yo montaré guardia ante la celda para que nadie interrumpa tu sueño. Y cuando vengan en la mañana los guardias, no salgas, yo hablaré con ellos. Así te dejarán tranquila pensando que me deshice de ti —añadió Roco, mientras buscaba una cobija para cubrirla. Ella, rendida por el cansancio y la tristeza, no se dio cuenta cuando Roco salió de la celda, la cual era más bien una cueva en la tierra. Allí descansó toda la noche confiando en aquel singular personaje que acababa de conocer.

Capítulo 44
La aparición de Tanía

Antes de vislumbrarse el alba, Natalia despertó sobresaltada al sentir la presencia de alguien en la celda. Era la anciana Tanía que velaba sus sueños mientras ella dormía.

—No temas —le susurró haciéndole señas para que guardara silencio—. He venido a hacerte compañía esta noche, todo va a estar bien, descansa —entonces Natalia se movió hacia el otro lado y volvió a dormirse confiadamente. Tanía estuvo allí hasta la mañana y entonces se marchó luego de conversar un rato con Natalia.

Mientras Natalia conversaba con Tanía, fue tomada en una especie de éxtasis. En su ensoñación veía una luz azul a la distancia, pero esta se movía hacia ella. Cuando la luz se acercó lo suficiente, ella pudo notar que alguien cargaba una piedra azul que en la lejanía parecía de luz. Era el gran Zafiro Azul y el varón que lo cargaba se acercó a ella y lo depositó en sus manos. Acto seguido, el varón desapareció pero ella quedó atrapada dentro de la gran roca del zafiro. Natalia estaba perpleja sin entender lo que sucedía. Ella golpeaba la roca intentando salir de ella, pero en lugar de eso aguas comenzaron a fluir dentro de la misma, formando cascadas y ríos. Fue entonces que la luz vino a su corazón y fue alumbrada en el pensamiento: *Puedes sacar aguas aún de las rocas más resistentes, si así te lo propones.*

En ese momento fue traída de aquel éxtasis, pero cuando abrió los ojos Tanía ya no estaba allí. Entonces entendió que solo se trataba de un sueño o una visión y un sentir de paz y esperanza la inundó haciéndole entender que saldría ilesa de aquella prisión. Parecía que la virtud de Tanía era infundir esperanza dondequiera que iba. Respiró profundo y se dispuso a salir de la cueva pero Roco la detuvo, indicándole que se mantuviera en la cueva por ahora.

—Hay compartimientos más profundos en la cueva, búscalos —le susurró en voz baja su protector Roco. Entonces entrando de nuevo en la cueva, la guio mientras le compartía—: Es más seguro si te mantienes escondida, tus amigos están bien. En la mañana, bien temprano, me reuní con uno de los guardias que pertenece a nuestro grupo. Él estuvo haciendo averiguaciones y aparentemente ninguno de ellos sufrió daño. Desaparecieron milagrosamente del lugar y la ciudad está en expectativas por el asunto.

»Por cierto, él te trajo algo para comer y que no desmayes de hambre —y entregándole el bocadillo le recalcó—: No creo que te guste lo que comemos aquí, nos alimentamos con lo que podemos cazar en el campo. Gracias a la misericordia que siempre permite que se cuelen animales e insectos y con eso sobrevivimos. Nosotros somos alimentados una vez al día y eso cuando tenemos que realizar los arduos trabajos de la mina. Cuando no hay trabajo, tampoco hay comida —le contó Roco.

Natalia solo se limitó a ponderar las palabras de su amigo Roco y a acoger con empatía el alto sacrificio que hacía en nombre de la libertad. Entonces dejó salir un suspiro de dolor y a la vez de gratitud.

—Tomamos tantas cosas como hechos y las damos por sentado. Ser libres es un privilegio que no valoramos, pues la libertad es un preciado tesoro y muchas veces no estimamos este gran regalo que poseemos. Al contrario, lo menospreciamos y lo empeñamos por trivialidades sin valor —pensaba con angustia Natalia. Sin embargo, saber que sus amigos estaban bien le producía mucho consuelo.

—Somos del grupo de Tanía —continuó diciéndole Roco—. Ella es la única extranjera que nos visita de vez en cuando en esta cárcel. Siempre que viene, nos anima y nos insta a no perder la esperanza, pero esta vez se había ausentado por un tiempo prolongado. Cuando viene, ella nos lee de un libro que siempre carga consigo. Eso es lo que nos mantiene vivos y no nos ha permitido sucumbir. De otra manera, solo seríamos parte de la historia del deceso que se añadiría a los miles que han pasado por estos campos —comentó Roco con voz entrecortada.

—¡Conocí a Tanía! —exclamó Natalia, sorprendiéndose de que ella fuera real. Entonces no fue un sueño lo que me pasó, sí estuvo aquí anoche.

—Sí estuvo aquí, le concedimos el permiso para que pasara a verte. Pasó la noche en vigilia para cuidarte —contestó Roco. Luego de darle algunas instrucciones a Natalia acerca de las cosas que debía hacer durante el día, se marchó con sus compañeros a laborar en las tareas de la mina.

Sin embargo, algunos guardias sospechaban que algo inusual estaba sucediendo. No se habían suscitado revueltas violentas entre los presos y todo estaba muy calmado, así que decidieron que ese día pasarían inspección, aprovechando que los finados estaban en las minas.

Ningún guardia osaba traspasar los límites del confinamiento donde se encontraban estos presos. Ellos eran los más temibles de toda la penitenciaría. Sabían defenderse muy bien y podían dominar a los guardias, aun cuando ellos estaban armados. Así que ellos preferían mantenerlos contentos y pretender que eran ellos, los guardias, los que tenían el control.

Capítulo 45
El encuentro con Leo

Encerrada en la celda de aquella cárcel, los pensamientos de Natalia fluían como torrentes desenfrenados. Su esperanza de salir de aquel lugar se escurría poco a poco y se desvanecían las expectativas que abrigaba. Todo lo que ella poseía y conocía hasta el momento había cambiado de manera radical. Sin embargo, a pesar de que siempre había sido valiente y arriesgada, esta vez sus fuerzas comenzaban a flaquear y ya no se sentía tan segura como antes. Se encontraba en una vulnerable fragilidad que la bombardeaba con dudas y temores, tal vez había llegado al final de la jornada y no valía la pena seguir luchando. Quizás debía rendirse ante aquella bestia filosófica a la que no podía vencer.

—No, aún no estoy acabada. Todavía me quedan muchos horizontes por venir, muchas mañanas por contemplar. Tengo propósitos en esta vida y los llevaré a cabo. Me resisto creer que llegué hasta aquí en balde, que en vano he corrido esta carrera. No puedo darme por vencida en este momento crucial de mi vida. Venceré, llegaré ilesa al final de esta jornada. Lo prometo —reflexionaba para sí, tratando de contrarrestar los pensamientos tenebrosos que la asaltaban. Mas aquellas ambivalentes contradicciones batallaban en sus razonamientos.

De repente escuchó ruidos fuera de la celda en la que se encontraba que la sacaron de sus pensamientos. Por los movimientos y las conversaciones que oía, entendió que se trataba de los guardias de la cárcel. Un frío helado la recorrió de la cabeza a los pies, dejándola paralizada. El temor que invadió su ser no le permitía moverse en ninguna dirección. Entonces se armó de valor y recordó que Roco le había dicho que la cueva tenía muchos compartimientos. Estaba dispuesta a morir, pero no a fracasar. No podía permitir que otros sufrieran y se desanimaran por su culpa. Necesitaba calmarse y recobrar la sobriedad de manera rápida para poder actuar.

—¡Natalia! ¡Ven por aquí! —escuchó que la llamaron. En ese momento solo pensó que se trataba de una trampa y que tal vez Roco la había traicionado. En aquel instante sentía que su mundo se derrumbaba. Pensó que los guardias sabían de los compartimientos de la cueva y que la engañaban para atraparla. El temor le jugaba trucos en la mente y ella seguía allí parada sin poder reaccionar, pero la voz seguía insistiendo—. Ven, no tengas miedo. He venido a ayudarte—. Entonces, despertando del estupor paralizante, comenzó a correr hacia el lugar de donde se escuchaba el sonido de la voz. Si corría hacia el cepo o la trampa, no lo sabía, pero ella no tenía otra alternativa.

Fatigada más por los nervios que por la carrera, llegó al final de la cueva. Miró en todas direcciones, pero no vio salida alguna. De pronto una piedra se movió dejándola pasar y sellándose tras ella.

Es extraño, Roco no me advirtió de esta salida, pensó Natalia que en ese momento no sabía si soñaba o si era realidad lo que estaba sucediendo. En ese instante los guardias entraron a la cueva, pero no pudieron encontrar nada anormal, a pesar de que escudriñaron minuciosamente cada rincón. ¡No había nada sospechoso y ni rastro de Natalia!

—No hay nadie aquí —dijo uno de los guardias con un tono de contrariedad. Estaban seguros de que esta vez encontrarían pruebas para hacer que fusilaran a los temibles presos. Ellos siempre habían querido ser los héroes y ganar favores de sus superiores, pero esta vez su plan no progresó. Entonces se marcharon decepcionados al no poder validar sus sospechas.

—Soy Leo —se adelantó el joven antes que Natalia pudiera preguntar—. No temas —siguió diciéndole al ver su cara de sorpresa y susto por su súbita aparición en la escena—. Soy capitán del Ejército de Niar y he venido a ayudarlos.

Ella quedó perpleja al observar el rostro de Leo, su parecido con Yeidan era extraordinario. Guardó silencio por un rato, vacilante ante la duda de si se trataba de su amigo o de otra persona aquel a quien tenía de frente. Luego reaccionó, exhalando el aliento que sujetaba en su pecho. La cara familiar y el tono de la voz de Leo le recordaban mucho a Yeidan. Aquello la calmó y ella bajó la guardia.

—¿Leo? ¿Cómo sabes de nosotros y cómo llegaste aquí? —preguntó Natalia después de saludarlo y haberle expresado su gratitud por rescatarla.

—Sabemos todo en Niar, sobre todo lo concerniente al planeta Sonar. Niar es el centro de mando de la galaxia y nada hay oculto para nosotros —le contestó Leo mientras le hacía la invitación a relajarse y a sentarse a su lado para conversar.

Natalia abrazó a Leo mientras lloraba como una niña sobre sus hombros. Aquella conversación vino a ser como una panacea sanadora para su alma. '

—No sé quién eres —le dijo ella—, pero me inspiras paz y me siento confiada a tu lado —luego de que ella se hubo calmado, Leo procedió a contarle los pormenores de su plan. La ciudad de TPU sería destruida, pero antes necesitarían sacar de allí a todos los residentes que no consentían con la tiranía del régimen que gobernaba la ciudad y llevarlos a un lugar seguro.

La mayoría de los habitantes topanos no estaban de acuerdo con la dictadura del sistema en el que se encontraban cautivos, pero estaban en desventaja para poder pelear de manera equitativa contra el adversario. Habían sido engañados con la propaganda aduladora de los grandes intereses y, una vez cautivados, sus voces fueron acalladas y sus manos atadas. Había que derribar por completo la tiranía de la inercia que apresaba el alma de aquellos miranos, sumiéndolos en la debacle de la impotencia.

Natalia suspiró confortada tras escuchar sus palabras reveladoras. Ya no sentía miedo sino una calma alentadora que disipaba sus temores. Leo hablaba de soluciones, no de problemas. Todo encajaba en su lugar desde una perspectiva balanceada. El amor, que parecía encarnado en su persona, era el toque especial que le otorgaba credibilidad. Era la mezcla de aquel amor y la autoridad de sus palabras las que la infundieron con valor y desarmaron el temor. Ahora se sentía capaz de remover cualquier montaña que se atravesara en su camino.

Entonces ella pensó en Roco y los otros miranos con él.

—Ellos son parte de mi ejército —le indicó él como si leyera sus pensamientos—. Instalé a Roco en este lugar porque sabía que era el mejor prospecto que se encontraba en TPU y el único soldado capaz de cumplir la tarea. Su aspecto tosco y su carácter determinado fueron los ingredientes que inclinaron la balanza a su favor. No podía haber hecho mejor elección.

»Él nunca me ha visto en persona, solo nos comunicamos por medio de sueños —continuó Leo—. Sin embargo, Roco se aferró a creer en sus sueños como su única esperanza de salida. Esa esperanza le dio el motivo para seguir viviendo y para luchar hasta lograr sus metas. Aquella determinación fue el grito de clamor por ayuda que llegó hasta Niar. Las distancias se acortaron cuando les enviamos a Tanía para ayudarles a alimentar esa luz que se encendía en sus caminos.

Natalia quedaba cada vez más sorprendida con los detalles que Leo le compartía. Todo lo que decía hacía sentido y parecía juntar las piezas de un rompecabezas. Ella no tenía idea de cuán ligada estaba su vida al plan que le presentaba Leo y de cómo las personas que se iban añadiendo en su camino no llegaban a su vida por casualidad. En el horizonte se divisaba un futuro alentador. Todo lo que acontecía parecía ser parte de un libreto minuciosamente diseñado de antemano para su vivencia en aquella actualidad. Las cosas no sucedían de manera tan casual como hasta ahora había pensado, ella entendía que estaba entrelazada con un destino que abarcaba mucho más de lo que su mente pequeña podía imaginar. Necesitaba expandirse para no quedarse relegada a ser mera espectadora, era imperativo entrar en esta nueva realidad que se abría frente a ella en esta etapa de su vida.

Todos los cimientos a los que se había aferrado comenzaron a ceder. El mundo en el que vivía ya no le resultaba tan real como le parecía antes. Lo que creía y estimaba preciado se fue desmoronando como una vasija de barro que se quiebra en las manos de su alfarero, como si repentinamente despertara de un sueño irreal o, más bien, de una oscura pesadilla. Le pareció que toda su vida había sido un engaño. Miró a Leo y por primera vez comprendió que él era la única verdad que hasta ahora había conocido, todo lo demás era una ilusa fantasía.

Capítulo 46

Transiciones

Aquella mañana, como era su costumbre, Lazuli cantaba desde un corazón lleno de gratitud. Esta vez entonaba un cántico nuevo. Se había dado cuenta de que poseía la habilidad de tocar instrumentos musicales desconocidos para ella. Ya conocía el arte de decodificar e interpretar sonidos, pero ahora aquella aptitud se había ensanchado. El conocer a Leo cambió su vida y un mundo de nuevas aventuras se abrió ante ella. Ahora entonaba la música poniendo en ello toda la esencia de su corazón. La naturaleza respondía con placer a su cantar, como si entendiera aquel lenguaje.

Sin embargo, un problema de magna consecuencia parecía avecinarse. Los elementos del portal magnético habían comenzado a debilitarse. Cada día ellos cedían un poco más, como si la frecuencia de su voz fuera la causa de ello. Lazuli estaba ajena a todo aquello y no tenía idea de lo que estaba sucediendo. Era precisamente el portal magnético de protección el que resguardaba el Santuario de Lazuli de la intrusión de extraños.

Ella nunca se imaginó que tenía enemigos que la odiaban y querían destruirla desde el día en que nació. Ru había guardado aquel secreto con sumo cuidado para que ella creciera en un ambiente sin preocupaciones. Él la había protegido desde pequeña y para ello construyó la pared impenetrable de luz, rodeado del portal magnético. Nadie podía penetrar el portal desde afuera y tampoco ella podía traspasarlo desde adentro. Así que ella poseía el vasto territorio que la rodeaba y el inmenso firmamento que se extendía en las alturas, pero nunca salió de los límites del santuario. Aparte de Ru, ella no había conocido a nadie hasta aquel momento en el que conoció a Leo.

En su imaginación, que era ilimitada, Lazuli trascendía por encima de los cielos y viajaba a muchos planetas desconocidos. Se recreaba en conocer toda clase de seres y en tener muchos amigos por dondequiera que iba. Les ponía nombres, les contaba historias y aún se envolvía en sus problemas para ayudarlos y hasta aconsejarlos. Pero ello no pasaba de ser el producto de su mente. Su realidad seguía siendo la misma desde que ella tenía conocimiento: vivir en aquel mundo enclaustrado y solitario donde sus únicos amigos eran los animales del bosque. Después de la llegada de Leo, su mundo comenzó a ensancharse haciendo que su historia tomara otro rumbo.

Una tarde mientras servía la cena para ella y Ru, algunos visitantes comenzaron a acercarse al lugar donde ellos se encontraban. Todo empezó con un pequeño niño que parecía desorientado andando por los predios de su propiedad. Ella le dio la bienvenida, después de preguntarle sobre su origen y la razón de su visita, preguntas a las que el infante no podía responder. No sabía cómo ni por qué llegó hasta allí, solo sabía que tenía hambre y que necesitaba llenar su estómago con algo de alimento.

Este acontecimiento continuó pasando por los próximos meses. Decenas de niños se fueron añadiendo, sin saber su lugar de origen. Parecía que cada día ellos eran lanzados del cielo y puestos a la merced de ella. Lo único que estos pequeños sabían era que cuando abrían sus ojos, como si despertaran de un sueño, ella estaba de frente. Lazuli no entendía nada sobre este misterio, pero de igual manera los acogió con amor y compasión.

Eventualmente esto se hizo parte de su rutina y cada día se añadían nuevos comensales para los autoinvitados a la mesa. Tanto Ru como ella, ya los esperaban a la hora de comer y disfrutaban mucho de su compañía. Los chiquillos llenaban sus vidas de alegría con sus espontaneas ocurrencias. Esto ocupó la vida de Lazuli mientras esperaba el regreso de Leo. También Ru recibió el incentivo de poner nuevas motivaciones en su vida. Sus días se volvieron más llenos de acción y se le añadieron razones para mover sus enmohecidos huesos. Ru era más viejo que el viento, según el entendimiento de Lazuli.

Capítulo 47

La espera

En el campamento de Yeidan había mucha conmoción. Él, personalmente, no había podido dormir durante el tiempo que Natalia permanecía en la cárcel. El enojo y la impotencia se mezclaban con sus sentimientos y lo llenaban de frustración. Se sentía culpable y hasta cierto punto cobarde por no haberla podido defender. Todo pasó tan rápido que no tuvo tiempo a reaccionar y antes de percatarse de lo que sucedía, ya estaban en camino a la próxima ciudad. Pero saber eso no le daba consuelo.

Todo era tristeza y desánimo entre ellos. Graciela y Gardo, pudiendo ver más claro que los demás, podían vislumbrar buenas noticias en el horizonte y trataban en vano de animarlos. Cuando la mente y las emociones son embargadas por el pesimismo y el decaimiento, el velo oscuro del desánimo se cierne como una nube oscura que nubla el entendimiento, aprisionándolo con barrotes impenetrables. Resulta muy difícil salir de ese estado de postración; es más fácil salir de una ciudad sitiada por un ejército que romper el ciclo de una mente empecinada en el pesimismo.

—A veces la batalla se pierde en la mente mucho antes que en el campo de la guerra. Las emociones no son confiables —les decía Graciela con sus acertadas y sabias palabras—. Si entras en la zona oscura del dolor y la autocompasión, la confianza se desvanece y se hace ineficaz la virtud. ¡Anímense, si todos nos unimos en un solo pensar y nos atrevemos a cambiar el presente nuestro futuro será el fruto de lo que anhelamos! —Sin embargo, sus palabras parecían no surtir efecto en esta ocasión. La desesperanza les había arropado la visión y al parecer sus oídos se habían cerrado con ella.

Capítulo 48
La liberación

Ana no esperó por ellos y se adelantó a la próxima ciudad, pues temía que la culparan por lo sucedido. Ella se sentía muy triste por lo que estaba pasando, *pero pensaba que era mejor hacer algo para solucionar un problema que sentarse a llorar las penas.* Después de todo, hay un propósito para cada situación que enfrentamos y el bien que hacemos nos alcanzará al final del camino. Esa era su filosofía y su manera de pensar. Sabía que Natalia regresaría a ellos con vida y decidió ir preparando el terreno en la próxima ciudad. Necesitaba seguir laborando para avanzar la obra. No tenía ninguna duda en su corazón de la victoria rotunda que los esperaba.

Yeidan se convencía cada vez más de que su vida no tenía sentido sin Natalia. Esta vez entendió, sin lugar a dudas, que su amor por ella estaba más arraigado de lo que él pensaba. Siempre la había amado en silencio, pero nunca se había atrevido a admitirlo. Se sentía sin derechos para amarla, ella estaba muy por encima de él en todos los sentidos. Sobre todo se recriminaba que su padre era, en cierto modo, el causante del dolor de ella.

¡Si tan solo pudiera decirle cuánto la amo!, pensaba en silencio mientras su garganta se anudaba causándole dolor. Había intentado desertar en varias ocasiones para ir en su rescate, pero Gardo y Anán, los poderosos guerreros del grupo, siempre lo traían de regreso.

Aquella noche los guardianes de la cárcel cabecearon y se durmieron como si hubiesen tomado una pócima somnífera que no les permitía despertarse. Todas las puertas de la cárcel se abrieron automáticamente, pero los presos no se movieron de su lugar. Estaban perplejos y aterrados ante lo que estaba sucediendo, primero con los guardias y luego con la apertura de los portones. Leo entró por la puerta principal y llamó a Natalia. Todos miraban atónitos y con descreimiento ante lo que veían sus ojos. Natalia salió a toda prisa y corrió hacia Leo.

Leo, después de presentarse ante ellos y hacer un recuento para ponerlos al tanto de lo que estaba sucediendo, habló con los presos acerca de su plan para liberarlos. Ellos necesitarían moverse a toda prisa para salir de la cárcel lo antes posible y luego moverse a la ciudad. Ya Leo le había dado instrucciones a Roco de preparar a los presos para su visita aquella noche. Sin embargo, ellos no les habían dado crédito a las palabras de él por considerar la misión demasiado riesgosa y difícil de realizar. Pero al ver lo que había sucedido ante ellos, prestamente se alistaron y todos salieron sin quedar ni uno de los del grupo de reclusos dentro de la prisión.

Los mensajeros del ejército de Leo llegaron y, tomando a los presos, los llevaron a diferentes escondites que habían sido preparados de antemano.

—Los guardias seguirán durmiendo hasta la mañana y pensarán que han soñado lo sucedido, pero ustedes manténganse alertas porque vendré por ustedes en pocos días —habiendo dicho esto partió con Natalia y ya no volvieron a verse.

Capítulo 49
El regreso

La noche estaba avanzada y se acercaba el día. Los soldados de Yeidan no querían esperar más tiempo detenidos en aquel peligroso escondite en las montañas, no se sentían a salvo allí. Ya llevaban algunos días sin dormir y el cansancio y la tensión eran extenuantes. Tal parecía que habían llegado a una calle sin salida y que se encontraban estancados en un círculo vicioso. El único tema de conversación era lo sucedido en la ciudad de los topanos, lo cual repetían una y otra vez.

Ellos no querían dejar atrás a Natalia, pues ello resultaría en una pérdida incalculable. A la misma vez, se encontraban en una encrucijada indescifrable. No podían darse el lujo de ser alcanzados por los despiadados topanos. La decisión resultaba muy difícil de tomar y habían comenzado a tener argumentos al respecto. Algunos les urgían a que marcharan, pero otros no estaban dispuestos a moverse sin la joven.

Ella era el alma del grupo, siempre estaba alegre y positiva y nunca veía obstáculo ni impedimento para seguir adelante. Todas sus decisiones eran firmes y determinadas y siempre resultaban acertadas. El vacío que había dejado su ausencia se sentía demasiado grande. Ya nada tenía sentido y no sabían cómo proseguir sin ella.

De pronto escucharon voces que se acercaban a ellos e inmediatamente se pusieron estado de alerta.

—¿Y qué pláticas son esas que tienen entre ustedes y por qué tanta tristeza?' —les preguntó Leo mientras se acercaba al clan.

—¡LEO! —gritó Gardo lleno de alegría—. ¿Eres tú, capitán?, ¿qué haces aquí? —preguntó a la vez que corría a abrazarle. También Anán y Graciela se envolvieron en el emotivo abrazo de bienvenida al joven. Los demás del grupo no entendían el motivo de la euforia de sus compañeros ante la llegada de Leo, pero presentían que se trataba de buenas noticias.

Fue entonces cuando Yeidan alcanzó a ver a Natalia. No podía creer lo que veían sus ojos. Corrió hacia ella y la abrazó tan fuerte que casi le quita el aliento. La abrazaba y se reía mientras se secaba las lágrimas. Le besaba la cabeza y las mejillas delirante de alegría. Le pidió perdón tantas veces y luego la tomó en sus brazos y comenzó a dar vueltas con ella. Luego que cayó en cuenta que estaba haciendo tonterías, se detuvo disimuladamente y retomó la sobriedad, disculpándose por su espontánea reacción.

—Perdone mi comportamiento, su Majestad, creo que me excedí en mis limites —le dijo él avergonzado. Ella lo miró con extrañeza y luego lo abrazó y le besó el rostro muchas veces.

—También yo te extrañé mucho más de lo que pensaba —le dijo ella. Yeidan quería decirle tantas cosas a Natalia, pero se limitó a guardar silencio pues sabía que ella pronto sería comprometida con el hijo de Elior. Él no tenía ningún derecho a abrigar esperanzas con respecto a ella. Después de todo, ellos eran los mejores amigos y no se arriesgaría a poner en peligro aquella amistad.

Una vez bajó la intensidad de la euforia que el grupo experimentaba por el regreso de Natalia, ella procedió a introducir a Leo formalmente ante ellos y luego les contó los pormenores de las aventuras vividas en la cárcel. Todos estaban atónitos con las cosas que ella les platicaba. La admiración hacia Natalia se intensificó significativamente entre ellos. Luego le extendieron la bienvenida al joven y le recibieron con mucho gusto en sus medios. Una vez habían entrado en confianza con la presencia de Leo, este les compartió con detalles sus planes y la razón de su venida. Todos escuchaban atentamente las instrucciones que Leo les impartía acerca de un posible enfrentamiento con Noser en un futuro cercano.

Antes de irse de regreso a su campamento, Leo llamó a Yeidan y habló con él a solas por mucho tiempo. Compartió con él como si hubiesen sido amigos de siempre, inclusive le dejó saber de asuntos de su vida personal. Yeidan sentía una alegría en su corazón que no podía explicar cuando estaba frente a Leo. Le daba la impresión de haberlo conocido toda la vida y casi se atrevía asegurar que le había visto cuando era niño. Por alguna razón inexplicable le parecía que lazos profundos les unían, pero quizás era una tontería lo que pensaba, apenas lo acababa de conocer.

La luz había salido en su corazón antes que en el horizonte. Aquel día se vislumbraba pletórico de alegría y esperanza. El llanto se había convertido en risa y el dolor en canción.

—Cosas que no te imaginas te aguardan —le aseguró Leo—. Pronto tendrás buenas noticias —Yeidan creyó en sus palabras con firme certeza. Leo, dándole una palmadita en el hombro, le dijo—: Nos vemos pronto, hermano.

Luego se abrazaron calurosamente al despedirse.

Capítulo 50

El bosque misterioso

Yeidan y su ejército estaban a un día de llegar a la ciudad de los noances. Sin embargo, sobrecogidos por el cansancio, decidieron detenerse para reposar en el bosque. En aquel lugar había espacios abiertos que parecían cómodas recámaras, las cuales habían sido formadas por la naturaleza misma. Visto desde afuera no se podía apreciar lo espacioso del paraje, pero una vez se adentraron en la espesura del bosque, estos espacios se abrían ante ellos como misteriosa ciudad escondida. Ellos no daban crédito a la agradable sorpresa de aquello que veían. Era como si alguien les hubiera querido regalar un oasis en su desértica jornada. Pero, a pesar de la encantadora sorpresa, su cansancio pudo más que sus emociones y cada uno escogió su lugar para dormir hasta que les despertara el fulgor del nuevo día.

Esa noche acontecieron muchas cosas extrañas y diferentes. Toda clase de animales místicos y sobrenaturales les visitaron. Algunos soñaban que volaban y se remontaban a hermosos parajes de fantasía; había cascadas, hermosa foresta y la más hermosa de todas las criaturas parecía ser la dueña de aquellas misteriosas criaturas. Era una joven de ojos de zafiro que parecían penetrar en lo más profundo de su interior causándoles una paz indescriptible, pero cuando despertaron todo aquel encanto de la noche había desaparecido como se desvanecen los sueños mañaneros y el lugar era de lo más común que podían encontrar. Con sentir de desilusión, se conformaron en pensar que solo habían tenido un hermoso sueño.

Lai, que era la esencia misma de la humildad, bondadosa y hacendosa como nadie, se levantó temprano en la madrugada antes que todos los demás para recoger yerbas, frutas y raíces. Diligentemente preparó un delicioso manjar para todo el grupo. Ella había venido de la ciudad de los sinitos. Siempre estaba preparada con sus especias y sartenes. Así que preparó fuego, hirvió el agua y en un tronar de dedos confeccionó los alimentos que todos disfrutaron con gran placer y que mitigaron la decepción de levantarse de nuevo a la rutinaria realidad.

Yeidan y Natalia también se habían levantado temprano para dar un paseo matutino y poder conversar a solas. Siempre habían sido los mejores amigos el uno del otro y los únicos parientes que conocían, aunque no lo fueran de sangre. Pero ahora sus sentimientos habían tomado un nuevo giro. Yeidan había entendido claramente cuánto amaba a Natalia, sentimiento que se había negado a aceptar.

Todas aquellas emociones en su interior le daba una perspectiva diferente en su manera de ver y enfrentar las cosas. Ahora, desde una posición más elevada, podía percibir con claridad la motivación que encaminaba su vida. Además, podía apreciar una realidad que no había conocido antes. Aquella verdad sobrepasaba lo que sus ojos tenían de frente, un nuevo ingrediente se había añadido al lenguaje de sus sentimientos. Recibió la confianza que le garantizaban la seguridad de recibir aquello en lo que creyera. Tenía nuevas razones para vivir y las fuerzas se le multiplicaron para lograr sus metas.

Mientras Yeidan consideraba estas cosas, no podía parar de observar la hermosura de Natalia. Sus ojos eran alegres y a la vez tan delicados, su piel lozana como la de las perlas irradiaba la luz que salía de su interior. Mientras se asomaban los primeros destellos de luz en el cielo, su hermosura se acentuaba envolviéndola en un toque de misticismo y creando ante él la consumación de la perfección. Aunque sabía que ella era algo prohibido para él, en su corazón había reservado un trono en honor a ella.

Se encaminaron por un paraje muy pintoresco que agasajaba la vista. No habían caminado por mucho tiempo cuando alcanzaron a divisar una pendiente que se desplazaba a la distancia cubierta de flores blancas y rosadas.

El paisaje se figuraba como una novia en su atuendo nupcial. Ellos corrieron hacia la ladera cubierta de flores y como niños juguetones hicieron siluetas sobre los pétalos del suelo y los esparcían por el aire. Parecía que la vida quiso regalarles un lapso del tiempo que no habían podido disfrutar durante su niñez. Aún el cielo se cubría con matices de hermosos colores para celebrar con ellos la llegada de su primavera. Luego todo el grupo se les unió y allí disfrutaron de la frescura mañanera en un ambiente de esparcimiento y solaz.

En la tarde hicieron arreglos para dejar todo listo y así marchar a primeras horas de la madrugada.

Capítulo 51

Los noances

Pasada la medianoche, en las primeras horas de la madrugada, nuestros viajeros emprendieron viaje hacia la tierra de los noances. A estas alturas del viaje, ellos tenían una idea más clara de lo que podían esperar en las siguientes ciudades. Poco a poco, salían del cascarón de la ignorancia y la ingenuidad para tener una visión más concreta del mundo que los rodeaba.

No siempre hay brazos cálidos para recibirte y no todos son empáticos con tus ideales. Aquel era el mensaje que habían aprendido en su travesía. Se había roto el mundo fantasioso de cristal en el que habían vivido, pero eso no los desanimaba; habían comenzado a desarrollar vías alternas en sus entrañas para evitar un colapso emocional y se encaminaban hacia otra perspectiva en su visión del mundo. Ya avanzaban en el camino a la madurez y rasgos de adultez se dejaban entrever en el nuevo carácter de ellos.

Los ciudadanos noances eran supersticiosos e ignorantes. Ellos no eran intencionalmente malos y despiadados, pero habían crecido marginados en un ambiente desventajoso. Habían sido constituidos con una cultura ruda y hostil que los hacía reacios y cerrados a la novedad. Aunque no eran gobernados por dictadores externos, la falta de luz en su interior y las creencias tóxicas con las que fueron programados los confinaban a un estilo de vida limitante. La mezquindad llenaba sus pensamientos y la estrechez de corazón no les dejaba ver el sendero de la abundancia que les brindaba el potencial de la esperanza. Así que la miseria era huésped permanente en sus linderos y la mediocridad la filosofía que forjaba su identidad.

Esquivos y suspicaces, sus vidas eran como carrusel que daba vueltas sin llegar a ningún lugar y que los sumía en un atolladero del cual no podían salir. No sabían si era su manera de pensar la que atraía la miseria o si era la miseria la que predisponía y forjaba su idiosincrasia y sus pensamientos negativos. Cualquiera que fuese el caso, el círculo no se rompía y el favor no estaba de su lado.

Aun así, los noances eran más amigables y receptivos que los sinitos y los topanos. Cuando el grupo llegó a la ciudad, Ana ya había recorrido mucho terreno y ganado no pocos amigos. Ella tenía ese don y era inútil tratar de detenerla o advertirle de peligros. Muchos la rodeaban como las abejas a la colmena, sobre todo aquellos que estaban ávidos de libertad y necesitaban aferrarse a cualquier esperanza que los condujera a un nuevo amanecer. Ana había conseguido un lugar para el ejército de viajeros donde pudieran reposar durante su estadía en la ciudad. El tiempo entre los noances no fue largo, pero sí muy fructífero. Pudieron dejar una semilla de mucha esperanza y luz a su paso y muchos de los noances se les unieron.

En el camino hacia su nuevo destino, Natalia ponderaba las palabras que Graciela le hablara a los noances que se habían acercado para escucharlos.

—Somos como una labranza —les decía—. Cada acción y cada reacción es una semilla que dejamos caer en nuestro paso por la vida, las cuales cosecharemos a su debido tiempo. Si sembramos árboles buenos, cosecharemos frutos de vida; de lo contrario, solo atraeremos la maldición que sembramos en nuestro peregrinar.

»A veces la ignorancia es más cruel que la maldad y el desconocimiento tiene ataduras más fuertes que las cadenas que aprisionan. El vano conocimiento puede cegar y crear paredes que dividen, pero la ignorancia daña y esclaviza como un perverso tirano. Un balance saludable es siempre necesario para el alma y una mente abierta a la luz es el mejor antídoto para erradicar el veneno de la confusión.

»La sabiduría te abre horizontes y el verdadero conocimiento te emancipa, pero la estrechez de corazón cierra los portales de la abundancia y los caminos para avanzar. Entonces seremos como ruedas que giran en el mismo lugar sin adelantarnos a nuestro destino. Hay suficiente abundancia para todos, pero la estrechez de corazón secará la fuente de la bonanza —con estas y muchas otras palabras de sabiduría, Graciela persuadía a los noances a que ensancharan sus corazones para que pudiera trascender al panorama que tenían de frente.

Todo aquel tesoro de sabiduría en Graciela, iba trazando en Natalia una senda que la marcaría para bien el resto de su vida. Pronto el grupo se marcharía y con ellos un buen grupo de nuevos aliados. Aunque parecía que les esperaba un arduo trabajo para entrenar a los nuevos aliados, la realidad es que ellos ya estaban listos para lanzarse a esta nueva etapa de sus vidas.

Capítulo 52

Los astrales

El caso de los astrales, la ciudad circunvecina a los noances, era diferente. Ellos eran intelectuales y avanzados en su cultura. Honraban la sabiduría, el universo, la ciencia, los elementos y estaban muy orgullosos de su conocimiento. Contaban con muchos portavoces que propagaban su filosofía en las diferentes culturas. Sin embargo, a pesar de que ellos pensaban que habían alcanzado la máxima perfección, en realidad no diferían mucho de los noances, a quienes ellos consideraban primitivos y rudimentarios.

La falta de sustancia y solidez en su carácter los hacía frívolos y triviales. Se iban tras el viento tratando de resolver las cosas ocultas y misteriosas que no entendían de la vida, pero descuidaban los elementos básicos de la existencia: el amor, la compasión y la empatía. Ello los llevaba a enredarse cada vez más en la confusión y a envolverse en prácticas que los alejaban de la sana realidad. En lugar de hacerse bien, lo cual era el supuesto propósito de su búsqueda, se dañaban unos a otros y se destruían a sí mismos, apartándose cada vez más del camino que los llevaba a la verdad.

Los astrales eran muy imperativos y arremetían con ímpetu, tratando de probar su punto de vista. Insistían en su postura filosófica y no miraban con simpatía a los que diferían de su manera de pensar. Ellos buscaban consejo en los cuerpos celestes de firmamento, además del sinnúmero de objetos inanimados y los seres invisibles a los que consultaban. Sin embargo, parecía que ninguno de aquellos consejos era acertado y la frustración bullía en todas las direcciones.

Su conocimiento envolvía toda clase de falsa realidad que era incapaz de ayudarles a resolver sus necesidades primordiales. Para sentirse satisfechos y realizados, se envolvían en la búsqueda de experiencias etéreas y astrales que los desviaban en lugar de enfocarlos en una realidad tangible. Eran como adictos, con una demanda cada vez mayor de tales experiencias y la dependencia de estas no vislumbraba final.

Aun así, muchos de ellos eran de ideas abiertas y estaban dispuestos a escuchar puntos de vista diferentes al suyo. En realidad, deseaban el camino correcto, pero habían sido programados para confundir la senda.

Marci, una de las ancianas sabias de Sonar, visitaba de seguido a los astrales. Parecía que ella siempre acertaba con su visita, pues coincidía con la desesperante necesidad de alguno de sus ciudadanos. Cuando estos parecían que habían llegado sin éxito al final del camino y tocaban fondo con su frustración e impotencia, entonces ella aparecía con su oportuna visita. Aquellos que eran ayudados por Marci, se agrupaban y se buscaban de manera intuitiva. Juntos podían hacerle frente a la caudalosa corriente de pensamiento que fluía en el lugar y que arrastraba inmisericorde todo lo que se ponía a su paso.

Desorientados y agobiados, muchos de los astrales acudían a Marci en busca de ayuda. Ella fue adquiriendo el favor entre ellos y era llamada con más frecuencia cada vez, llamado al que ella respondía con presteza y gran placer.

Muchos de los astrales decidieron unirse a nuestro equipo en busca de respuestas y nuevos horizontes. Aunque las dificultades nunca dejaron de hacer notar su presencia, el grupo se iba fortaleciendo cada vez más y ganando el favor en cada ciudad por las que pasaban.

Capítulo 53

Reencuentro con Dasor

Ya se encaminaban hacia la salida de la ciudad cuando de pronto escucharon una voz conocida que gritaba los nombres de Yeidan y Natalia acercándose a toda prisa hacia ellos.

—¡Dasor! —exclamaron todos los que le conocían, corriendo hacia él para abrazarle.

—¡Qué placer verte! —dijo Natalia abrazándole cariñosamente, seguidos por Yeidan, Graciela y Ana.

—Llevo días tratando de localizarlos, pero no había podido hacerlo hasta ahora —explicó Dasor con voz jadeante—. Me enteré de lo sucedido en TPU y me angustié muchísimo al no poder estar ahí para apoyarles. No había encontrado la manera de contactarlos, pero gracias a la ayuda de mi amiga Ana pude dar con vuestro paradero. ¡Cuánto lamento todas las inconveniencias que sufrieron en esa ciudad, pero estoy a su servicio para lo que sea necesario!

Entonces decidieron moverse a un lugar más apropiado para poder hablar tranquilos, había tantas cosas que platicar y con las cuales ponerse al día. Dasor les contó cómo después de un tiempo su esposa junto con su hija llegaron a su casa un día y cómo se habían reconciliado de manera inesperada. Ahora que ambos habían ganado madurez, se dedicaron a tomar el liderazgo en su ciudad y mucho progreso se había logrado desde entonces.

—La ciudad parece otra —les comentó Dasor con emoción y lágrimas en sus ojos—. Oh, casi me olvido —recordó—, hemos escuchado que el rey de Nun se mueve en esta dirección. Dicen que anda en busca de su hija que está desaparecida hace ya muchos meses y un gran ejército le sigue. También su hermano, el famoso Eneva, le sigue con su propio ejército. ¡Quién sabe por qué! Unos dicen una cosa y otros, otra. Creo que también su hijo anda con la princesa. Hay mucha conmoción en nuestra ciudad. Sería la primera vez que nos visite el monarca.

Natalia quedó paralizada y casi se desploma al escuchar la noticia. Yeidan, que observaba su reacción, se acercó a ella y disimuladamente la rodeó con su brazo para sostenerla firmemente. Luego, haciéndole señas a Dasor, Yeidan y Natalia le indicaron que necesitaban hablar con él a solas.

—Yo soy la hija del rey, la princesa Natalia —le dijo ella una vez retirados del resto del grupo—. No podemos permitir que el rey nos encuentre antes de llegar a nuestro destino final.

—¿Sabes lo que eso significa? ¡Necesitamos ganar tiempo! —exclamó Yeidan—. Yo soy el hijo de Eneva y en este momento esas no son buenas noticias para nosotros.

Dasor estaba perplejo y no sabía qué decir. No podía creer que estaba hablando con los príncipes de su planeta y que eran sus amigos. Inmediatamente recuperó la compostura y se puso a las órdenes de ellos. Los jóvenes le pidieron discreción a Dasor para no complicar la situación.

—No necesito saber detalles, ¿en qué puedo ayudarles?' —replicó Dasor.

—Sabía que podíamos contar contigo —le dijo Yeidan dándole una palmadita en el hombro. Entonces Yeidan procedió a explicarle su plan.

—Muy bien, de mi parte está todo claro y estoy de acuerdo con el procedimiento a seguir —le aseguró Dasor—. Cuando regrese a casa pondré a mi grupo en acción y guardaré el secreto de vuestra identidad.

Yeidan quedó tranquilo con la reiterada lealtad de Dasor y Natalia confiaba en la prudencia de Yeidan. Luego de despedirse de todos, Dasor siguió su camino de regreso a casa.

Capítulo 54

El consejo

Una vez en la montaña, el grupo se reunió antes de retirarse a dormir. Mientras todos hablaban y compartían de manera casual, repentinamente y como salido de la nada apareció Leo. Haciendo el acostumbrado saludo de siempre, procedió a sentarse junto a ellos.

—Reposad —les dijo. Luego que todos guardaron silencio y se dispusieron a escucharle. Él les impartió instrucciones a seguir. A medida que hablaba, la paz y el aliento les sobrecogía, sobre todo a Natalia y Yeidan que habían recibido la noticia de Dasor con un poco de incertidumbre.

—Necesitarían tomar la ruta de los Elevados que iba hacia el norte —les explicaba—. Es una ruta mucho más accidentada que la trayectoria usual, pero ahorrarán la mitad del tiempo. Cuando pasen por las ciudades de los Elevados, no se dejen convencer por ellos. Ellos son muy insistentes y los acosarán con sus enseñanzas persuasivas. Deberán ser amables, pero firmes.

»Necesitan ser un solo equipo y tener un solo propósito —continuaba—. Si alguno tiene otra meta, reconsidere ahora y no prosiga en la jornada, pues eso causará pérdida y no ganancia. La unidad es crucial para la victoria. Los que tengan miedo están a tiempo de marcharse. Esto es un asunto de voluntarios, pero también de valientes. El galardón es grande, pero el precio a pagar es alto —les exhortaba.

El grupo escuchaba con temor reverente pero, a la misma vez, con una confianza inexplicable. Las palabras de Leo les confortaban y les infundían fortaleza. Nadie quería moverse y le escuchaban de buen gusto. Leo tenía el poder de atracción de un imán que parecía sostenerlos unidos con un poder invisible. Su plática era amena e interesante y los mantenía atentos todo el tiempo. Aunque él era tan joven, sus palabras eran firmes y tenían mucho peso.

Luego que terminó de hablar con el grupo, Leo se reunió con Yeidan y Natalia. Los llevó aparte y allí les hizo entrega de los armamentos que necesitarían para la batalla que se avecinaba. También les dio instrucciones adicionales y las estrategias necesarias para minimizar las pérdidas en el campamento a la hora de enfrentar la batalla. Hablaron con entusiasmo hasta avanzada la noche.

—Deben ser fuertes y valientes —les dijo—. Necesitan pelear como un solo hombre —les volvió a recalcar—. Un campamento dividido no puede prevalecer. Es imperativo que mantengan este principio, es una ley que siempre funciona. Noser ha estado reclutando a los más perversos e inescrupulosos rufianes del planeta y vienen contra ustedes. Todo es válido en su embestida. Pero no tengan miedo, la luz es agresiva y no se intimida ante las tinieblas. Ustedes están llenos de luz, pero es imperioso que siempre recuerden que ustedes no pueden darse el lujo de dividirse. Si me necesitan, llámenme y les enviaré refuerzos —entonces Leo les explicó cómo comunicarse con él. Y cuando terminó de darle todas las instrucciones, se marchó.

El respeto y la admiración que sentían por Leo era grande, sobre todo Yeidan. El sentía que Leo era más que un amigo, él era ese hermano que nunca conoció y que siempre anheló tener.

Capítulo 55
El fantasma del pasado

En la noche Yeidan no conciliaba el sueño, una danza de emociones y pensamientos se agolpaban sobre su cabeza. La carga de la responsabilidad como líder del grupo cada vez se hacía más grande y la apremiante necesidad de proteger a Natalia era abrumadora. Además, ahora se añadía a la ecuación el extraño misterio que rodeaba a Leo y que no dejaba de intrigarle. Se levantó calladamente y se retiró fuera del campamento para no causar conmoción ni alarmar a otros innecesariamente.

Pensaba muchas cosas. Noser era un enemigo peligroso y él lo sabía muy bien, fue amigo de su padre por muchos años y Yeidan conocía su manera de operar. Él tenía muchas razones para inquietarse y estar a la defensiva. Noser era cobarde y traicionero y se valía de mañas para lograr su propósito, siempre atacaba por la retaguardia y nunca daba la cara de frente. Cuando se sentía acosado, tiraba al fuego a cualquiera con tal de salir airoso en el asunto y aparentar que era un mirano de bien. Sabía cómo disfrazar sus artimañas y actuar con alevosía sin dejar ver sus verdaderas intenciones. Se necesitaba de mucho discernimiento para salirle un paso al frente en sus estrategias de ataque.

Sin ser detectada, Graciela llegó y se sentó al lado de Yeidan, quien estaba sumido en sus pensamientos y con voz suave comenzó a hablarle. Ella podía percibir su preocupación y angustia, sabía que él se sentía responsable por el grupo y de la seguridad de Natalia. Cómo se enfrentaría al rey o a la nación si alguna desgracia le ocurriera a la joven princesa, eso sería algo que él no se perdonaría.

Con sus palabras, Graciela logró tranquilizarle un poco.

—Yeidan —le dijo una vez que este se había calmado—, tu madre vive y en algún momento la conocerás.

—¿Mi madre Valena está de camino hacia nosotros? ¿Viene con mi padre o con un grupo separado? —preguntó Yeidan un tanto anonadado—. No sabía que ella sería capaz de envolverse en una aventura tan arriesgada. Siempre ha sido muy cauta y comedida.

—Valena viene en unión de tu padre, pero no me refiero a ella sino a tu verdadera madre —le respondió. En un arranque de ira, Yeidan se puso en pie de un salto.

—¡Valena es mi única y verdadera madre! No conozco a otra y no sé de quién me estás hablando y tampoco me interesa ese tema —le gritó Yeidan.

Graciela suspiró profundo y esperó a que se calmara, dándole espacio para que liberara sus emociones. Luego de un rato de silencio, ella retomó su discurso.

—Ella nunca dejó de amarte, siempre te ha amado más que a su propia vida —le contó la anciana—. Su corazón ha sido destrozado tantas veces, pero su tesón es de acero y la adversidad no ha podido derribarla. En este momento de tu vida es imperante que sepas la verdad. Necesitas aclarar tu norte para que tengas una vía franca y sin estorbos en la marcha de tu avanzada.

Yeidan, que había tenido unos destellos de luz en sus recuerdos del pasado mientras estuvieron con Kebu, volvió a sentir el encono del dolor que percibió en aquel entonces. Veía escenas entrecortadas en su memoria siendo abandonado de niño por su madre biológica. Entonces no pudiendo contener más su angustia, corrió bosque adentro para darle rienda suelta a la expresión de su desconsuelo. Lloró y gritó a voz en cuello hasta que se le acabaron las lágrimas y se secaron sus penas. Luego regresó donde Graciela y la abrazó.

—¿De dónde y cómo la conoces? ¿Por qué sabes su historia? —seguía preguntando Yeidan sin hacer pausa—. ¿Cómo? ¿Cuándo? ¿Por qué? Háblame de ella, ¿a quién se parece? ¿Cuándo puedo conocerla?

—Yo soy Graciela— contestó ella—, una de las guardianas del árbol de la sabiduría. Vi nacer y crecer a tu madre. La consolé muchas veces y la fortalecí otras tantas. Siempre hemos sido muy cercanas. Ella te vigiló en secreto y te enviaba las mascotas para aminorar tu soledad y desamparo, pues para protegerte no podía acercarte a ti. Hay muchas otras cosas que sabrás a su debido tiempo, por ahora solo estas te puedo decir.

—Graciela... una de las ancianas sabias que siempre conoció a mi madre. ¿Cuántas cosas me faltan por conocer aún? ¿Y LaCruci? ¿También ella conocerá a mi madre? Pero, ¿por qué tanto secreto? —se preguntaba Yeidan, inmerso en un mar de interrogantes.

—LaCruci es una anciana muy sabia. Ella fue asignada para proteger a tu madre y para vigilarte a ti, por eso has tenido algunos encuentros con ella —le respondió Graciela.

Yeidan apreciaba y respetaba mucho a LaCruci. Ella fue crucial para que su vida se encausara por el camino correcto y no siguiera los pasos de su padre. LaCruci le leía siempre del *Libro de los poemas dorados* y lo alentaba a seguir el camino del bien, aunque Yeidan no se explicaba el por qué ocultó lo de su madre.

»Todos somos parte de un gran libreto que se escribió para que fuéramos sus protagonistas desde antes de nuestro nacimiento, pero también somos los diseñadores y arquitectos de nuestro futuro. Esculpimos y cincelamos como artesanos los rasgos de nuestro destino con cada elección que tomamos y nuestra actitud ante la vida. Algunas de las experiencias que tenemos son más dramáticas que otras, pero ninguna de ellas carece de importancia, todas son necesarias y cruciales para moldear nuestro carácter. Tener una visión clara sobre nuestro norte hace más llevadera la jornada y será una lámpara que nos aclare el camino.

»Ya que protagonizamos y llevamos a cabo el rollo de nuestro libro, debemos ser sobrios ante la responsabilidad de cada decisión a tomar. Podemos escoger las cosas que sobresalen por su excelencia o desperdiciar en la mediocridad el don que se ha puesto en nuestras manos. A todos se nos dotó con dos regalos: el poder de escoger o rechazar y el don del ahora o el tiempo presente. Hacer uso sabio de tu «ahora» hace sobrepujar el don de la excelencia —Graciela hablaba con firmeza, pero expresaba ternura en sus palabras.

»No temas por tu padre —añadió Graciela—. Ya no está asociado con Noser, ha roto relaciones con él para siempre y cada cual ha tomado un camino diferente —aquella noticia animó grandemente a Yeidan, que ya se sentía mucho más reconfortado. Podía ver que una luz de esperanza se abría paso ante él y sentía que la carga ya no era tan pesada. Percibía que el favor estaba de su lado y ello le dio paz.

Al día siguiente, todos en el campamento se levantaron muy temprano y comenzaron la trayectoria hacia el Desierto del Desvalido. Yeidan tenía huellas en sus ojos rojizos e inflamados por el llanto de la intensa noche que había tenido, más nadie se dio por enterado, excepto Natalia quien le conocía mejor que a ella misma. Sin embargo, ella no quiso indagar en el asunto para dejarle su espacio de privacidad.

Yeidan se sentía mucho más reconfortado con la seguridad de que todo marcharía bien. Lo sucedido la noche anterior lo consoló y alivió su alma. Sus lágrimas, como las gotas de lluvia cuando caen limpiando el aire, refrescaron su corazón y un fragante olor de frescura le llenó de nuevos bríos. Entonces poniéndose en la delantera, infundía aliento en los que le seguían y los animaba a marchar adelante.

Lo que somos habla con más elocuencia que miles de palabras.

Capítulo 56

Los sublimes

Los sublimes, como se le denominaba al grupo de ciudades a las que se aproximaba nuestro grupo de viajeros, era un área semidesértica que iba en ascensión acercándose bastante a las fronteras con el Monte del Elevado. El área era también conocida como Los Ariáticos o el Desierto del Desvalido. Irónicamente, se les atribuía el nombre de sublimes por sus creencias filosóficas y por su proximidad geográfica al Monte del Elevado.

Los ariáticos, apodo que se les daba a los habitantes de las áreas áridas, se consideraban a sí mismos como superiores a todos los demás miranos del planeta Sonar. Pensaban de ellos mismos ser insuperables en su conocimiento y que solo a ellos se les había escogido para conocer el misterio de la verdad que gobernaba el universo. Sin embargo, el ambiente árido y estéril que los rodeaba mostraba una mejor descripción del verdadero carácter de ellos.

En todas partes parecía fluir la misma corriente de enseñanza pero, paradójicamente, cada uno de los ariáticos pensaba que los habitantes de las ciudades vecinas estaban equivocados en sus creencias y que, plagados de errores, las enseñanzas de ellos eran indefectiblemente falsas. Sin excepción a la regla, todos entendían que su filosofía pretendía haber llegado a la cumbre de la perfección de sus ideologías. Sin embargo, eran incapaces de tolerarse unos a otros y mucho menos de ser empáticos con sus necesidades, estaban atestados de orgullo, divisiones y maltrato para con los demás. Inflados de conocimiento vano, carecían de compasión y eran incapaces de amar y perdonar; como excusa se escondían en sus rituales de perfeccionismo y se entregaban a prácticas vacías de autosacrificio para justificar sus malas acciones.

A primera vista, los ariáticos parecían inofensivos y bondadosos, pero no pasaba mucho tiempo antes de que pudiera detectar la vaciedad y lo infatuado de sus prácticas. Por tanto, tras esa máscara de nobleza se escondía una maraña de serpientes que te embobaban con su veneno de palabrerías labiosas.

No tenían mucho que ofrecer, aunque te hacían creer que eran la panacea para solucionar todos tus problemas y amilanar tus vicisitudes. La realidad era que sus prácticas y soluciones eran tan insípidas y áridas como el desierto que les rodeaba, no había mucho que escalar o profundizar. Ellos eran gobernados por lo que podían ver o palpar y no se detenían a examinar de manera objetiva la raíz y el meollo del drama de la vida. Sus emociones estallaban como elemento explosivo a la menor provocación posible. Sin indagar en cualquier asunto, se lanzaban a las calles como seres irracionales para defender sus prácticas fundamentales.

Pese a que cada uno decía tener el camino a la perfección, muy dentro de ellos imperaba el miedo y la incertidumbre. Poseían cientos de libros de textos y promulgaciones de cómo ser mejores miranos, más nunca alcanzaban la meta. Trataban de convencerse de que lo que ellos profesaban era infalible, pero los resultados de sus esfuerzos eran estériles e incapaces de producir vida.

Los teanos podían leerse a simple vista sin mucha dificultad. Se sabía qué esperar de ellos la primera vez que los tratabas. Sin embargo, los ariáticos eran complejos, confusos y muy persuasivos con el juego de sus palabras. No te podías fiar de ellos, pues eran la falsificación de lo verdadero y la imitación de lo legítimo. Con ellos nunca se sabía a qué atenerse. Si estaban de tu lado o en tu contra, solo el tiempo lo dejaba saber.

Capítulo 57
El Estrecho del Incierto

Aquel día, los viajeros habían avanzado bastante en su jornada. La tarde los alcanzó llegando al Estrecho de Sinar, también conocido como el Estrecho del Incierto, que daba acceso a las ciudades de los ariáticos. Leo observaba la trayectoria del ejército de viajeros desde el Alto de la Doncella, donde tenía su centro de mando. Allí había sido forzado a aterrizar después de averiarse su nave varios meses antes. Con su avanzada tecnología, Leo tenía control de todos los osados movimientos que hacía el arriesgado grupo.

El privilegiado lugar, uno de los más altos del planeta, al menos en el área espiritual, tenía acceso a las puertas que daban al Santuario de Lazuli. Sin embargo, antes que nuestro grupo pudiera llegar allí, ellos tendrían que subir el Monte del Elevado y trascender la Esfera de Solano, además de pasar el enigmático territorio de los ariáticos, lo cual era bastante complicado y riesgoso.

Confrontados con un cuerpo de agua que no esperaban encontrar y para el cual no estaban preparados, el ejército de viajeros se vio forzado a detenerse para considerar las diferentes alternativas con las que contaban para cruzar el incomunicado estrecho de agua. Compartieron ideas y sugerencias en su coloquio de conferencia, pero ninguna de las opciones presentaba ideas factibles. Ellos no contaban con el equipo necesario que hicieran posible la travesía sobre el agua que, de por sí, era bastante extensa y turbulenta. Pensaron en Anán que ya antes había utilizado la tecnología de la teletransportación, pero esa idea quedaba descartada. Era un recurso que se usaría solo en casos de emergencia y extremo peligro, y estas circunstancias no lo ameritaban.

Entonces Graciela sugirió que buscaran en la caja de Ado, él les había hecho el obsequio a Yeidan y Natalia al principio de la travesía, quizás encontrarían algo que les pudiera ser de utilidad. Y, efectivamente, allí encontraron una llave con instrucciones para su uso: «Buscar en la página 44 del Libro de los poemas dorados también conocido como *Los escritos de los sabios*».

Cuando buscaron la susodicha referencia, leyeron la siguiente recomendación: «Hallareis una puerta dentro de otra puerta y luego hallareis el camino. Usad la llave».

Después de analizar el contenido de la información, cada uno se esparció en diferentes direcciones tratando de encontrar la puerta de la que hablaba la cita, pero buscaron sin éxito por largas horas, nadie parecía encontrarla. Era como si se tratara de una puerta invisible o inexistente. Tras recorrer en vano todos los posibles lugares donde pudiera estar la puerta, decidieron reunirse para considerar nuevas opciones. Para entonces todos estaban cansado del viaje y la noche había caído haciendo más difícil el poder localizar la susodicha entrada. Por consenso general acordaron continuar su búsqueda en la mañana siguiente.

Capítulo 58

La puerta

Natalia se quedó despierta meditando en muchas cosas. No podía dormir con la incertidumbre de lo que pasaría si ellos no cruzaban el estrecho esa noche. ¿Cómo convencerían a los guardias que vigilaban el puerto para que les concedieran el acceso para pasar? Ellos no se veían muy amigables y no tenían razón alguna para concederles tal privilegio. Además, el rey y su ejército seguían avanzando en la búsqueda de ellos.

Muchas cosas se agolpaban en su mente. Pensaba en las sobrias palabras que les había dado Leo antes de despedirse de ellos, tenían mucho peso y ameritaban considerarse con detenimiento. Recordaba también a sus compañeros de viaje, todas sus vivencias juntos y los lazos de amistad que se habían acrecentado durante aquella jornada. Aquellos pensamientos la llenaron de gratitud al considerar las cualidades de cada uno d ellos. Reía en silencio de las situaciones jocosas que habían compartido y luego se tornaba seria ante otros incidentes. Era un privilegio para ella el poder contar con un grupo de amigos de tal calidad. No cambiaría el poco tiempo que había vivido con ellos por toda su insípida y vacía vida en el palacio.

Entonces sacó la llave de su bolso y la observó detenidamente. *Si tan solo pudiera encontrar la puerta que abre esta llave*, pensó. Mientras consideraba estas cosas, una brillante estrella que resplandecía con insistencia en el firmamento y sobresalía de todas las demás llamó su atención. Sus pensamientos se esfumaron y absorta con el embeleso de la curiosidad, observaba aquella peculiar estrella. Una voz potente y con autoridad se escuchó que retumbaba en el aire: *Yo soy la puerta*. Miró en todas las direcciones para ver a la persona que hablaba con ella, pero no pudo ver a nadie. Una niebla espesa cubría el lugar impidiéndole ver con claridad su entorno inmediato.

Luego de mirar con atención a todos lados, ella pudo advertir la silueta de un mirano que se movía entre la bruma. El personaje o lo que fuera aquello que veía, se paseaba sobre la plataforma del puerto. Natalia avanzó hacia ella, esperando resolver el enigma, pero cuando llegó a donde le parecía haberlo visto nadie estaba allí. Ella miró con cuidado en ambas direcciones tratando de descifrar el misterio, quería volver a escuchar la voz que le había hablado mientras se encaminaba hacia delante.

De repente la joven tropezó con algo sólido que no le permitía avanzar más. En ese momento la niebla comenzó a disiparse y ella pudo precisar que había tropezado con una puerta sólida que estaba allí, aunque no había pared o edificio que la sostuviera. Inmediatamente sacó la llave que traía en su bolso e intentó abrirla. Para su sorpresa, la puerta cedió cuando ella giró de la manecilla con la llave de Ado.

Natalia pudo advertir que aquella no era una puerta común, sino que se trataba de algo más profundo y misterioso. Era, más bien, la entrada a una dimensión diferente, como si la puerta misma fuera un puente viviente que hablaba y tenía características de un ser vivo y no un objeto inanimado. Cuando la puerta se abrió, ella daba a otra puerta que conducía a una empinada escalinata que, a la vez, se dirigía hacia una especie de sótano. Este se conectaba con un túnel por debajo de las aguas. Intrigada por el descubrimiento, no podía precisar si los acontecimientos estaban sucediendo en la esfera física o si se trataba de un sueño bien parecido a la realidad.

Apresuradamente y haciendo el menor ruido posible para no llamar la atención de la guardia que vigilaba el lugar, puso de sobre aviso a los demás compañeros. Estos, sin pérdida de tiempo y con mucha cautela, procedieron a entrar por la puerta que había apuntado la estrella. La escalera los llevó por una especie de túnel que tenía paredes de cristal. La escena era bastante intimidante y aterradora. Ellos podían ver cómo las aguas daban con ímpetu contra el muro que protegía el pasadizo subterráneo. No obstante, todos atravesaron el corredor y antes de que amaneciera habían cruzado al otro lado. Al llegar el día ya estaban en camino hacia la ciudad de Arián. El atrecho usado les ahorró bastantes horas de viajes y contratiempos, además de salvarlos de haber sido encarcelados o sufrido otros inconvenientes. No obstante, ellos llegaron a su destino sin el menor percance.

Desde la altura del monte, Leo observaba cómo Versa —que así también se le conocía a Noser— acechaba las ciudades de los teanos. Con sus astucias y engaños seducía a muchos a seguirle y unirse a su causa. Su ejército iba incrementándose y haciéndose poderoso, ya que muchos malhechores y gamberros se les unían. Todos los más perversos rufianes de las ciudades eran reclutados por él.

Leo ya había preparado sus mejores soldados para la batalla que se avecinaba, sabía que Noser codiciaba conquistar Sonar. Sabiendo que Leo era el heredero de la galaxia, Noser se proponía vencerle para apoderarse de su herencia. De esa manera se le haría más fácil intentar conquistar el trono de Elior, el anciano mayor.

Narraba la profecía que Sonar había sido escogido para el nacimiento del hijo del Sabio Mayor. Por tal razón, Noser se había obsesionado con la idea de poseer el pequeño planeta que parecía un diamante en el firmamento. Después de conquistar a Sonar, él se proponía pelear contra los ejércitos de la galaxia y luego enfilar su marcha contra el reinado de Elior.

Elior reinaba desde la luz, la libertad y el honor. Noser usaba las tinieblas para ocultarse tras ellas. Asaltaba desde el engaño, la ignorancia y la confusión. Una vez convencía de sus limitaciones y debilidades a su presa, la subyugaba y gobernaba con tiranía. Aunque en realidad él no podía conquistar a nadie, solo podía seducirlos con engaños y vencerlos tomando ventaja de la ignorancia de sus cautivos.

Capítulo 59

La corazonada

Lazuli esperaba con anhelo el regreso de su amado Leo, mientras tanto cultivaba su jardín con dedicación. Con la ayuda de Ru, cuidaba de los niños que cada vez se añadían a su morada. Él se entregaba con placer al cuidado de ellos siempre que estaba presente en el Santuario. Sin embargo, él viajaba constantemente por los diferentes planetas de la galaxia Mira. Últimamente se ausentaba más de lo acostumbrado, según la observación de Lazuli, lo cual le intrigaba mucho. No se había percatado de la frecuencia con que viajaba el anciano, aunque ella nunca lo cuestionaba.

Ru se encargaba de propiciar el ambiente adecuado para la germinación de la vida en los planetas de Mira. Además, él era la mano derecha de Elior y juntos coordinaban el futuro de Sonar. No queriendo angustiar prematuramente a Lazuli con los acontecimientos que estaban sucediendo, Ru se movía lo más secretamente posible. Él era como el viento y desaparecía con la velocidad de la luz.

No obstante, aunque Ru se cuidaba mucho para no inquietar Lazuli, ella podía percibir que las cosas no marchaban de manera normal últimamente. Tenía el presagio de que algo que no podía precisar estaba a punto de acontecer. Aunque trataba de erradicar el inquietante pensamiento de su mente, ella no podía evitar la corazonada que la entristecía sin razón de ser. No sabía el porqué, pero presentía que algo muy grave se avecinaba y que ella era incapaz de detenerlo.

Lazuli nunca había conocido la tristeza, tampoco había experimentado la emoción de amar a alguien aparte de Ru. Ella había permanecido como una flor en una cúpula intocable, que la protegía de todo elemento ajeno que pudiera dañarla. La incertidumbre no constituía parte de su vocabulario, pero ahora afloraba de manera extraña como un germen que producía incomodidad en su interior. Nada la había preocupado antes, ni siquiera sabía que existía ese sentimiento. Ru era fuerte y tenía todo bajo control, ella simplemente se cobijaba bajo su sombra inconmovible. Sin embargo, Leo le producía el sentir de querer protegerlo, le parecía más vulnerable y ella solo quería estar con él para no permitir que ningún mal le aconteciera.

Afortunadamente, los niños que había acogido bajo su cuidado la mantenían ocupada y aquello minimizaba el vacío que dejaba la ausencia de Leo. Ellos crecían en un ambiente de amor y ternura, aprendían rápidamente y eran muy diligentes en todas las tareas que se les asignaban. Parecían entender más allá de las órdenes que se les daba y siempre excedían lo que se requería de ellos. Lazuli estaba maravillada y muy complacida con su avance. La alegría que emanaban y su inocencia era la recompensa más gratificante para ella.

Capítulo 60
Nueva perspectiva

Las coordenadas del equipo técnico de Leo le indicaban que el ejército de Yeidan había cruzado sin problemas el estrecho de agua y que avanzaban hacia la peligrosa ciudad de los arianos. Con su sofisticada tecnología podía seguir la ruta de todos los ejércitos que se acercaban a la montaña, pero su enfoque era mantener una vigilancia de cerca sobre el grupo de los viajeros. Ellos necesitaban llegar al Monte del Elevado antes que Noser los encontrara. Un movimiento fuera de tiempo pondría en peligro la misión encomendada y el avance que hasta el momento habían logrado.

Por su lado, el ejército de Ariel viajaba con el grupo más grande y mejor equipado de todos los miranos, pero también era el más vulnerable. Muchos de los ciudadanos del pueblo que se le habían añadido trajeron consigo a sus mujeres y niños. No se arriesgaron a dejarlos atrás, a la merced de Noser y sus secuaces. Su ejército también poseía el mejor y más avanzado armamento de Sonar, lo cual les daba ventaja sobre sus adversarios.

Eneva, el hermano menor de Ariel, los seguía a unos días de distancian con un fornido ejército. Ellos eran diestros y mejores guerreros que los de Ariel, pero su ejército era más pequeño y no tan unido como el del rey. Contrario al grupo de Ariel, que peleaban como un solo hombre, el ejército de Eneva estaba plagado de rivalidades y competencias y no se toleraban unos a otros. Esto socavaba la fortaleza y la moral entre ellos haciéndolos débiles y en posición desventajosa ante el grupo del monarca.

Durante la trayectoria en búsqueda de su hijo, el corazón de Eneva había comenzado a sufrir una metamorfosis inesperada. El dolor de perderlo y el sufrimiento de su esposa Valena habían sido el detonante que había desencadenado el cambio que tomaba forma en él. Los valores en su corazón cambiaron de dirección. Era como si una chispa de luz hubiese permeado entre las pequeñas grietas de su conciencia, aquellas que el desconcierto y la incertidumbre habían causado a su paso. Ya no era tan osado y seguro de sí mismo como antes. Por primera vez en su vida, ya no tenía control de la situación. El motor que movía sus intenciones se desmoronaba y solo quedaba un inmenso vacío de soledad y sinsabor.

En su encuentro con el anciano Ado mientras escogía el camino a seguir, algo inusitado comenzó a suceder. Aquella interacción con el anciano incubó el capullo que comenzó a trastocar los cimientos que lo constituían. La perspectiva de su vida dio un giro de ciento ochenta grados y el peso del valor de las cosas cambiaron de gradación. Las prioridades se invirtieron en su escala de valores y muchas cosas que eran muy importantes para él repentinamente perdieron su encanto.

Capítulo 61

Cambio de dirección

Un poco desorientado en el camino que había emprendido en busca de su hijo, Eneva no sabía qué dirección tomar. A pesar de que él era uno de los más diestros conocedores del área y podía recorrerla con los ojos cerrados, todo le parecía confuso e inconsistente. Lo único que hizo fue dar vueltas en el mismo lugar por algunos días sin poder avanzar hacia adelante. Se decía en su pueblo que el aire de aquellos lares era misterioso y podía confundir al más diestro caminante. Fue bajo tales circunstancias que Eneva conoció al anciano Ado, quien cabalgaba tranquilamente sobre su bestia.

Ado siempre sabía cómo guiar a los viajeros por el camino que más se ajustara a sus necesidades y que los llevara a un final seguro. Enviando a Eneva en dirección al norte con destino hacia el noreste, evitaría que se encontrara con su hermano Ariel antes del tiempo señalado. Ariel había tomado la ruta que lo guiaba más al oeste y luego al norte. De esa manera mantendrían una distancia prudente entre ellos y, a la vez, el grupo de Yeidan ganaría ventaja para llegar a su destino sin complicaciones.

Luego de la valiosa ayuda que Ado le ofreció a Eneva, ambos conversaron por muchas horas. Ado era un elocuente conversador y siempre sabía qué palabras usar para llegar al meollo del problema en aquellos que se distraían en el camino. Siempre buscaba la manera oportuna de encarrilarlos por la senda correcta. Eneva se derretía con cada palabra que el venerable anciano le comunicaba. Nunca había escuchado tanta sabiduría en su vida. Sus palabras eran como bálsamo paliativo que minimizaban la incertidumbre que lo atormentaba y como el colirio que aclaraba como el cristal su vista.

Luego que Ado se marchó aquella noche, Eneva se fue a un lugar fuera del campamento para estar a solas consigo mismo y considerar todas las palabras terapéuticas del anciano. Lloró amargamente por muchas horas, el daño que había causado con su actitud era irreparable. Se propuso no solo encontrar a su hijo, sino también a su hermano. Quería enmendar todo el mal que le había causado y unirse con él para detener de una vez la avanzada del maligno Noser.

Capítulo 62

La ciudad de Arián

El grupo de Yeidan había tomado la ruta central que les acortaba la distancia casi a la mitad, aunque ella era la ruta más peligrosa de todas. Les era imprescindible adquirir aquella invaluable experiencia, la cual los capacitaría de manera cabal para tener éxito en la batalla. Ajenos a los peligros que le aguardaban, el grupo seguía tomando el asunto como una intrépida aventura juvenil que les aceleraba la adrenalina y los mantenía a la vanguardia de la acción.

Una vez pasado el Puente de la Niebla, subieron un poco hacia el norte para llegar a la ciudad de Arián. A todos los habitantes de aquel lugar se les conocía como los arianos por ser de una región árida y de escasa vegetación, pero solamente la primera ciudad era llamada la ciudad de Arián. Geográficamente el lugar no era una llanura o valle, sino una especie de pendiente desértica que iba en ascensión hasta llegar a las cercanías de la frontera de la Montaña de las Alturas, donde se encontraba el Monte de Noís.

Cuenta la historia que muchos siglos atrás, antes de que los arianos vivieran en aquel lugar, toda aquella región era como un hermoso paraíso lleno de árboles, flores, ríos y cascadas. Ahora allí no quedaba ni la sombra de los recuerdos de aquellos tiempos, solo había árboles de escaso follaje que no producían sombra ni frutos. De vez en cuando se encontraban palmeras del desierto y árboles espinosos. Los ríos que corrían por la ciudad se habían secado y los arianos tenían que construir pozos profundos para conseguir aguas subterráneas para su uso. Necesitaban utilizar sistemas de riego para poder cultivar sus alimentos, de lo contrario la vida en el lugar era imposible.

Llegados a su destino, nuestro grupo se propuso a descansar de la travesía en algún albergue en la ciudad, pero los arianos eran huraños, toscos y hostiles. Sentían poca empatía por los extranjeros y los trataban con desdén. Ellos tenían una actitud de superioridad para con los que ellos llamaban «el populacho común». Consideraban que sus creencias los hacían una clase privilegiada que merecía un trato superior, con pleitesías y condescendencias especiales, asunto que ellos se tomaban muy en serio hasta el grado de la agresividad contra aquellos que diferían de su manera de pensar. Se dice que uno de sus antepasados quiso exterminar toda una nación porque uno de sus conciudadanos no accedió a doblegarse ante él.

Capítulo 63
La dama

Tomando estos asuntos en consideración, la avanzada de viajeros entraba con mucha cautela a aquella ciudad. Estaban bien alertas a su entorno y trataban de evitar contacto visual con los habitantes del lugar. Sin embargo, no bien habían pasado la puerta de entrada, una elegante dama que caminaba a toda prisa, sumida en sus pensamientos, tropezó con uno de ellos. Al mirarlos se espantó y les interrogó un tanto alarmada, con acento ariano:

—¿Ustedes no son de esta ciudad, cierto? —Ellos movieron sus cabezas afirmando a la interrogación. Entonces, tomando a Natalia y a Yeidan de la mano, les dijo con voz imperativa—: ¡Síganme!

Todo el grupo la siguió hasta un edificio que parecía pertenecerle. Una vez adentro, ella suspiró con alivio y cerrando todas las puertas tras ellos les dijo:

—¡Qué bueno que me topé con ustedes antes que los arianos! Hubieran tenido un día muy penoso en manos de las autoridades. Son muy severos con los extranjeros, especialmente si difieren de sus costumbres —les advirtió—. Tienen una cultura cerrada y son inflexibles en su ideología y prácticas. Pero aquí estarán a salvo durante su estadía en esta ciudad. Ellos me respetan y hasta ahora han honrado el trato que tenemos, pero deben salir lo antes posible de este lugar.

»Me llamo Sabina, bienvenidos a mi morada. Soy amiga y benefactora de los extranjeros y transeúntes en este lugar. ¿Qué les trae por estos parajes? —preguntó ella.

Yeidan comenzó a explicarle sus intenciones de subir a la Montaña del Elevado y de ahí pasar hasta el Alto de la Doncella. También le indicó que les era necesario cruzar por las ciudades de los ariáticos, pues esa era la ruta escogida para ellos. Le narraron, además, sus peripecias y hazañas al pasar los territorios teanos. Sabina los escuchaba fascinada.

—Deben ser muy valiosos y especiales, además de valientes —les dijo ella—. ¿Quién les recomendó esta ruta? —preguntó sorprendida la elegante dama, a lo que ellos respondieron que fue Kebu quien les trazó el mapa a seguir.

»Lo supuse desde un principio —exclamó ella—. ¡Mi gran amigo Kebu! Entonces deben ser ustedes los escogidos de la profecía de Sonar.

Sorprendidos ante aquella declaración, el joven Yeidan contestó con ingenuidad:

—No tenemos idea de lo que está hablando, señora Sabina. Solo somos jóvenes con mucha curiosidad y espíritu aventurero, además de muchas preguntas sin contestar. Nos hemos embarcado en esta jornada como cualquier otro joven con un alma libre lo hubiera hecho.

—Bueno, aquí no hay casualidades sino causalidades, pero vamos, pasemos a un lugar más cómodo. Hay suficiente espacio para todos en mi humilde morada. Sé que llevan muchas horas sin descansar, les voy a preparar alimentos y luego les traigo algunas vestimentas para que se cambien las suyas. Es necesario tener el atavío apropiado para transitar por las calles de Arián, los arianos son muy exigentes con su código de vestimenta —les indicó Sabina.

Luego de dar órdenes a las doncellas servidoras para preparar los alimentos y encargarse de todas las necesidades de los invitados, Sabina procedió a darles sabias instrucciones a sus huéspedes de cómo conducirse durante su estadía en el lugar.

Capítulo 64
El consejo de Sabina

—No se identifiquen con títulos, ideologías o nacionalidades, todas estas cosas dividen y separan. Además, ellas no son su identidad. Es necesario vestirse como uno de ellos para eliminar las distinciones. No marcar diferencias es un gran avance hacia la unidad. De hecho, no hay tal cosa como nosotros y ellos, no somos partidos diferentes en Sonar. Solo somos nosotros, un ente, un mismo elemento intrínseco, hechos de una misma masa y especie.

»Todos tenemos necesidades básicas en común que nos nivelan por igual, tanto a unos como a otros. No busquemos las cosas que nos separan, sino las que nos unen. Son los títulos y las jerarquías los que nos seccionan y aíslan para volvernos extraños y adversarios unos de otros. Poseemos más cualidades que nos unen que las que nos separan, pero nosotros nos empeñamos en resaltar las diferencias y no las afinidades.

»Fue la influencia del No-ser la que esparció la idea de las separaciones en este planeta. Desde entonces, los miranos se separan por razas, colores, niveles sociales, nombres, creencias y toda clase de excusas que inventan para identificarse. Ellos escogieron lo que no somos y rechazaron la esencia de lo que somos. Son esas diferencias y esas divisiones las que socavan el fundamento de lo que nos identifica, debilitándonos en lugar de hacernos fuertes. Ellas nos seducen a convertirnos en una raza inferior y no andar a la altura de aquella para la cual fuimos creados —Sabina les hablaba poniendo el corazón en cada palabra emitida y ellas penetraban como espada aguda que cortaba en todas las direcciones.

»El amor abre millares de puertas y todos tenemos la necesidad de ser amados. Los arianos no son la excepción. Sus rostros son toscos y curtidos por el sol, y su actitud árida y cortante, pero debajo del lodo se encuentra el oro y profundo en los sequedales están los manantiales. Por duros que parezcan ser, nadie puede resistir el impacto del amor. Siempre se encuentran oasis en el desierto y piedras preciosas en lo profundo de impenetrables montañas —Sabina hablaba con palabras sencillas, pero con gran autoridad.

Su casa era agradablemente acogedora, con espacio para acomodar a cada uno de ellos. Se encontraba en un ambiente apartado del bullicio de la ciudad, pero lo suficientemente cercano como para facilitar las actividades cotidianas. La exclusividad del lugar le daba un toque sobrenatural que parecía sacado de otra dimensión. Las compañeras de Sabina, que eran muchas, se desbordaron en atenciones hacia el grupo. Ellas le relataron someramente los pormenores más importantes para su travesía en el lugar. Luego, ya caída la noche, los llevaron en sus transportes especiales a un lugar secreto en las afueras de la ciudad.

Capítulo 65

La asamblea en el desierto

Llegados a cierto lugar, se detuvieron y Sabina y sus doncellas les instaron a bajarse de los carruajes. Un tanto vacilantes, el grupo siguió las instrucciones y procedieron a seguirlas a una estancia que parecía bastante extraña. Una vez dentro del lugar, comenzaron a llegar invitados. Poco a poco se fueron añadiendo miranos de diferentes lugares hasta completar una gran asamblea. Después de las formalidades de introducción, algunos de ellos contaron sus historias. Parecía como si aquellos extranjeros también compartían el mismo pensamiento que ellos. Los viajeros se sintieron a gusto entre los nuevos allegados, como si se conocieran de toda la vida. Esto confirmaba el pensamiento que les venía compartiendo Sabina a sus huéspedes.

Hasta ellos —los arianos invitados— había llegado la noticia de los viajeros que se movían por las montañas en busca del Monte del Elevado. Eran muchas las historias que se contaban sobre los intrépidos aventureros, algunas verdaderas y otras no tanto. Todos estaban emocionados de conocerlos y escuchar sobre sus historias y hazañas, así que los aclamaban como héroes. Pero nuestro grupo, un tanto tímidos ante las cosas que escucharon se decían de ellos, no sabían qué responder a las preguntas que les hacían. Para ellos, todo era parte del cumplimiento de su deber y la necesidad de conocer la verdad que les incumbía. No veían nada de heroico en ello.

La larga velada resultó muy amena y agradable. Los arianos visitantes ya habían escuchado de Leo y de las profecías de Sonar. Esa noche Tanía les había dado la grata sorpresa, sobre todo a Natalia, de unirse con ellos al grupo. La última vez que la habían visto fue en la ciudad de los topanos. El grupo de por sí ya se había incrementado en gran manera, pero muchos de estos arianos venían con la intensión de añadirse al ejército de viajeros. Cada momento era para ellos una nueva oportunidad para expandirse y dar cabida a la llegada de nuevos amigos y con ellos, nuevos retos.

Ya se disponían a partir pasada la medianoche, cuando de repente oyeron unos golpes que daban en la puerta. Todos los presentes se esfumaron como el vapor por entre las amplias recámaras del caserón, mientras los golpes en la puerta insistían con mayor intensidad. Anán se adelantó a responder y abrir la puerta. El joven que tocaba pasó adelante haciendo señas de guardar silencio. Cuando removió su disfraz, él reconoció que se trataba de Dasor que venía acompañado de una compañía de teanos. Traían noticias de los últimos acontecimientos con respecto a Leo y su grupo, y también acerca de la ubicación de Noser.

Fue uno de los soldados de Leo quien los guio hasta el lugar donde se encontraba reunido el grupo. Uno a uno, los invitados de Sabina fueron saliendo de sus respectivos escondites como por filtración. Estuvieron reunidos con Dasor por espacio de tres horas adicionales. Después de haber acordado minuciosamente cada detalle y los pormenores de la acción a tomar en el futuro inmediato, nuestro ejército se dispuso a seguir su jornada y Dasor con sus acompañantes se marcharon a su ciudad.

Capítulo 66
Reclutando

De regreso a casa, Dasor pasó por las otras ciudades y puso de sobre aviso a todos los grupos que se habían alistado en un movimiento hacia el cambio. Cada vez eran más los que se integraban al gran ejército haciendo una demarcación entre los bandos de derecha e izquierda. Todos, desde los teanos hasta los astrales, fueron puestos en estado de alerta. Dasor era un excelente líder que poseía el carisma y la elocuencia para atraer con palabras convincentes a su audiencia.

Una gran multitud se les había unido, todos apasionados y resueltos a triunfar o morir. No había términos medios o zonas grises para ellos, era el todo o la nada, pues ya no podían sufrir la apatía inherente que los asfixiaba. Todos los que se añadían al nuevo ejército de aliados habían escogido el estrecho camino como alternativa, aunque en ello se les fuera la vida. Y como decían en su apotegma: «Si no haces algo para la solución de un problema, entonces eres parte del problema mismo». El grupo, que iba en aumento constante, se componía de varones, féminas y hasta niños. Gracias a la diligencia de Dasor y sus compañeros, un gran despertar se fue produciendo en toda el área y los resultados eran inmejorables. El planeta se dividía entre dos bandos y las líneas de demarcación se hacían cada vez más tangibles.

Por su parte, Roco había ganado a muchos de los guardias y de los que habían estado prisioneros en las cárceles de la ciudad, además de un gran número de los topanos, se habían unido a su causa. Después de su encuentro con Natalia y Leo, conoció a Anán, quien tenía la capacidad de hacerse invisible. Este comenzó a visitarlo en las noches y lo guiaba por puertas y escondrijos secretos que daban acceso a la ciudad. Fue así como Roco puso en alerta a muchos topanos y un gran grupo de ellos se le unieron. Ellos componían el grupo más grande y mejor preparado de civiles en toda la comarca en contra de la avanzada de Noser. TPU era una vasta región que componía el territorio más grande del área de los teanos y los ariáticos. El ejército de los topanos resultó ser el mejor contingente contra el ejército de Noser.

Capítulo 67
La Pendiente del Desvalido

Ya de madrugada, los intrépidos viajeros dejaban la ciudad de los arianos atrás y se movían en dirección central hacia el próximo poblado. Afortunadamente, gracias a la ayuda de Sabina, ellos pudieron salir de la ciudad sin mayor percance, como si una fuerza superior los protegiera en su travesía. Paradójicamente, estas ciudades desérticas que se suponía formaran un valle, iban en ascensión a medida que avanzaban hacia el norte central. Los arianos, que eran los primeros vecinos en la trayectoria, residían más hacia la falda de la colina seguidos por los talianos quienes tocaban fronteras con ellos.

Sabina había decidido acompañarlos en el resto del viaje y también un grupo grande de arianos que se les había unido. Ellos viajaban con determinación y solo se detenían para el descanso de la noche. Siempre que podían emprendían su viaje a los primeros destellos de luz en el firmamento para aprovechar la claridad del día.

La travesía era extenuante por ir en ascensión y por el panorama caluroso y árido del lugar. Pero en el camino recibieron la sorpresa de la visita de Leo. Él los esperaba con refrigerio y sustento para el camino y con nuevos detalles sobre el viaje. La sorpresa les pareció grata y muy deliciosa. Todo el cansancio del viaje se evaporó y nuevas energías les vigorizaban. Quedaba claro que Leo era algo más que un buen amigo y aliado, él era un líder que tomaba cuidado como un padre amoroso.

Su persona era siempre cálida y agradable. Cuando él hablaba, el tiempo se detenía para escucharlo; todo lo demás perdía el sentir de urgencia y era relegado a un segundo lugar. Toda preocupación se detenía ante lo sublime de su presencia y la casi tangible paz que inundaba todo el entorno. Él, como la estrella más brillante en el firmamento, hacía que todo lo demás quedara opacado. De manera unánime, tanto los que le conocían como aquellos que recién se añadían al grupo, coincidían en un mismo sentir hacia aquel líder excepcional.

Natalia no quería parar de escucharlo y procuraba estar en su compañía cada vez que tenía oportunidad. Sin embargo, a Yeidan no le afectaba el aprecio y la admiración que ella le profesaba a Leo. Él también tenía un sentir de afinidad hacia el maestro, como le llamaba. Presentía que lazos profundos los unían, aunque aquellas posibilidad le pareciera absurda.

Aunque nuestros viajeros iban en ascensión en la Pendiente del Desvalido, que así le llamaban despectivamente al área donde se encontraban por la incapacidad de sus residentes de poder solucionar los problemas que les circunscribían, ellos necesitarían descender al valle para cruzar un caudaloso lago que se interponía en su avance hacia el próximo poblado. El lago era inmenso y profundo y no se podía cruzar sin una nave adecuada. Por suerte, uno de los ariáticos que se había añadido al grupo poseía una amplia embarcación de lujo en ese preciso lago.

Capítulo 68
Las Aguas Impredecibles

Las aguas de Sonar eran perdonadoras y amigables, por tanto, el diseño de las naves usadas para la travesía distaba mucho de las conocidas en otros planetas. No había mares en el lugar, solo ríos caudalosos y grandes lagos. Naves tipo esquife plana y balconada, que lucían como mirador flotante, se deslizaban sobre las aguas del inmenso lago. Corrientes de agua cálidas se movían por las profundidades del lago y con la ayuda mínima del viento se hacía posible la movilización de la nave, solo se necesitaba un pequeño timón y el conocimiento elemental de navegación para darle dirección al móvil acuático de manera fácil y casi perfecta. El viento y las corrientes bajo el agua, que siempre parecían coincidir, se encargaban de mover la embarcación. En las aguas también había una especie de pez al que llamaban «el pez del transeúnte», que empujaba las embarcaciones cuando el viento no soplaba.

La travesía fue corta pero placentera. La impresionante vista de las aguas cristalinas y las montañas que se desplegaban majestuosas en el imponente paisaje de fondo era indescriptible. La brisa era cálida y acariciadora. Ellos no entendían por qué se le llamaban a aquel lago «las aguas impredecibles».

—Regularmente las aguas del lago son calmadas y apacibles, pero de vez en cuando se forman tormentas acuáticas. Estas son capaces de derribar a la más imponente maquinaria —les replicó Moín, el dueño de la embarcación—. Estos fenómenos son esporádicos y poco comunes; sin embargo, son erráticos por lo cual representa un peligro para los viajeros. Muchas veces los hevanos, el pez del transeúnte, pueden salvar a los navegantes, pero lamentablemente otras veces no hay nada que se pueda hacer por ellos. Por eso se le conoce como la aguas de lo impredecible. Aun así, son muchos los que toman el riesgo de viajar por el lago, pues su panorama es increíblemente hermoso.

»A veces nuestras vidas se vuelven rutinarias y habituales, nos convertimos en seres de costumbres y le quitamos la sazón y la diversión al vivir. Nos resulta más fácil enfrentarnos a aquello que podemos controlar y nos asustan los retos. Por tanto, no queremos dejar nuestra zona de comodidad. Así que lo desconocido se convierte en un monstruo que nos aterroriza y con quien no queremos encontrarnos. Por eso evadimos cualquier cosa que amenace nuestra zona de control, perdiendo con ello millares de posibilidades que la vida nos ofrece con cada aventura, con cada reto. Las aguas pueden ser impredecibles, retadoras, desconocidas, pero muchas veces vale la pena ponerse la capa del héroe y volar sobre los obstáculos que nos separan de una vida llenas de colores, alegría y satisfacción, en vez de sumirnos a un vivir lúgubre y sin razón de ser —concluyó Moín como si estuviera reflexionando por ellos en la conclusión de aquella travesía acuática.

Capítulo 69
Los talianos

En poco tiempo el grupo se encontraba en los áridos predios de Talián y el agradable encanto del viaje pronto se desvaneció. Talián era una ciudad portuaria de mucha conmoción. Unos vendían, otros compraban, algunos porfiaban y otros celebraban. La aglomeración era tan grande y ruidosa que los viajeros podían pasar como un grupo más, sin el temor a ser identificados como extranjeros. Había tanta diversidad de visitantes en la ciudad que no se sabía quién era quien. Cualquier idea o filosofía, buena o mala, era bienvenida y fácilmente asimilada por los talianos. Siempre que no te opusieras a sus líderes y a sus prácticas fundamentales, todo estaba bien con ellos. Todo era derroche e indulgencia y no había autocontrol en su cultura.

Sin embargo, los talianos, como todos los demás ariáticos, eran soberbios y pretensiosos, creyéndose superiores a las demás tribus. Aunque eran receptivos a diferentes prácticas, ellos no transigían con aquellos que no se sujetaban a sus rituales ceremoniales. Pensaban que su cultura era la mejor a seguir y se daban por ofendidos con aquellos que no reconocieran el hecho. Se infiltraban furtivamente en otras comunidades con el pretexto de adoctrinarles en sus creencias pero, una vez adentro, se adueñaban del lugar e implementaban su dominio. De lejos aparentaban ser seres de paz, pero otra era la historia cuando los conocías de cerca.

Nuestro grupo de viajeros pronto descubrió que la ciudad era sustancialmente grande y densamente poblada, fácilmente les tomaría unos cuatro días para atravesarla si se apuraban. Ellos deseaban salir de allí antes de la gran asamblea que estaba próxima a celebrarse. Dicha asamblea se celebraba semanalmente y era imperante que tanto locales como extranjeros se presentaran a la misma. De no hacerlo, podían ser multados o encarcelados.

Su sistema pasivo-agresivo se promocionaba a sí mismo como pacificador e inclusivo, pero se mostraba intolerante e inflexible con el que tropezaba con su estilo de vida. Así era la cultura de los moradores del desierto de los ariáticos y la Pendiente del Desvalido. Aunque todos profesaban buscar lo mismo, los muros que los separaban eran abismales. Cada uno creía tener la razón y el mejor argumento, así que ni intentar mediar entre ellos o corrías el riesgo de salir despedazado. En el exterior parecían piadosos, pero su verdadero motivo era el poder y la avaricia desmedida.

—La manera de llegar a ellos no es con argumentos razonables —les parecía escuchar decir a Sabina—, sino tocando la necesidad inherente en cada ser viviente. Todos necesitamos amar y ser amados y para ello no hay argumento —tomando el sabio consejo que les había dado Sabina, nuestros queridos viajeros trataron de implementarlo al máximo. Ignorando el estridente chillido con que gritaba la apariencia exterior de la falsa realidad que vivían los talianos, ellos se dispusieron a escuchar el leguaje sin palabras que transmitían los menesterosos de sabiduría y los presos del conocimiento vano. Ya habían experimentado que no los unían las diferencias externas, sino las virtudes que tenían en común y que solo el lenguaje del amor tocaría las fibras de sus necesidades íntimas, así que decidieron invertir sus energías a transmitir dicho mensaje—. El conocimiento divide, pero el amor edifica.

Fueron muchos los que se unieron al grupo de Yeidan y Natalia, aunque ellos como tal no andaban reclutando a nadie. El hambre por la verdad entre los talianos era mayor que la frivolidad de su pretendida apariencia y buscaban una puerta de escape para hallar el refrigerio que mitigara su sed. La fragancia que les traía la frescura de la sanidad del alma era tan refrescante como las aguas cristalinas. El amor arremete con más ímpetu que el impacto de un tsunami. El conocimiento intelectual es de poco provecho, pero el amor es capaz de derribar las paredes más altas y abrir puertas impenetrables.

Nuestros jóvenes no tenían intención de convencer a nadie, solo querían atravesar la ciudad para llegar a su destino. No obstante, su trasparente honestidad era como un imán que atraía todo lo que tocaba a su paso. Al final de la travesía por la ciudad, el grupo había aumentado notablemente. Por tanto, ellos tuvieron que apresurarse a salir del lugar para evitar confrontamientos innecesarios con las autoridades de la ciudad. Los astutos viajeros se habían adelantado a cruzar los límites de Talián mucho antes de que sus líderes pudieran reaccionar.

La ilusión de una nueva vida llenaba de valor a los disidentes que abandonaron la ciudad sin temor a enfrentar lo que fuera necesario para lograrlo, ahora tendrían la libertad para pensar y escoger por ellos mismos. Tal esperanza representaba un incentivo poderoso como para abandonar lo que hasta ahora había sido su ancla de seguridad. No temieron a la inseguridad de un futuro incierto, solo veían que un nuevo amanecer se desplegaba ante sus ojos y decidieron acogerlo sin considerar lo que dejaban atrás.

Exhaustos y agotados, física y mentalmente por las maniobras que tuvieron que ejecutar para dejar la ciudad a tiempo sin ser detenidos, nuestro grupo finalmente se sumergía en la espesura de la noche que los cubría en su huida de Talián y se abrían paso hacia su nuevo destino. Para ese entonces Yeidan, con la ayuda de Natalia, tenía todo un ejército muy bien organizado. Siguiendo las instrucciones que le había impartido Leo, Yeidan estructuró en grupos menores a los que iban a servir como soldados y había puesto a los líderes más capacitados para que llevaran la delantera. Finalmente, parecía que Yeidan había resultado ser la persona perfecta para la complicada tarea. Una vez lejos de la ciudad, procedieron a acampar para tomar un merecido descanso.

Capítulo 70
Los sueños de Natalia

Natalia estaba rendida físicamente, pero más que nada la agotaban las muchas emociones que se agolpaban sobre su cabeza. Ya había pasado bastante tiempo desde que se lanzaron en aquella insólita aventura. Habían conocido personas de todos los rangos, clases y niveles, gente buena y encomiable, pero también otros no tan agradables. Aunque ella prefería pensar en la gente linda que había conocido, de vez en cuando se asomaba en su mente las memorias de nefastos pensamientos.

En las historias que escuchaba de los nuevos amigos, fue conociendo que muchos de ellos habían crecido en ambientes hostiles; sin embargo, habían llegado a ser como delicados lirios que crecen en los pantanos. Ellos se habían abierto paso en un entorno desfavorable, pero habían vencido la desventura de sus destinos. Hoy, eran ellos los que emanaban las más delicadas fragancias y expresaban las virtudes más excelentes. Irónicamente, era como si el infortunio forjara en ellos la exquisitez de la preciosidad y la perfección, y como diamantes empotrados en un trasfondo oscuro, la brillantez de su esplendor se agudizaba con el contraste de su entorno. Lo más que le impresionaba es que en ellos no había quejas ni culpables, tampoco había víctimas ni victimarios.

Ella también pensaba en sus padres. Aunque no los pudiera ver, ellos siempre llenaban sus pensamientos. Sentía que los había traicionado y puesto en vergüenza ante todo el planeta. Siempre había sido una hija complaciente, aunque ello le costara su satisfacción personal. Sus emociones habían sido una irreconciliable paradoja. Por un lado, se rebelaba contra todo lo que le impedía expresar quien era y, por el otro, le dolía lastimar a aquellos a quienes amaba.

Adelantándose hacia un espacio solitario, Natalia se retiró un poco del grupo para poder meditar y ponderar los acontecimientos que hasta ahora no se había detenido a considerar. En el tren de alta velocidad en el que se había embarcado en esta aventura, no tenía mucho tiempo para procesar todas las cosas que acontecían en la carrera.

Mientras ella consideraba estas cosas, su mirada se perdía vagamente en la distancia. Pronto se fijó en algo que parecía una senda que se desvanecía en la lejanía como un éxtasis fascinante. Luego notó la silueta de una joven que se acercaba hacia ella. ¡Natalia! le llamó por primera vez la misteriosa joven, era el personaje de sus visiones. Esta vez su imperante voz le urgía en su demanda:

—Ven, ábreme la puerta. Por favor, déjame salir —Natalia corrió hacia ella para verla de cerca y finalmente terminar con el misterio que encerraba todo aquel asunto. Pero, inmediatamente, la escena fue disminuyendo hasta desaparecer por completo.

Sobresaltada se despertó de lo que parecía un sueño con los ojos abiertos. Estaba desconcertada y sumamente frustrada.

—¿Quién eres y qué quieres? ¿Por qué me atormentas? ¡¡¡Aaaahhh!!! —gritó con frustración ante la impotencia de desconocer el asunto. Sabía que alguien necesitaba su ayuda, pero no tenía idea de quién se trataba. Dejándose caer al suelo, comenzó a llorar desconsolada. Para ese entonces Yeidan había corrido a su lado y trataba de calmarla.

—¿La visión de nuevo? —preguntó mientras la abrazaba, tratando de absorber toda la angustia y el dolor que le acaecía. Sus brazos eran terapéuticos y tenían el don de tranquilizarla milagrosamente. Después de calmada, ella musitó quedamente:

—Llegaré al fin del asunto. La encontraré y decodificaré este misterio —le afligía tanto el no poder ayudar a aquella persona que parecía estar en angustias y que se acercaba a ella en busca de refugio.

Tratando de olvidar el asunto, caminó con Yeidan hacia el resto del campamento y se quedó profundamente dormida mientras él la custodiada. Yeidan no se retiró de su lado hasta verla calmada y que finalmente descansaba.

Capítulo 71

La sabiduría de los sabios

Al día siguiente caminaron hasta la tarde en dirección central, hacia el norte oriental. Ya se asomaba la noche cuando recibieron la grata visita de Kebu, quien traía suministro de provisiones para suplir en el resto del viaje. Su llegada era siempre oportuna y con sincronización precisa. Además, traía con él un grupo de nuevos ayudantes para servir en la causa de los viajeros. Kebu era un mirano de recursos especiales y poseía la virtud de ser minuciosamente detallista, su ayuda era eficiente y siempre llegaba cuando más la necesitaban. Ellos eran muy privilegiados de contar con su apoyo.

Nuestro grupo había crecido exponencialmente y no podía esconderse por su tamaño. Ahora necesitaban estrategias precisas para cruzar por las siguientes ciudades sin sufrir pérdidas. Kebu y sus ayudantes les instruyeron cómo camuflarse de manera práctica en cada lugar que pasaran. También se pusieron al día sobre los últimos pormenores con relación a la ubicación de los ejércitos de Ariel y Eneva, según el informe de Ado.

Gracias a la intervención de Ado, estos ejércitos se mantenían a una distancia prudente del grupo de Yeidan y Natalia.

Ado era uno de los ancianos sabios que cuidaban del Árbol de la Sabiduría. Cuando los miranos se encontraban en una encrucijada incierta, era Ado quien oportunamente les hacía un acercamiento con su famosa pregunta: «¿A dónde vas?». Muchas veces los transeúntes mismos no tenían idea a dónde se dirigían en el laberinto de sus vidas. Sin embargo, en reacción a la pregunta de Ado, muchos de ellos eran aclarados y podían encaminarse a un destino seguro. «Todas las respuestas están dentro de ti, si le pones atención a la voz de tu interior», era el consejo favorito del sabio anciano.

Muchos miranos eran bondadosos y prestos para ayudar, pero otros eran inescrupulosos y con ambiciones desmedidas, no sentían remordimiento alguno en engañar para sacar provecho. Keki era uno de esos arribistas que a menudo sacaba ventaja de los desventurados viajeros, fueron muchos los que cayeron víctimas de sus marañas.

La jornada al Monte del Elevado era un viaje poco común, les decía Ado. No era un lugar muy habitado y mucho menos un destino turístico. Era una jornada de búsqueda para los que no se conformaban con la mediocridad, aquellos que con hambre de libertad y sed de justicia ponían su mirada en algo más allá de lo visible y perceptible.

Era la ruta a seguir para aquellos que se atrevían a ser diferentes y a pensar por sí mismos, aquellos que incursionan en las dimensiones que se salen de las pautas comunes, de los parámetros limitantes y de los programas creados por seres de escasa visión y perspectiva de pobreza. Ellos son los que ven donde no hay y que retan al no se puede; los que se expanden a la sublimidad de lo alto, la cualidad de lo profundo, la anchura de lo que se ve y la longitud de lo invisible. Es para ellos el poseer las dimensiones del universo, porque no tienen miedo a soñar y a creer. Para ellos se abrirán todas las puertas, se derribarán todos los muros y alzarán vuelo para alcanzar las posibilidades que aún el cielo les ofrece.

—Cada día nos encontramos en el valle de las decisiones —continuaba Ado—. Todo el tiempo tenemos que escoger, queramos o no. Escogemos las cosas que sobresalen por su excelencia o tomamos decisiones mediocres y necias, pero con cada decisión hay una senda a recorrer y una copa que apurar. Aun el no escoger es una elección y toda elección, ya sea prudente o descuidada, acarrea una reacción. Cada efecto viene como resultado de una causante —ese era su mensaje, que todo lo que acontecía tenía un propósito de ser y encontrar ese propósito era nuestro llamado. Por tanto, con su famosa pregunta tenía la intención de encaminarlos en la senda correcta.

Kebu, por su lado, recibía a los que buscaban el camino al Monte Elevado. Allí se encontraba el Alto de la Doncella, también conocido como el famoso Monte de Noís o El Alto de la Princesa. Él siempre los confrontaba con su trillada pregunta: «¿Qué buscas?», con ello pretendía que los buscadores pudieran examinar sus caminos y exponer la verdad que se escondía detrás de sus intenciones. De esa manera, sus motivos se hacían visibles y recibían claridad para enfocarse en la perspectiva correcta.

Kebu no solo era uno de los ancianos sabios, sino que fungía como uno de los guardianes del *Libro de los poemas dorados*. Este libro consistía en edictos, misterios y profecías acerca del destino de Sonar. Además, incluía consejos prácticos para la toma de decisiones acerca de la vida.

Se decía en una leyenda que había un rollo de dicho libro escrito para cada mirano en el planeta Hashira (el planeta de la canción) y que la misión de cada uno de ellos era descubrir los secretos escondidos en el mismo. Algunos decían que aquel planeta era un misterio que estaba replicado en el ADN de cada residente de Sonar. Por tanto, inscrito en lo intrínseco de cada ser viviente se encontraba la frecuencia que vibraba en la música de su historia.

El viejo libro dorado arrojaba mucha luz acerca del destino de ellos, pero este no era popular entre los miranos y la mayoría de ellos no lo entendía. Por esa razón, muchos vivían en una zona gris donde no había ni amanecer ni ocaso. Aparentemente, los miranos acordaban cumplir con un contrato que firmaban antes de entrar en la órbita de Sonar, pero ellos lo olvidaban al pasar por la esfera de Solano. La misión de Kebu era llevarlos a recordar el compromiso firmado en aquel contrato.

—Si no puedes ver con claridad, no podrás escoger con prudencia —les recalcaba muchas veces el anciano a aquellos que se acercaban en busca de ayuda.

Tal parece que la vida sí es una canción melódica después de todo, pensaba Natalia. *Entonces, los sufrimientos y los sinsabores de la vida, ¿de dónde vienen? ¿Por qué se derraman tantas lágrimas y de dónde nace el dolor?* Nada de aquello le hacía sentido a Natalia, sin embargo, una vez que ella subió al Alto de la Princesa, todas sus interrogantes se contestaron y la densa oscuridad que la envolvía se desvaneció.

Capítulo 72

Los semantis

La mañana siguiente llegaron a la ciudad de los semantis. La cultura de estos era menos agresiva que la de los talianos. Ellos eran educados y gozaban de abundancia en la esfera de lo físico. Por muchos años, los semantis habían sido perseguidos por los demás grupos de ariáticos y no gozaban de la simpatía de ninguno de sus vecinos. Ellos se habían vuelto aislados, encerrándose en una cultura poco empática. Los extranjeros y visitantes no eran abiertamente recibidos en su ciudad, pues no se fiaban de nadie. Su interacción con ellos era impersonal y mayormente comercial o informativa. Se distinguían por ser muy buenos negociantes y eran muy exitosos en todo lo que emprendían, acarreando aún más el rechazo de los vecinos a causa de la envidia.

Su misión, como todos los demás ariáticos, era llegar a todos los otros grupos con sus enseñanzas y filosofías, las cuales, por supuesto, las consideraban de máxima excelencia. Sin embargo, debido a la persecución, ellos se habían vuelto pasivos y vivían a la defensiva en un estado de reclusión. No se mezclaban con otros miranos que poseyeran creencias diferentes a las de ellos, ni los recibían en sus círculos íntimos. No los perseguían abiertamente, pero los excluían de la mayoría de los beneficios y derechos que ellos gozaban.

Los caminantes de nuestro grupo pasaron por la ciudad sin levantar sospechas, con la excepción de algunos incidentes aislados de menor trascendencia. Ellos se movieron en diferentes direcciones mientras pasaban por las ciudades. Como parte de su estrategia algunos tomaban unas calles, mientras otros se movían por otras. Así podían moverse con más libertad sin mucho revuelo o tensión. Diligentemente, se encaminaron por los lugares acordados de manera previa para seguir su viaje y marchaban con presteza para dejar la ciudad lo antes posible. Pero como en todos los casos anteriores, muchos de los ciudadanos del lugar se les unieron en su aventura.

La luz que nuestros viajeros emanaban era tan evidente que no pudo pasar inadvertida a la vista de los semantis. Muchos jóvenes del lugar no compartían las enseñanzas que habían aprendido en el hermético entorno en que vivían, porque las prácticas de estas no apelaban a sus intereses emocionales. Eran prácticas infructuosamente áridas y poco disfrutables. Fueron los jóvenes más «rebeldes», los que no estaban satisfechos con las rígidas imposiciones filosóficas, los pioneros en romper el hielo y estar dispuestos a cortar los vínculos de lealtad a sus ancestros.

Para los semantis, la acción de estos jóvenes era rotundamente ofensiva e imperdonable. Aceptar las enseñanzas de otros era menospreciar la memoria de sus orígenes y constituía un sacrilegio en contra de sus ideologías, las cuales eran estimadas en la categoría más privilegiada. Esta acción se consideraba descender de su alta posición a una de rango inferior, lo cual se constituía en un delito de alta traición. Según su entender, nada era más elevado en el planeta que las prácticas semantis y sus enseñanzas y ningún descendiente osaba a desobedecerlas.

Por tanto, no fue fácil para los jóvenes dejar atrás todo lo que había sido su vida, sus memorias y sus privilegios, para embarcarse en una aventura incierta e impredecible. Pero su hambre por libertad y emancipación sobrepasaba cualquier sentir de pesar o pensamiento vacilante. Fueron educados para escoger lo mejor y eso era precisamente lo que estaban haciendo, según su parecer.

Capítulo 73

Los faldocis

La ciudad de los faldocis se componía de las varias tribus de aldeanos que habían migrado de las comunidades vecinas. Originalmente, todos los faldocis formaban un solo grupo y se regían por los mismos principios ideológicos. Habían salido de las diferentes ciudades de los ariáticos y no se conformaban a su manera de pensar y comportarse. Solo querían vivir en paz y ejercer libremente sus ideologías y su única intención era ascender al Monte del Elevado.

Pero al pasar el tiempo, cada uno fue desarrollando sus propios códigos de comportamiento y paulatinamente se fueron seccionando en diferentes grupos hasta formar cientos de ellos. Pronto se encontraron en un infierno de divisiones, creando entre sí toda clase de grupos y clanes sectarios. Las diferencias entre ellos se fueron haciendo más tangibles cada día hasta convertirlos en rivales irreconciliables, aunque en lo exterior pretendían tener una meta en común.

A pesar de su proximidad, no había lazos afines entre ellos ni comunicación que los uniera. La esencia de lo que predicaban se desvanecía en la fragilidad de su carácter. Su sistema fallido y la futilidad de sus prácticas les hacían retroceder en lugar de avanzar. No tenían fundamento para sostener sus endebles argumentos y como resultado la esperanza de llegar a la unidad se hacía cada vez más lejana.

En el valle de los teanos, el enemigo era fácil de identificar, ellos eran extrovertidos y verbalizaban sin filtro su sentir interno. Aunque eran rústicos y rayaban en lo vulgar, ellos decían lo que sentían y actuaban de acorde con ello. No tenían doble cara y te mostraban sus intenciones a primera instancia, más o menos sabías a qué atenerte en tu trato con ellos.

En el Desierto del Desvalido, los ariáticos eran complicados y se ocultaban tras una máscara de bondad. No se mostraban como enemigos, sino que usaban el disfraz de la falsedad para hacerte sentir que tenían las mejores intenciones para contigo. Nunca te dejaban ver su verdadera finalidad, solo les interesaba conseguir su propósito a como diera lugar. La triste realidad es que ellos mismos se creían su mentira y eran víctimas de su propio engaño. Por lo tanto, se hacía muy difícil rescatarlos del abismo que los engullía.

Los faldocis eran muy persuasivos y convincentes en su elocuencia. Ellos basaban sus enseñanzas filosóficas en un aspecto de la verdad, pero edificaban sobre ella con toda suerte de añadiduras imaginarias, muchas veces llenas de supersticiones que no tenían base fundamental contundente. Patinaban en el autoengaño, tratando de convencerse a sí mismos de que sus caminos eran los perfectos y de que eran dueños de la única verdad existente.

A estas alturas del juego, nuestro grupo se encontraba muy cerca de culminar su recorrido por las ciudades de los ariáticos. El improvisado ejército seguía en aumento llevándose lo mejor de cada ciudad. Entre los miranos que se añadían a ellos se encontraba una gran diversidad de clases sociales de todas las edades, ideologías y formación, pero en su mayoría, ellos contaban con una amplia visión para ver las cosas y poseían habilidades extraordinarias.

Muchos de los faldocis abandonaron los vanos esfuerzos de la autoperfección y se unieron al grupo de viajeros en busca de nuevos horizontes. Cansados de laborar con las rudimentales armas de sus creencias obsoletas, decidieron darse la oportunidad de incursionar en la frescura de la novedad y lanzarse en una aventura de esperanza.

—La luz de la revelación que llega de primera mano es siempre fresca y novedosa, y se convierte en roca viviente donde se operan cambios de sólida fundación. Sin embargo, imponer en otros el conocimiento enlatado y añejado en la vejez es edificar con ladrillos labrados sin vida y crear uniformidad dictadora carente de vida que destruye la libertad en lugar de emancipar. Lo que sabemos debe añadir luz, y no cadenas que aprisionen. El conocimiento cambia tu manera de hablar, pero la revelación tu manera de vivir —les decía Sabina expresándoles una de sus máximas favoritas.

Capítulo 74

Los Elevados

Finalmente llegaron a la ciudad de los elevados. Sus ciudadanos se componían de los disidentes de muchos de los grupos anteriores. Ellos también se consideraban la crema de los ariáticos y ni siquiera querían ser clasificados bajo ese nombre, aunque se enorgullecían de ser inclusivos y abiertos. En realidad las diferencias, la competencia, las rivalidades y la soberbia disfrazada de discernimiento se había convertido en su sello de distinción. Decían no tener nombres ni divisiones, pero en poco tiempo volvían a formar nuevos conjuntos de reglas y pautas que les esclavizaban tanto o más que las enseñanzas que habían abandonado. Se encerraban en demandas que se autoimponían y se justificaban en el gran esfuerzo que les costaba cumplirlas.

Sin embargo, los elevados eran más amables y educados en su trato con los demás que el resto de los ariáticos. Su conocimiento era vasto y muchos de ellos habían alcanzado un alto nivel de sabiduría. Consideraban su filosofía el pico más alto de conciencia, pero ignoraban la regla de oro de Niar: «El conocimiento envanece pero el verdadero amor nos une». El sentir de acoger a otros con una agenda cristalizada y transparente no estaba en sus planes, no eran diáfanos en sus motivos y sí más exclusivos de lo que pregonaban.

Los viajeros se sintieron cómodos entre los elevados y participaron de un poco más de libertad al compartir sus razones para pasar por la ciudad de ellos. Muchos se les unieron, otros tantos simpatizaron con su causa y a otros no les interesó en lo más mínimo abandonar lo que ellos consideraban la culminación de lo perfecto.

Una vez salidos de la periferia de la ciudad, el grupo avanzó hacia el último tramo de su travesía, el cual era el más retador y difícil de todos. Para ese entonces, ellos se habían perfeccionado al grado de convertirse en el mejor ejército de Sonar. Habían adquirido un capital invaluable en experiencias e insuperables destrezas que les capacitaban para enfrentarse a la batalla contra Noser. Su adiestramiento y formación lo constituyó el aprendizaje de la vida práctica y las adversidades contradictorias a las que se enfrentaron en su aventurero recorrido. Habían concertado una avenencia con la vida, permitiéndole ser su maestra, y esta les remuneraba con el grado más alto de perfección y disciplina.

Consideraban de gran valor lo aprendido en su paso por la vereda de los obstáculos. No se resistían al entrenamiento de lo que otros tenían que aportar directa o indirectamente, ni se encerraron en el marco de la inflexibilidad de saberlo todo. Sopesaban lo que veían y prestaban atención a lo que escuchaban, luego tomaban sus propias decisiones según la necesidad meritoria.

La vida, como buena maestra, les enseñó en experiencias prácticas a conocer los misterios que se encerraba detrás de las pretensiones. Aprendieron que los seres vivientes se esconden tras las apariencias y no permiten traslucir sus sentimientos y necesidades. Por tanto, un juicio prematuro no era de fiar y siempre era prudente darle tiempo al tiempo. A veces, los que parecían rudos y ásperos resultaban nobles y dóciles, y los que parecían dulces e inofensivos muchas veces resultaban ser los más hostiles.

—Pero la intuición nunca se equivoca —les decía Lino, uno de los ancianos de Sonar, quien se unía al grupo de vez en cuando. Fueron tantas las veces que ellos probaron aquella verdad que se hicieron expertos en la experiencia.

Encontrarás la libertad al final del camino, ese era el verdadero nombre de Lino. Él había sido de mucha utilidad con su enseñanza de cómo seguir la voz que se esconde en el corazón y de ser lo suficientemente sensible como para escucharla. Ellos necesitaban tener los sentidos ejercitados en la práctica del discernimiento. El enemigo al que se enfrentarían se valía de mucha maña y sutileza. Era vital para ellos usar agudeza y perspicacia para tener éxito sobre tal adversario, que parecía tener un aliado incluso en sus conciencias. Pero el camino que produce vida como resultado es la mejor métrica para indicarte que vas en la dirección correcta.

Capítulo 75

El ejército de niños

Lazuli se había dedicado por completo a la tarea de hacer de sus niños un gran ejército. Aunque ella no sabía nada de artes bélicas, conocía muy bien los secretos que derribaban a los más temibles enemigos. Su primera arma era la falta de miedo, pues la intimidación era una de las tácticas más utilizadas por Noser. Ya fuera por ignorancia o por intrepidez, a Lazuli nada le atemorizaba. Ella era transparente como un río cristalino y no tenía nada que ocultar, eso la hacía invulnerable.

Lo segundo que favorecía a la preciosa gema era su sinceridad al ayudar. Ella no conocía la diferencia entre los individuos, ya que todos eran iguales ante sus ojos. Eran sus motivos puros e imparciales los que hacían tan efectiva su enseñanza. Conocía el secreto de la generosidad y de la abundancia y no era escasa al aplicarlo. *A todo el que te pida, dale. Todo lo que hagas, hazlo con todo tu corazón.*

Su firmeza la distinguía como entrenadora y no entendía el concepto de autocompasión. Ella comprendía muy bien lo que significaba la frase «eres o no eres» y por eso no se casaba con las excusas que llevaban a la mediocridad. Aunque era comprensiva y amorosa, y podía ser flexible cuando la situación lo ameritaba; ella podía distinguir entre una necesidad válida y la intención de evadir la responsabilidad. Hacerte responsable de cada acción tomada era crucial para el avance en la carrera y no validaba ninguna transgresión al respecto.

Y por último, su incapacidad de ver obstáculos y limitaciones eran su invaluable capital y los galones que condecoraban su atuendo de milicia. La vana palabrería no existía en su vocabulario y no podía afectar su manera de ver las cosas. Todo era posible en su mundo, si así lo determinabas. Ella enseñaba desde la vida y no desde el vano conocimiento.

Los niños habían avanzado bastante bajo su preparación y no intentaban escapar de sus deberes. El amor con que los entrenaba la ponía con mucha ventaja sobre el más destacado entrenador.

—El amor —le había enseñado Ru— es el mejor energizante para todo lo que emprendas. Él es capaz de trascender cualquier barrera sin límites que lo detengan.

Aquellos niños constituían el mejor de los ejércitos, pues estaban equipados con amor, intrepidez y la capacidad de creer.

Sin embargo, aunque Lazuli se había envuelto en el cuidado y entrenamiento de los niños, ella no cesaba de pensar en su amado Leo. Ya habían pasado muchos meses desde su partida y ella no tenía idea del tiempo de su regreso. De vez en cuando se encontraba con la grata sorpresa de una hermosa flor en su jardín o un pendiente sobre las hojas de sus plantas favoritas. Algunas veces un ave desconocida, de las que pueden hablar, le traía una hermosa canción de amor y ella sabía que provenían de su querido Leo. Estos delicados detalles la hacían feliz, pero a la misma vez la llenaban del anhelo de su presencia.

A pesar del cuidado que empeñaba en su dedicación a los niños, los días pasaban lentos en su mundo y la espera de volver a encontrarse con su amado se hacía muy larga. ¡Cuánto anhelaba que Leo estuviera junto a ella!, que se llevara con su presencia la incertidumbre que pesaba como un presagio en su corazón. Todas estas emociones eran extrañas para Lazuli y la dejaban desconcertada. Sabía que estaba muy cercano el gran acontecimiento que cambiaría su vida por completo, pero la espera se hacía angustiosa.

—El amor es hermoso e invaluable, pero cuántas veces viene envuelto en un manto de incertidumbre y cuán alto es el precio a pagar por él —suspiraba profundamente, mientras exhalaba en ello todos sus anhelos.

Capítulo 76

El encuentro y el perdón

Todos dormían en el campamento del rey Ariel, pero el insomnio no permitía que él conciliara el sueño aquella noche. Los pensamientos que danzaban en su mente eran como un rodaje fílmico de la historia de su vida. Mientras meditaba en aquellas memorias llenas de drama, victorias y fracasos, Ariel veía claramente los errores cometidos en el pasado. ¡Cuántas cosas hubiera cambiado de aquel pasado si le hubiese sido posible hacerlo! Meditaba cómo la indiferencia y el conformismo habían gobernado la mayor parte de su vida, y se sentía culpable por la dejadez en su carácter. Siempre había encontrado razones para justificar sus acciones sin asumir responsabilidad por las consecuencias, no establecía prioridades en las cosas que lo ameritaban y ahora la vida pagaba caro su negligencia. Por su culpa el pueblo que gobernaba estaba en peligro.

—¿Qué clase de líder compromete la seguridad de su gente? —se recriminaba duramente—. Ni siquiera estuviste presente con tu esposa cuando ella más lo necesitaba y ella tuvo que sufrir sola los traumas del alumbramiento —oía que le apuntaban los acusadores en el tribunal de su conciencia. Como esposo había fracasado y ni se diga como padre. No sabía del paradero de su hija y ni siquiera tenía idea si aún vivía.

Mientras las lágrimas le cubrían el rostro y los sollozos se hicieron audibles, pensaba en su hermano Eneva.

»¡Si hubiera estado allí para él! ¡Si tan solo hubiera prestado atención al grito de ayuda de Elisán! ¡No tenía la capacidad de batallar contra el sentimiento de rechazo que sintió cuando lo abandoné siendo aún tan joven y vulnerable! —Una punzada de dolor le lastimaba el corazón mientras irrumpía en sollozos incontrolables. Envuelto en sus pensamientos, Ariel no se había percatado de que su hermano estaba parado junto a él.

»¡Elisán! —alcanzó a pronunciar con voz entrecortada, mientras secando sus lágrimas se incorporaba para mirarle de frente. Los pensamientos huyeron de su cabeza y el temor le paralizó por unos instantes. No sabía cuáles eran las intenciones que le habían llevado allí.

No obstante, Ariel olvidó sus razonamientos y el temor al ataque o el rechazo de su hermano. Armándose de valor, lo abrazó fuertemente. Lo único que podía era pedirle perdón, una y otra vez. Elisán quedó desarmado ante la reacción de su hermano y ambos se confundieron en un emotivo abrazo mientras lloraban inconsolablemente.

—Perdóname tú a mí, amado hermano —le susurró Elisán—. Soy yo quien te ha fallado. En mi egoísmo me dejé llevar por la amargura y no te concedí el derecho de hacer tu vida como desearas. Fui tu juez y no tu amigo. Debí alegrarme con tu alegría, pero en cambio me hice tu enemigo por verte feliz. Fue muy grande mi insensatez y no le dejé lugar a la razón —continuó.

»Me cegaron los celos y el rencor; el deseo de venganza sobrepujó a mi lealtad de hermano. Escuché la voz de Noser, quien se aprovechó mi vulnerabilidad para inyectarme su veneno. Si hay algún culpable aquí, ese soy yo. Puse en riesgo lo más que amaba en la vida por un orgullo sin fundamento —Elisán ponía el corazón en sus palabras, que se desbordaban en un río de emociones y lavaban las paredes de su alma mientras fluían acompañadas de sus lágrimas.

Elisán lamentaba no haber estado en la vida de su sobrina. Veía cómo se había vuelto seco y huraño a causa del autoengaño que le había nublado su razón. Tenía la capacidad de amar y ser empático con su apoyo, pero en cambio se había vuelto una bestia con sed de venganza. Le dolía ver que el tiempo que había perdido no tenía marcha atrás. Pensaba en la mezquindad de negarle a su hijo el derecho a crecer con el calor de un padre amoroso y a su esposa de tener un compañero que estuviera a su lado para apoyarla en todo. Ahora su hijo era todo un hombre que no necesitaba de él y ni siquiera quería su compañía.

»¿Pero quién puede redimir los momentos que perdemos y que no recuperaremos jamás? Perdemos el tiempo viviendo en un mañana que nunca llega y desperdiciamos la preciosidad de disfrutar el valioso tesoro que nos regala el presente. ¿Cómo podemos ver correcto desde una perspectiva distorsionada? Corremos tras el viento de sueños fútiles, y descuidamos lo preciado que tenemos por lo infructuoso. ¡Quién me diera poder recuperar la juventud, la salud y el amor de aquellos que amo! Si alcanzáramos a ver que la realidad que poseemos en nuestro presente sobrepasa nuestras más grandes expectativas. ¡Cuánto diera por restaurar los años que el maldito orgullo me robó! —Elisán se enjugaba las lágrimas con rabia mientras su hermano le apoyaba con el brazo sobre su hombro haciendo eco de cada palabra que decía.

Volvieron a confundirse en un abrazo de empatía, sellando con ello toda herida y ofensa. Luego continuaron su conversación de manera más calmada mientras las horas pasaban inadvertidas. Tenían tantas cosas para hablar y ponerse al día.

Ariel se enteró que fue LaCruci la que había guiado a Elisán hasta donde estaba él. Recordaron juntos cómo habían conocido a aquella sabia mujer. Ella había traído a Eunice para que Ariel la conociera. También era amiga de Valena y Andrea.

—¿Recuerdas a Andrea? —preguntó Elisán.

—Sí —replicó Ariel con pesadumbre—. ¡Cuánto sufrió por su hijo cuando tuvo que ser removido de su lado por causa de la persecución de Noser! Nunca supe lo que pasó con su familia. Fui incapaz de ayudarla en aquel entonces y hasta el día de hoy siento remordimientos. No me sentía preparado para enfrentar a Noser para ese entonces. Como quisiera poder enmendar ese pasado y ayudar a nuestra gran amiga Andrea.

—LaCruci se unió a nosotros en el camino y nos ha sido de gran ayuda. Gracias a ella hemos podido llegar hasta aquí evitando inconvenientes innecesarios. Entre ella y Ado se las arreglaron para manejar la situación con el fin de mantenernos distanciados y que no nos encontráramos fuera del tiempo apropiado —le indicó Elisán.

»Sus consejos me ayudaron a ver las cosas desde la perspectiva correcta. Ya me sentía desarmado desde el día que mi hijo tomó la decisión de seguir su propio camino, para ese entonces había roto mis relaciones con Noser. Sus exigencias y demandas eran cada vez más desmedidas e irracionales. No se satisfacía con haberme robado la paz y todo lo preciado que poseía, él me exigía que también le entregara a mi hijo. Su inverosímil ambición parecía no tener fin. Me di cuenta de que no era mi aliado y mucho menos mi amigo, sino un acérrimo adversario que vino a desgraciar mi vida.

»Quería venir a ti desde hace tiempo —continuó diciendo Elisán—, pero la vergüenza y el orgullo me detenían. ¡Temía tanto tu rechazo! ¡No fui justo contigo y te hice mucho daño en mi ceguera! Mi querido Ariel, si tan solo pudiera borrar el tiempo y erradicar esa historia que tanto nos ha dañado...

—¿De qué historia hablas? —replicó Ariel—. Hemos perdido mucho tiempo en tonterías, ahora solo nos queda mirar hacia delante y contemplar el nuevo amanecer que se levanta ante nosotros. De ahora en adelante ni una sola palabra acerca de lo que quedó atrás y marcharemos con determinación a recuperar el futuro que aún nos queda por delante. La luz alumbra nuestro sendero y juntos repararemos para siempre todas las ruinas y las brechas que se abrieron —continuó con emotivo sentimiento en sus palabras. Cuando casi rayaba el alba se despidieron con un afectuoso abrazo y cada uno regresó a su campamento.

Capítulo 77
El adiestramiento

El adiestramiento del ejército de viajeros fue realizado con gran dedicación y las mejores técnicas de combate. Pese a que sus integrantes se habían añadido al azar, tal parecía que hubieran sido meticulosamente escogidos para una misión especial. Lo mejor y más selecto de cada ciudad componía el exclusivo grupo, como si todo hubiese sido magistralmente orquestado y fuese parte de un libreto escrito de antemano en el que ahora ellos eran los protagonistas.

El entrenamiento era apasionado e intensivo y ellos se entregaban con entusiasmo al aprendizaje. El selecto grupo se componía de habitantes de todas las categorías: ricos, pobres, varones y féminas, además de niños y ancianos de todos los niveles sociales y económicos. Sin embargo, ninguna de estas diferencias hacía separación entre ellos. Al contrario, el respeto y el honor hacia los ancianos y cuidado con ternura para con los más jóvenes era evidente entre ellos.

Sabina era una de las entrenadoras del ejército. Sus sabias directrices y estrategias dejaban perplejos a los entrenados. Para todo había una técnica, todo tenía un propósito y nada se hacía al azar con ella. Ellos apreciaban sus enseñanzas, pues nunca habían conocido a alguien como ella que los llevara a entender el origen de las cosas y el por qué se hacían.

—Volver al punto de partida despeja la vista. Siempre debemos recordar la senda antigua y reencarrilar nuestro propósito —les amonestaba.

Anán, con el arte de esconderse y que parecía desaparecerse frente a ellos, también les enseñaba muchos secretos que eran de gran utilidad. Era característico de Sonar los espacios vacíos en el aire que conectaban el espacio y el tiempo, pero la mayoría de los miranos desconocían aquel detalle. Estar conscientes de la existencia de tales accesos de escape les daría gran ventaja para la batalla que se avecinaba. Cada uno con su don particular, aportaban al empoderamiento del ejército tanto físico como mental y emocional. El tiempo era máximamente aprovechado y cada minuto redimido para el bien de todos.

Por otra parte, Noser continuaba su apremiante búsqueda de seguidores para su ejército. Reclutaba miranos a diestra y a siniestra. Con sus ardides y mañas confundía a los de mente ociosa en sus enredos, seduciéndolos para que se unieran a su causa. Noser era ambiguo en el acercamiento para con sus víctimas y no mostraba sus verdaderas intenciones. Le resultaba fácil rastrear a su presa, olfateaba a leguas la confusión y el descontento, sabía que los quejumbrosos y desagradecidos eran fáciles de atrapar.

Se sentía grandioso sacando ventaja de los caídos. No obstante, en su rostro se podía observar el miedo y la desesperación que le consumían. Todo en él era un manuscrito leído. Las fichas del juego estaban en su contra y él lo sabía de sobra, aunque siguiera tratando de ganar tiempo con cada nueva treta que implementaba.

Por su parte, Leo sentía una profunda satisfacción sabiendo que la encomienda que se le asignó estaba siendo realizada con máxima precisión. Sabía que su padre estaba complacido con la obra cumplida hasta el momento, pero también entendía que lo más difícil del asunto aún estaba por manifestarse. El peso de la carga que le aguardaba caía sobre sus hombros y el presentimiento de un futuro angustioso se cernía sobre su corazón. Pero no había lugar para pensamientos tristes ni para dar marcha atrás, el asunto estaba decidido de antemano y tocaba hacerle frente. Ciñéndose de este pensamiento, cobraba ánimo y se fortalecía en su espíritu para culminar la carrera que había comenzado.

Capítulo 78
Momento de reflexión

Finalmente, el grupo se movía en dirección norte hacia el Monte del Elevado. Luego de acampar por un breve lapso, antes de salir el sol volvieron a emprender su marcha. Hasta el momento ellos no habían notado la perfecta unidad que los vinculaba y la meta que los unía. Marchaban al unísono, en completa armonía. Leo no los acompañaría en este tramo de la jornada, le urgía adelantarse para atender asuntos importantes, pero los esperaría más adelante en algún punto en el camino. Sin embargo, antes de que ellos emprendieran su ascensión al monte, él les reunió una vez más para añadir los últimos detalles que consideraba importantes para que no hubiera pérdidas en el grupo.

Leo estimaba imprescindible que en ese momento ellos reconsideraran sus motivos e intenciones. El Puente del Incógnito sería un trecho muy difícil y muchos no lo cruzarían sin antes recorrerlo en el plano de su interior. Necesitaban reflexionar y a hacer un inventario en sus corazones para sopesar la finalidad que les movía. Mientras les hablaba, Leo fijaba sus ojos en cada uno de ellos. Su mirada penetrante cortaba como espada aguda, pero sus palabras eran como lumbreras que disipaban las tinieblas. Los pensamientos torcidos salían al descubierto y sus entrañas quedaban expuestas, desnudando sus conciencias. El ejercicio fue intenso, pero sanador y sumamente provechoso para enfrentar con tenacidad las pruebas que les deparaba el futuro.

Leo se despidió de ellos y se marchó con sus guardianes, pero Lino los acompañaría en aquella parte de la jornada. Él era como la intuición que se filtraba a través de sus consciencias para guiarles al verdadero norte. El asunto no se trataba de lo que estaba fuera de ellos, sino de lo que abrigaban en su interior.

—El recorrido de afuera será sencillo, si el sendero adentro está despejado —les decía. Así que abriendo veredas y conciliando brechas, sus caminos fueron sanados y marcharon con firmeza.

Ya aclarando el día, el grupo se había adelantado bastante en el camino. El avance era notorio con la ayuda y los oportunos consejos de los sabios que le acompañaban. Ru, que no se había presentado formalmente ante ellos, se encontraba entre los añadidos al grupo. Él les exhortaba con mucha prudencia a prestar atención a los buenos consejos.

—Se requiere de sabiduría para escuchar la admonición juiciosa y de mucha humildad para ponerla en práctica. En la multitud de consejos se aclaran los pensamientos y los avisados se enriquecen de sus beneficios —les decía mientras ascendían hacia el anhelado destino.

Capítulo 79

El Puente del Incógnito

El panorama hacia las alturas era cautivadoramente espectacular. La lejanía parecía esconder los lugares que habían dejado atrás, como si con ello también borrara los recuerdos del pasado. Los viajeros estaban extasiados con la espectacular escena que se abría ante ellos. Sin embargo, a medida que ascendían hacia el monte, el aire parecía hacerse cargado y denso. Ellos no se explicaban la razón de aquel fenómeno, pues entendían que debía ser lo contrario. Apenas tenían fuerzas para caminar a causa del calor que les debilitaba. Por fin llegaron al tope de lo que parecía ser una colina en la mitad del bosque. Cuando estuvieron en pie sobre la colina, se encontraron que había dos rutas que convergían formando una especie de disyuntiva.

Luego de mirar en todas las direcciones, se encontraron desorientados y no tenían idea de la ruta a seguir. No esperaban encontrarse con aquel dilema para el cual no estaban preparados. Cuando se acercaron un poco más, algunos de ellos notaron que ambos caminos estaban debidamente rotulados. El de la derecha, atractivamente llamativo y colorido, tenía la siguiente inscripción: «Esfera de Solano. Todo es festivo, placentero y alegre. ¡Invierte en tu disfrute y bienestar! ¡La vida es corta!».

En el otro, con letras en blanco y negro, se leía un epígrafe menos apelante: «El Puente del Incógnito. ¡Enfrenta tus miedos e inseguridades!».

En lugar de arrojar luz, los letreros les dejaron más perplejos. ¿Cuál camino deberían escoger? Les atraía mucho el camino de la derecha: alegría, vida, festividad. Hasta ahora habían tenido muchas vicisitudes, pruebas y sorpresas enigmáticas. Un poco de distracción y refrigerio les vendría bien antes de enfrentar la última batalla.

Mientras consideraban estas cosas, Lino se acercó a la escena y les dijo:

—Encontrarán la libertad al final del camino —y marchándose, no dijo más. Ellos guardaron silencio y no volvieron a cavilar en sus mentes. Intuitivamente todos parecían tener la respuesta y procedieron a seguir su jornada.

A medida que se adelantaban en el camino de la siniestra, el calor se intensificaba hasta hacerse intolerable. Ellos no tenían idea de donde procedía la infernal hoguera. Una vez llegada la noche, todos buscaron lugar donde pudieran escapar del insufrible calorón que les asfixiaba. Presentían que la noche sería larga y poco placentera.

Ya avanzada la noche, cuando todos finalmente lograron dormirse, Natalia decidió hacer un recorrido por el lugar. La noche estaba muy calurosa y la inquietud en su corazón la precipitó a vigilar. Todo aquel tiempo no hacía otra cosa que pensar en su madre y en su nana Cora. Se sentía tensa y agitada, como si algo nefasto la intranquilizara. Incómoda por el calor y el insomnio que la mantenía despierta, decidió hacer una caminata por el lugar tratando de refrescarse.

Siguió caminando, sin darse cuenta de que se había retirado bastante del campamento. Necesitaba tomar un poco de aire fresco que la aliviara de lo apretado de su pecho. De repente sintió que tenía compañía y que no estaba sola en el lugar. Pensó que se trataba de Yeidan que la había seguido y le preguntó sin volverse:

—¿Yeidan?

—Definitivamente no soy tu querido Yeidan —le replicó una voz desconocida con tono de cinismo y mordaz—. Él está profundamente dormido y lo bastante lejos como para escuchar tus gritos de auxilio —Natalia quedó paralizada, sintió que la sangre se le escabulló de las venas y no podía moverse. Ella era muy valiente e intrépida, no le temía a nada ni a nadie, pero algo en su interior le decía que estaba en un serio peligro—. ¿Por qué no me miras? —insistió el burlón—. Date vuelta y verás quien soy.

—¿Noser? —inquirió ella al volverse. Natalia no le conocía personalmente, pero había escuchado mucho acerca de su fama. Nadie más le pasó por su cabeza, solo ese malvado nombre.

—Entonces, ¿sí me conoces, muchachita? Parece que soy famoso en tu familia —le replicó Noser de manera sarcástica. Natalia se armó de valor y decidió enfrentarlo.

—No te tengo miedo, ni necesito auxilio —le enfrentó—. No tengo nada que hablar contigo, así que márchate, no desperdiciaré mis palabras en algo que no es y que no compone nada.

—Al contrario, pienso que sí tenemos mucho de qué hablar —añadió Noser—. Es que siempre te han mentido y nadie te dice la verdad —continuó—. Por eso estoy aquí, para sacarte del engaño y que tus ojos sean abiertos.

—Nada de lo que me digas es verdad y no creeré ni una sola de tus palabras. Tú solo sabes engañar y separar, destruyes todo lo que tocas —le dijo Natalia con voz firme y autoritaria.

—¡Oh, sí! —exclamó Noser—. ¿Por qué tu madre te rechaza? ¿No te has preguntado por qué nunca te ha querido?

En ese momento todas las memorias de aquel dolor acumulado por el rechazo de su madre se agolparon sobre ella. Sintió que su pecho se apretaba aún más y que se desmoronaban sus fuerzas.

»¿Por qué no me contestas? ¿O es que de repente desapareció tu valentía? Parece que nadie te ha dicho que tenías una hermana gemela. Ella era la escogida y la amada, no tú. Pero no tienes que preocuparte, yo me deshice de ella tan pronto nació. Deberías ser más agradecida; yo soy tu amigo, no tu enemigo —le insistió Noser con descarado sarcasmo.

Natalia inhaló profundamente para liberar la presión que sentía. El dolor que se agolpaba en su pecho era cada vez más punzante, la noticia sobre su hermana la dejó totalmente desarmada y se sintió derrotada. Sin embargo, una vez más, ella se llenó de valor y en un arranque de rabia y de dolor le gritó de frente:

—¡No eres más que un cobarde, engendro de serpiente! Pero tú estás miserablemente derrotado y tu causa está perdida, lo sabes bien aunque lo trates de ignorar.

Como en un destello de lucidez, Natalia fue trasportada al momento de su nacimiento. Veía a su madre en los dolores del alumbramiento. Su padre no se encontraba presente con ella, estaba en combate con los enemigos del reino, encabezados por su propio hermano Eneva. Aunque él planeaba regresar a tiempo para el momento de su nacimiento, la batalla arreciaba y no le fue posible.

Ella veía cómo en su casa algunos de los sirvientes le dieron acceso a Noser para entrar al palacio. La dama de compañía de su madre se había enfermado de manera misteriosa y una persona desconocida vino a sustituirla esa noche. La mujer le dio una pócima somnífera a su madre que la dejó totalmente inconsciente al momento de dar a luz.

Providencialmente, Cora había llegado a tiempo para salvar a Natalia. Las parteras pudieron escaparse de la habitación donde las tenían encerradas, pero para ese entonces Noser ya había escapado con la niña que había nacido. Eunice había comenzado a recuperarse cuando las parteras llegaron a su recámara. Agraciadamente ellas pudieron asistirla con el alumbramiento de Natalia, quien nació robusta y saludable. La falsa dama de compañía también había desaparecido, pero ellos no sabían que las niñas eran gemelas.

Bañada en llanto, Natalia preguntó con rabia e impotencia:

—¿Qué hiciste con la niña, perverso?

—¿Qué podía hacer? —respondió con cinismo Noser—. Me deshice de ella… Bueno, en realidad… las fieras la devoraron.

Volviendo a ser trasladada al pasado, Natalia veía con terror lo que había sucedido. Noser, luego de haberse robado a la niña, subió alto en el aire y la dejó caer en una guarida de fieras salvajes para que la devoraran.

Natalia sacó su espada para medirse en un combate contra Noser, pero él también sacó la suya.

—Este preciso momento era el que anhelaba por muchos años. Hoy te unirás con tu querida hermana y ya no habrá heredera. ¡Yo seré el único rey de Sonar! —le gritó Noser posicionándose para atacar.

—No tan rápido, Noser —le advirtió una voz de autoridad que lo paralizó—. ¿Te olvidas que soy su guardiana y que tengo derecho de protegerla? —continuó aquella voz que sonaba como música en los oídos de Natalia. Noser huyó sin dejar rastro y no volvió a molestar a la joven.

—¿Cora? —preguntó Natalia llena de emociones encontradas mientras corría hacia ella. Abrazándola con fuerza, buscaba protección y consuelo. Lloró y lloró en sus brazos hasta que se secó la fuente de sus lágrimas. Cuando al fin se apaciguó un poco su dolor y se sintió más tranquila, Natalia comenzó su interrogatorio con su amada Cora.

»¿Cómo y cuándo llegaste aquí? ¿Por qué sabías que yo estaba en problemas? ¿Cómo supiste donde estaba? —preguntaba Natalia sin esperar respuesta, todavía indignada y con la adrenalina altamente elevada a causa del incidente con Noser.

En el camino de regreso al campamento, Cora le contó con detalles cómo ella había sido asignada para ser su guardiana desde su nacimiento. Siempre la vigilaba detrás de la escena sin que ella lo notara, aun cuando todo estuviese normal. Cuando Natalia hizo planes para escaparse, Cora siempre estuvo al tanto. También le explicó que desde el comienzo de su enfrentamiento con Noser ella estaba allí, pero no podía intervenir a menos que ella estuviera en peligro, pues así eran las reglas del juego.

—Necesitabas hacerle frente a Noser tú sola y dejarle claro que no le temes, yo hubiera sido un estorbo en tu victoria. Hay cosas en la vida que se necesitan enfrentar por ti misma, sin la ayuda de otros. De otra manera nunca descubrirás el potencial ilimitado que posees. Demostraste ser muy valiente y te comportaste con prudencia y madurez —le dijo orgullosamente su nana Cora.

—Tan pronto Noser se acercó a ti, yo fui puesta en sobre aviso y vine de inmediato. Te observé de lejos y manejaste muy bien el asunto, dando cara a la situación sin ningún temor. Sin embargo, también hay batallas que no se pelean solas, que necesitamos el apoyo de otros. Por eso actué cuando lo hice. Noser es muy cruel y no hubiera escatimado recurso para dañarte, pero ya estás a salvo, pequeña, no tienes nada que temer.

—¿Por qué nadie me dijo? ¿Y tú, por qué callaste? —inquirió Natalia mientras las lágrimas volvían a aflorar en sus ojos.

—Las cosas tienen una razón de ser y hay un tiempo para todo —le contestó Cora con mucha ternura en sus palabras—. Tu madre fue una víctima al igual que tú y tu hermana. Ella nunca supo de la existencia de su otra hija, aunque siempre tuvo el sentir de que algo le faltaba. Eunice tenía sueños y pesadillas acerca de su otra hija, pero como no podía descifrar el misterio que envolvían se sumió en un estado de enajenamiento y para esconder su dilema se envolvió en un mundo de frivolidad. Ella siempre te amó, pero no sabía cómo expresarlo.

Natalia guardó silencio por un rato mientras trataba de aliviar el dolor que se anudaba en su garganta. Ya no podía hablar más y le dolían hasta los pensamientos. Su pecho se expandía y se contraía violentamente en un esfuerzo por controlar sus emociones, pero las palabras suaves de Cora le aliviaban sus sentimientos y le arrullaban el alma.

Cora la acompañó hasta su pequeña tienda y se acostó a su lado como solía hacerlo cuando Natalia de chica tenía miedo. Ella la arrulló hasta que la joven se quedó dormida. La noche había refrescado y el descanso le vino bien. Cuando Natalia se levantó, Cora ya no estaba a su lado. Ella no podía precisar si había soñado lo sucedido esa noche o si en realidad había acontecido. Pero guardó estas cosas en su corazón y nadie se enteró de ello.

Capítulo 80
El espejo y el espejismo

Definitivamente el grupo de buscadores había optado por el camino que los llevaba hacia la izquierda, pese a que no era la alternativa de su preferencia. Su sentido intuitivo les decía que debían inclinarse por esa opción y ellos obedecieron sin poner resistencia. Mas aquel camino no había resultado fácil, mientras más se adelantaban en el mismo más insufrible se hacía el calor.

No obstante, en el camino se encontraron con una especie de túnel natural, hermosamente creado por los árboles alrededor de la vereda. Todo parecía un cuento de fantasías y ellos estaban extasiados ante la belleza del panorama. Pero el encanto no duró mucho tiempo. No bien salieron del túnel que los cubría, cuando se toparon con un enorme cráter frente a ellos que ardía en horribles llamaradas de fuego. La escena era tan espantosa que una película de horror no se le asemejaba. Toda la vegetación a su alrededor estaba negra, consumida por las llamas.

Muchos de ellos se aterraron y quisieron volver hacia atrás. Pero los ancianos y las sabias que los acompañaban les dieron palabras de ánimo y les instaron a seguir adelante.

—Ya estamos muy avanzados en el camino y no tenemos marcha atrás. El ejército de Noser no está muy lejos de nosotros y nuestra única opción es avanzar más unidos que nunca hacia adelante. A Noser le aterra el fuego y esta es la única ruta que él no escogería —le decían los ancianos.

Cuando estuvieron cerca del cráter, el calor era calcinador y la brecha abismal. *¿Cómo vamos a cruzar?*, era el interrogante de todos. No se veía final alguno y en ninguna dirección se visualizaba salida. Entonces alcanzaron a ver un puente blanco que parecía una hamaca suspendida en el aire, el cual parecía cruzar el puente de un extremo al otro.

De solo mirarlo se erizaban de pavor. ¿Quién se arriesgaría a cruzar aquel endeble puente de paso ante la ferocidad de las llamaradas? El puente era incierto y falible, ante la profundidad del cráter que no tenía fin. No había ofertas voluntarias para probar el puente y ninguno quería estar en primera fila. Si hubiese habido una puerta de salida, no habría quedado uno solo en el lugar. Ellos se encontraban entre la espada y la pared, sin opciones o esperanza de escape.

—Yo lo haré —se oyó la voz de Yeidan mientras se dirigía al grupo—, probaré cuán seguro es el puente para que todos podamos cruzarlo... —pero antes de terminar su discurso, ya Natalia se había adelantado y estaba cruzando el puente.

—¡Tú quédate, Yeidan! —le gritó Natalia—. Alguien tiene que guiar el grupo y tú eres el mejor para hacerlo. No podemos irnos los dos.

—¡NOOO! —exclamó Yeidan en un grito de desesperación e impotencia. Corrió hacia el puente a toda prisa para tratar de detenerla, pero ya era tarde y su intento fue en vano. Al intentar abordar el puente, notó que ya había comenzado a deshacerse.

Las piernas de Natalia temblaban mucho más fuerte que el bambolear de las llamaradas. La noche anterior la rabia era el motor que le impartía valor para enfrentarse con Noser, pero en este caso la incertidumbre y lo incógnito le debilitaban sus fuerzas para seguir adelante en su carrera. El viento soplaba queriendo derribar la tambaleante estructura y las feroces llamaradas parecían que se la tragaban. Sin embargo, ella se enfocaba en seguir adelante. *Si voy a morir* —se decía— *lo haré intentándolo.*

Ya había iniciado la segunda mitad de su recorrido, cuando de repente sus pensamientos y sus dudas comenzaron a traicionarla. Pensó en el incidente con Noser y en los traumas que había sufrido su madre. Una multitud de memorias se arremolinaron sobre su cabeza. Todas las vivencias de su niñez y de su pasado se agolpaban en sus recuerdos. El miedo se le acercó con toda clase de propuestas. La indignidad y el dolor la sobrecogieron y de pronto se encontró en un torbellino vacilante de voces y sentimientos confusos que giraban vertiginosamente en su cabeza y la aturdían.

Cuando miró hacia atrás, ella observó que el puente se iba deshaciendo a su paso, mientras que hacia el frente los listones del piso se desvanecían creando grandes espacios que le imposibilitaban saltar. En ese momento, se derribó en un sentir de impotencia. Eran más grandes los miedos con sus inseguridades, junto con los sentimientos de rechazo y el dolor del fracaso, que aquel abismo que se abría delante de ella. Sintió que no tenía fuerzas para seguir adelante y que ya no valía la pena seguir luchando. Quizás sería mejor ceder y dejarse ganar. Se rindió ante la incapacidad de poder luchar para vencer.

Todos los del grupo miraban con expectación, viendo cómo cualquier hálito de esperanza se desvanecía ante sus ojos. Yeidan quería volar hasta ella o lanzarse a las llamaradas. La angustia era intolerable y se sentía con las manos atadas pues no había manera de ayudarla. La moral del grupo se esfumó y se dieron por vencidos. Un gran silencio prevaleció entre ellos y como si todo estuviera perdido nadie pronunciaba palabra, solo había dudas y temores en sus pensamientos.

De pronto Natalia escuchó una voz que le susurraba en su interior.

—Usa el poder del perdón —le musitó la tenue voz. Un pequeño rayo de luz comenzó a alumbrar en su corazón.

—Sí, eso, el perdón. ¡Perdonar! —En un impulso inconsciente, prorrumpió en un grito de esperanza—. ¡Síííí!, soy libre de reclamos y demandas. No tengo deudas con nadie y nadie las tiene conmigo. Soy libre, siempre lo fui y siempre lo seré —declaraba una y otra vez, mientras perdonaba todo y a todos, incluyéndose a ella misma. Poco a poco, la niebla en su corazón comenzó a disiparse y todo se despejaba. En aquel momento percibió la presencia de Ru que estaba allí, frente a ella. Con sus ojos aún cerrados, sentía los ojos de Ru fijos en los de ella. Su persona la sostenía y le impartía aliento.

—No desmayes, le decía. Ten paz, ya todo pasó —ella no sabía si soñaba o estaba despierta—. ¡Levántate! —le decía Ru—. Lo que está en tu entorno no es tu realidad, es solo un espejismo pasajero. Reclama tu identidad, tu derecho y tu futuro. El poder del amor es más grande que los miedos y el perdón es más sanador que cualquier medicina —sus palabras resonaban en sus oídos y como catapulta la levantaban de la derrota.

Entonces se miró en el portal del futuro y en el espejo de la esperanza. Allí se vio vestida de reina, coronada con honor e investida con poder. Agarrada de las manos de Ru proclamó con osadía:

—Esa es mi realidad y mi verdad, todo lo demás es una ilusión pasajera —sus ojos permanecían cerrados mientras Ru la sostenía firmemente. En aquel momento, ella dejaba ir toda la carga que la agobiaba y todos los sentimientos que la aprisionaba. Una inmensa paz inundó todo su ser y se sintió ligera como el viento. Aún no quería abrir sus ojos por temor a ver las llamas y que el miedo la volviera a dominar.

De pronto volvió a sentir mucho calor, pero esta vez era un calor diferente. Era el calor de sus amigos que la rodeaban y la abrazaban con empatía y apoyo.

—¿Qué pasó? —pensaba—. ¿Será que mi vida en Sonar terminó y estoy en Niar? —Niar era el planeta donde moraban los que alcanzaban la perfección.

—No —le dijo la inconfundible dulce voz de Ru, que penetraba sus pensamientos—. Estás en tu realidad. Cuando vences los miedos con amor y terminas la miseria del rencor con la fragancia del perdón, entras en la dimensión donde eres gobernada por tu verdadera identidad.

Ru no le había soltado las manos a Natalia. Ella finalmente abrió sus ojos y se adhirió a Ru en un abrazo lleno de emociones. Todos la abrazaban, lloraban y se reían. Luego irrumpieron a unísono en una hermosa canción de conquista. Allí establecieron la danza del perdón, aplaudieron, saltaron y cantaron el resto de la tarde. En lugar de la derrota había victoria y en vez de llanto había regocijo con gratitud.

Cuando ella miró a su alrededor ya no había llamas, abismos, ni puentes. Todo había sido un espejismo fraguado en la mente vacilante de ellos; temores que como abismos se abren para engullir con ferocidad a sus víctimas y la combustión de las ofensas que producen llamaradas que parecen devorar con su energía venenosa.

La victoria de aquel día era mucho más abarcadora de lo que ellos comprendían. El hecho de haber seleccionado el camino que escogieron demostraba la madurez en su elección. Sus sentidos estaban ejercitados para discernir lo verdadero de lo engañoso.

La Esfera de Solano parecía verdadera, pero en realidad no era más que una trampa malintencionada de confusión. Todo se corrompía cuando pasabas bajo Solano. Aunque el panorama parecía deslumbrar a primera vista, lo cierto es que todo era un espejismo temporero que se desvanecía. Nadie salía vivo de aquella esfera, todo envejecía y dejaba de ser. Era la falacia burladora de las apariencias, de las cosas que adulaban y que parecían prometedoras, donde el tiempo se ensanchaba contra la vida hasta consumirla y volverla al polvo que era arrebatado por el viento.

Dichosos los que tienen oídos para oír y saben detenerse a tiempo para poder escuchar.

Capítulo 81

Subliminal

Luego que la brecha del espejismo se había cerrado, el grupo había ascendido a una especie de elevación donde se respiraba paz. Aquella altura no era necesariamente física sino que más bien se trataba de una proyección de perspectiva del espacio dimensional. Habían sobrepasado la Esfera de Solano y estaban por encima de ella, aunque en el plano físico se mostraban paralelas. Ya no se sentía el calor, por el contrario, en la atmósfera soplaba un brisa fresca casi helada.

En la noche, sueños perturbadores inquietaban el corazón de Yeidan. En sus sueños veía a una mujer que huía de algo, pero él no sabía de qué. Ella cargaba un infante que lloraba desconsolado. De pronto, el firmamento se oscureció y viniendo un fuerte torbellino que salía de la nada los separó, llevándose consigo a la mujer que extendía sus brazos para sostener al niño. Pero ella desapareció en el torbellino y ya no regresó por él. El pequeño seguía llorando y tenía mucho miedo, entonces apareció un hermoso carruaje que tomó al niño y lo llevó consigo. En ese momento, Yeidan despertó sobresaltado y ya no pudo dormir.

Su vida había tomado un giro positivo y toda preocupación del pasado se había disipado, por tanto, no entendía la razón para la recurrencia de aquellos sueños. Levantándose, sin hacer ruidos, Yeidan buscó un lugar apartado para retirarse a meditar. Todos en el campamento pernoctaban plácidamente después de las aventuras de un largo día. No obstante, él estaba inquieto y sus pensamientos estaban agitados. No había tenido aquellos sueños desde su niñez. ¿Por qué ahora regresaban estas pesadillas que le habían perturbado por mucho tiempo en el pasado?

El joven se sentó sobre una roca que se mostraba acogedora. Arriba, un cielo pletórico de estrellas le servía de cubierta cristalina. Todo estaba en calma y casi podía tocar la paz que rodeaba aquel exquisito lugar, pero el escenario exterior no conciliaba con su realidad interna. Inhaló profundo y exhaló para acallar sus sentimientos. Una vez sentado en supuesta calma, una inundación de pensamientos se abalanzó sobre su cabeza, arrastrando con ello un mar de incongruentes emociones.

La inquietud en su interior lo hizo ponerse en pie y comenzar a caminar, necesitaba acallar la tempestad que se había levantado dentro de él. Todos los recuerdos de su niñez giraban vertiginosamente de manera incontrolable. Buscaba una roca de refugio para esconderse de los vientos tempestuosos en su mente. Aceleró el paso por una vereda que lo llevaba quién sabe a dónde, solo quería escapar de los cientos de interrogantes que no podía contestar.

Yeidan estaba tan ensimismado en sus pensamientos que no se percató cuando LaCruci se le había unido en su caminata. Ella llevaba rato a su lado, pero él no podía advertir la casi imperceptible presencia de su gran amiga. Fue cuando ella hizo un ruido para aclarar su garganta que sorpresivamente, Yeidan notó su presencia.

—No te angusties, hijo —replicó ella—. Te conozco más que a mí misma. Eres el hijo que nunca tuve. Nada viene al azar y todo tiene su razón de ser —le dijo LaCruci como si estuviera dentro de sus pensamientos. Ella parecía repetir las mismas palabras que Cora había utilizado días antes con Natalia. La sabiduría de aquellas mujeres siempre las conectaba en una misma mente.

»Es tiempo que sepas la verdad —entonces procedió a contarle, con lujo de detalles, todos los pormenores de la historia de su vida o al menos todo lo que ella sabía. Le relató las cosas que él hubiera deseado saber muchos años atrás—. Este era el momento apropiado para que lo supieras —le comentó LaCruci, adelantándose a sus inquietudes—, porque además de una razón de ser, las cosas tienen un tiempo perfecto para suceder. Fuera de tiempo, se producen abortivos y el fruto se malogra. En el tiempo de la vida, la gestación saludable produce el fruto necesario para cumplir el propósito encomendado. Se necesitan todos los ingredientes requeridos, incluyendo el sufrimiento, para que se logre el toque óptimo de perfección. Todo tiene su tiempo y su espacio —le reiteró.

Las palabras de LaCruci eran como un analgésico paliativo que siempre tenían el don de calmar su dolor. El amor inundaba sus palabra. Yeidan recibía con gusto aquella infusión de ternura que apaciguaba sus pensamientos y mediaban en sus emociones. Él amaba a LaCruci de una manera especial, se sentía cómodo con ella y sabía que no tenía que pretender ni buscar su aprobación. Su amor era incondicional, sin reclamos o exigencias.

Yeidan abrazó a LaCruci con ternura. No sabía cómo sucedía, pero ella siempre aparecía en el momento que más la necesitaba y siempre lo dejaba con una sonrisa dibujada en sus labios. Veía en ella a alguien más que una madre. Ella era su amiga, consejera y mentora. Se consideraba muy afortunado de poder contar con su cuidado, además del de su madre Valena. Su compañía lo calmaba y lo hacía sentir seguro.

Pero luego que LaCruci se marchó, volvió a reanudar su caminata y de nuevo los pensamientos regresaron a su mente, con la diferencia que esta vez se encontraba reconfortado y más tranquilo. Tenía a su madre biológica y ella estaba viva. Ya se lo habían mencionado anteriormente, pero él se había rehusado a internalizarlo en su inconsciencia. Fue hasta entonces que pudo asimilar aquella noticia. El saberlo, aunque le causaba mucho dolor, le producía un sentir de esperanza.

Ya mucho más calmado, Yeidan se dispuso a regresar al campamento, pero mientras caminaba de regreso, se percató de un árbol gigantesco que estaba en medio del camino por donde debía pasar.

—Creo que estoy perdido —pensó—. Pero es extraño... No me he desviado a ningún lado y cuando venía con LaCruci este árbol no se encontraba en el camino. ¿Qué significa esto? Debo estar soñando.

—Soy el árbol de ajenjo —le pareció escuchar como si alguien le contestara su interrogante. Miró en todas las direcciones buscando la persona que le había contestado, pero no vio a nadie. Allí estaba él solo con el enorme árbol de frente.

—¿Será que el árbol habla? Eso es absurdo e inverosímil. Nunca he escuchado de árboles que hablen —se dijo a sí mismo.

—Tienes que arrancarme si deseas pasar —le pareció escuchar de nuevo.

—¡¿Qué?! ¡Estás loco si crees que puedo arrancarte! Eres el árbol más grande que he visto, más de cincuenta miranos no podrían abarcar tu circunferencia. ¿Crees que yo puedo arrancarte solo? —refutó Yeidan.

—No me moveré de aquí si no me arrancas. No voy a ningún lado y tengo todo el tiempo del mundo —le respondió con terquedad el árbol.

Esta vez Yeidan comenzó a preocuparse. No solo escuchaba voces, también estaba hablando con un árbol. Todo debe ser un mal sueño, pensaba, aquello no podía estar pasando. Entonces se decidió a seguir e ignorar la existencia de aquel árbol. Intentaba atravesar el enorme tronco, pero todo lo que recibía era golpe tras golpe en su cabeza con cada intento.

—¡No eres real! —le gritaba con frustración a la vez que se abalanzaba sobre él una y otra vez.

—No hay manera de que yo salga de aquí a menos que me arranques —le reiteró el árbol.

—No tengo nada contra ti. Me gustan mucho los árboles y siempre los he disfrutado. ¿Por qué te empeñas en que te arranque? ¡Déjame pasar! Tú te vas por tu lado y yo por el mío —decía Yeidan tratando de negociar con el árbol.

—Tú no tienes nada contra mí, pero yo sí tengo un reclamo contra ti —le recriminó el árbol.

—Es la primera vez que te veo y ¿estás ofendido conmigo? ¿Qué ofensa te he hecho? —le preguntó Yeidan.

—Es por tu culpa que existo —contestó enojado el árbol—. No solo me creaste, me has alimentado por muchos años.

—Pues no solo eres un árbol ordinario y feo, eres también grosero y mentiroso. Nunca te he visto en mi vida y ahora pretendes decirme que te he creado. Creo que te equivocaste de camino y también de persona —le reprochó Yeidan, dando por terminada la conversación y empujando el árbol para pasar. Sin embargo, el árbol se acomodó y se reafirmó en su posición.

—Me tienes que arrancar —le volvió a decir.

—Muy bien, si así lo deseas, entonces prepárate para ser eliminado. Te arrancaré de raíz —le decía Yeidan tratando de seguirle la jugada, pero al ver que el árbol no se movía se dispuso a empujarlo. Presionaba con todas sus fuerzas sin que el árbol se moviera un céntimo. Tenía raíces grandes y profundas. Era tan grande hacia abajo como lo era hacia arriba. No había manera de derribarlo y no se le ocurrían ideas para resolver el dilema. Siguió empujando porque aquel oponente leñoso era lo más terco que había conocido en su vida.

Sin embargo, de pronto el árbol comenzó a ceder.

»¿Se movió? —se preguntó. Sí, se había movido y siguió moviéndose—. ¡Hurra! —celebró el joven con alivio. Pero súbitamente Yeidan se encontró dentro del árbol. Había empujado tan fuerte que en el impulso fue a parar al interior de este. El árbol era hueco, solo tenía la apariencia de algo sólido.

A veces las apariencias manipulan nuestros sentidos, vemos cosas que no existen o damos una interpretación errónea a lo que percibimos. Otras veces, la verdad grita a voces tratando de llamar nuestra atención, pero escogemos ignorarla o sencillamente estamos velados a la realidad que tenemos de frente.

Capítulo 82

La otra cara del reflejo

En el interior, el árbol parecía una casita de cristal como un mosaico con miles de pequeños cristales y compartimientos que asemejaban un laberinto. Todo alrededor estaba en absoluto silencio y Yeidan estaba absorto ante la impresionante escena, tratando de entender lo que estaba pasando. No podía decodificar lo que observaban sus ojos, miraba los pequeños pasillos y los innumerables cubículos cuadriculados. Todo le parecía complicado e indescifrable.

El llanto de una mujer rompió el silencio que permeaba a su alrededor y lo hizo salir de su embeleso. Rápidamente se incorporó para investigar lo que sucedía, pero el dilema era por dónde empezaría, en aquel rompecabezas cristalizado que tenía muchas encrucijadas. Por fortuna, vio a alguien que se movía y corrió en esa dirección. Era la mujer que lloraba, ella corrió a toda prisa por entre los cristales y desapareció antes de que él pudiera alcanzarla. Por horas esperó en silencio para ver si veía de nuevo a la mujer, pero ella no apareció.

Rendido por el sueño comenzaba a cabecear, cuando de nuevo volvió a escuchar los sollozos. Se movió con cautela para seguir la frecuencia del gemir, pero ella salió corriendo y se escondió nuevamente de él.

—¿Por qué huyes de mí? —le gritó Yeidan un tanto frustrado.

—Porque tú me odias —le respondió la mujer.

—¿Cómo te voy a odiar si ni siquiera te conozco? —le preguntó él.

—Yo soy la causa de tu dolor y por eso me escondo —le contestó la asustada mujer.

Yeidan no tenía idea de lo que estaba hablando la mujer, estaba perplejo. Primero un árbol que hablaba y tenía reclamos contra él, ahora esta mujer a quien supuestamente odiaba sin siquiera conocerla. ¿Qué juego era este? Pensaba. ¿Sería una trampa de Noser? *Se dice que él se vale de muchas mañas y recursos para engañar a sus víctimas,* se oía argumentando en su mente.

No lo creo, se dijo, descartando la posibilidad. Su corazón le decía que se trataba de algo diferente, algo que estaba muy escondido y arraigado en su ser. Esta batalla no era contra Noser, consideraba en lo más profundo de su corazón que se trataba de algo que solo él tenía que enfrentar. Y aunque no le gustaba la idea que le venía a su mente, tenía el presentimiento de que no había otra alternativa y que solo le quedaba aquel camino para escoger. Yeidan se armó de paciencia y cambió de actitud para con la mujer.

—¿Quieres que hablemos del asunto? —le preguntó él. Hubo silencio en el otro lado, pero él le otorgó tiempo y le cedió espacio para que ella se sintiera cómoda.

Esperó.

Pasó un largo rato de paciente espera. Ya se había olvidado del asunto y dormitaba en suspenso. De pronto, sintió unos pasos que se acercaban a él. Era la mujer. Tímidamente llegó junto a él y se sentó a su lado, pero no dijo nada.

La mujer era joven y muy hermosa, según lo que podía observar Yeidan. Ella guardaba silencio junto a él como si fuera invisible.

—No te odio —le dijo él con voz suave y compasiva—. ¿Por qué huías de mí?

—Tuve un hijo cuando era muy joven —le contó la mujer—. Era lo más hermoso que había existido en la galaxia. Su personita era la luz de mis ojos. Pero aquella dicha no duró y pronto tuve que dejarlo ir. Su padre se lo llevó a un lugar muy lejano y ya no lo volví a ver. Luego conocí a tu padre —continuó ella. Yeidan iba a interrumpir, pero ella le hizo señal de silencio dándole a entender que la dejara continuar. Yeidan guardó silencio y la escuchó sin preguntas—. Sí, soy tu madre. Esta es la mujer que te dio a luz y esta es la cara que a veces ves en tus sueños —siguió con palabras entrecortadas. Yeidan hizo un esfuerzo por controlar sus emociones y permanecer calmado.

»Cuando tú naciste, yo me aferré a ti con todo mi corazón para consolarme del gran dolor que me causó la separación de mi primer hijo. Sentía que tenía una espada encallada en mi alma, que me desangraba sin poder sanar. Pero tú viniste a ser ese consuelo y bálsamo sanador que me confortaba. La bruma de la noche había pasado con tu llegada y el día volvió a resplandecer. Pero mi alegría fue muy corta. Pronto las nubes se volvieron a poner sobre mi horizonte y la penumbra se hizo más intensa esta vez —Yeidan la escuchaba en silencio, pero su corazón estallaba en un grito desgarrador.

»Noser se había ensañado contra mi segundo hijo también, pero esta vez fue mucho más lejos y tratando de arrebatar la vida de mi hijo terminó acabando con muchos niños inocentes en el vecindario. Tú apenas tenías 2 años, y ya no sabía a donde esconderte. Entonces te envolví en pañales y cobijándote tomé una cesta de espigas y hui lo más lejos que pude de la ciudad. Te llevé a la propiedad de mi hermana y su esposo para protegerte. Fue lo único que se me ocurrió hacer. Sabía que allí estarías seguro. Ellos no tenían hijos y yo conocía los valores de mi hermana. También conocía a su esposo antes de convertirse en un ermitaño. Estaba confiada en que ellos te recibirían en su seno y que te adoptarían como su propio hijo.

»Esperé escondida tras los arbustos hasta que él te recogió —continuó ella—. Le había visto en las inmediaciones antes de dejarte. Después que él se alejó contigo quedé inconsciente a causa del dolor que me causó verte partir. Tu padre Zado me encontró tirada en el suelo delirando en fiebre después de muchas horas de búsqueda. Estuve en cama por meses antes de recuperarme.

»Tu hermano mayor estaba protegido por su padre y yo sabía que le iba bien. Pero a ti... —en ese momento se detuvo y no pudo continuar hablando por el dolor que se anudaba en su pecho y le cortaba las palabras. Respiró profundo antes de continuar—. Tu suerte era diferente, todo era tan incierto con respecto a ti. No sabía lo que te depararía la vida.

»Tu padre y yo tuvimos otros hijos. Para ese entonces nos habíamos mudado a los montes de Onne para vivir lejos de los ataques de Noser. Al poco tiempo de tu partida, tu padre enfermó gravemente a causa de la angustia. Aunque tuvimos más hijos después de eso, él nunca se recuperó de la pérdida y ya no volvió a ser la persona llena de ánimo y fortaleza que era antes. Luego de nacer mi hijo más pequeño murió y todo cambió en nuestras vidas. Me tocó sola la ardua tarea de levantar a mi familia.

»Gracias a mi amiga LaCruci, que siempre estuvo a mi lado para apoyarme en todo. Con ella te envié las mandoras además de otros pequeños animales para que te hicieran compañía. Tantas veces pude sentir tu soledad y la falta de pertenencia. Quería correr a tu lado y refugiarte entre mis brazos, pero sabía que eso era poner en riesgo tu vida. Esperaba que aquellos animales pudieran aminorar la abrumadora soledad que sentías en tu interior.

»Nadie podía ayudarme, ni siquiera el rey. Noser era un enemigo para el cual no estábamos preparados para enfrentar en el planeta Sonar. El tiempo pasó y lo único que me animaba a luchar era la esperanza de poder recuperarte algún día. Pero los años se hicieron largos y la posibilidad de acercarme a ti se hacía cada vez más lejana.

»Entonces decidí unirme secretamente a los que planeaban destruir a Noser. Usamos todos los recursos que nos suplía la providencia. Cada cual puso a la disposición su talento y sus bienes para el beneficio de todos. Así creamos una comunidad fuerte y unida, estando determinados a no ceder hasta ver nuestro propósito cumplido.

»La ayuda de LaCruci fue muy oportuna para mí en aquellos momentos tan cruciales de mi vida. Ella se ofrecía a verte siempre que yo lo necesitaba, siendo el puente entre nosotros. Corría una y otra vez entre tú y yo para traerme noticias de ti, alivianando grandemente mi pena. Siempre ha sido mi gran y verdadera amiga, una que sabe llorar con mi dolor y reír con mi alegría.

Una infinidad de recuerdos afloraron en la mente de Yeidan. LaCruci siempre estuvo ahí para él, especialmente cuando más la necesitaba. Misteriosamente conocía lo que le acaecía en su interior de manera acertada. Todas las memorias con ella eran dulces y muy añoradas. Recordó la primera vez que la conoció y también todos los presentes que le traía. Nunca se había preguntado el porqué, ni mucho menos quién en realidad los enviaba. Sus ojos volvieron a humedecerse, pero se enjugó las lágrimas y continuó escuchando atentamente el relato de ella.

»No pretendo tu perdón y mucho menos tu amor, solo quería que escucharas mi porción de la verdad. El que estuvieras dispuesto a escucharme alivia mi pesar —terminó ella en su explicación.

Yeidan se mantuvo en silencio sin pronunciar palabra. Había llorado y enjugado sus lágrimas tantas veces que ya se había secado su manantial. Eran tantas cosas para considerar, tantos años de preguntas sin contestar y ahora que aparecían las respuestas, no sabía cómo balancear sus emociones. Quedó allí como inmóvil por muchas horas, sopesando cada palabra que ella le había hablado. Cuando finalmente volvió de su estupor, se encontró que estaba allí solo y que lo envolvía un manto de silencio y soledad.

Miró en todas direcciones buscando a la mujer, pero ya no estaba. Gritó para ver si ella le respondía, mas todo permaneció callado. Entonces se sumió en una mezcla de sentimientos. Ni siquiera le había preguntado su nombre, pensaba lleno de frustración. Quería abrazarla, decirle que la perdonaba, que la amaba y que siempre lo había hecho en lo profundo de mi corazón. *¿Por qué no lo hice?, ¿por qué suprimí mis sentimientos?*, se decía con enojo. Las lágrimas volvieron a aflorar en sus ojos, pero esta vez se las limpió con rabia y decidió tomar cartas en el asunto. Tenía que salirle al encuentro al malvado de Noser y ajustar cuentas con él.

Buscó por todas partes para encontrar una salida, pero todo parecía herméticamente sellado. Luego se movió hacia el centro del árbol y allí se desplomó sucumbiendo a la impotencia. Allí de rodillas sobre el suelo se sentía derrotado y sin salida.

—¡¿Qué quieres de mí?! —estalló en un grito de desesperación.

—Tienes que arrancarme —le contestó el empecinado árbol.

—¡AAAAAHHH! —gritó Yeidan lleno de rabia—. No es justa tu pelea, eres mucho más fuerte que yo. Te ensañas contra alguien que no se puede medir en combate contigo.

—Te equivocas. Eres mucho más fuerte de lo que piensas. Es tu posición la que está equivocada. No te midas con el problema, posiciónate desde la solución. Cada efecto tiene una causa y cada problema una solución. Necesitas ir a la raíz del asunto y desde allí analizar las posibles salidas —contestó el árbol—. Cada árbol que llegó a su madurez comenzó con una pequeña semilla que se dejó caer en el camino de la vida.

—¡Y ahora este con sus acertijos! —pensó Yeidan—. Ni merece mi atención. Ya no le voy a contestar —en aquel momento, una de las grandes raíces del árbol llamó de pronto su atención. Era tan impresionante que no pudo evitar admirarla—. Debe ser un alarde de mi competidor para desmoralizarme —se dijo tratando de ignorarla. Mientras tanto, Yeidan seguía inquiriendo con su mirada tratando de encontrar algún punto vulnerable en el fornido tronco. Fue entonces cuando sus ojos se fijaron en un pequeño renuevo que subía paralelo a la raíz. Parecía un árbol en miniatura. Lo tocó con sus dedos moviéndolo hacia ambos lados.

—Déjame —protestó una voz casi imperceptible—. Me lastimas con tus dedos, soy muy sensible.

—¿Quién eres? —preguntó Yeidan.

—Soy tu herida, la raíz de tu amargura —contestó el pequeño renuevo—. He vivido contigo por muchos años.

—¿Qué? —preguntó con desconcierto el joven ante la inverosímil aseveración.

—Así es y pienso seguir creciendo sin interrupción —le contestó el diminuto vástago.

—A menos que yo intervenga —interrumpió Yeidan y extendiendo su mano arrancó de raíz al pequeño árbol.

Capítulo 83
El Ascenso

La lumbrera de Sonar brillaba con intensidad aquella mañana. Todo estaba despejado y el caminante se dispuso a continuar su marcha sin estorbos. Sin embargo, allí estaba LaCruci acompañada de Tanía y Graciela. Fue tanto el gusto que sintió Yeidan al verlas que de inmediato corrió hacia ellas para abrazarlas. Con cierto tono de protesta, Yeidan le reclamó a LaCruci el haberlo abandonado en aquella embarazosa situación. La lucha no había sido fácil, pero era inevitable para seguir adelante.

—Sabíamos que lo lograrías —se adelantó a contestarle Graciela—. Eres un mirano de extraordinarios recursos. Necesitabas comprobar por ti mismo que a veces el problema no es tan grande como parece. Solo se necesita un poco de transparente perseverancia acompañada de confianza para que la balanza se incline a tu favor.

—Siempre estuvimos aquí, dejándote saber que no estabas solo —le dijo Tanía.

—Pues lo hicieron muy disimuladamente porque yo no vi ni escuché a nadie —respondió ingenuamente el joven.

—Escucha, hijo —le dijo con ternura LaCruci—, mientras tú luchabas nosotras aunábamos fuerzas para apoyarte y que pudieras vencer en tu batalla. Lo que se ve con los ojos físico no es necesariamente la realidad, es aquello que no se ve, a lo que verdaderamente debes prestar atención. El verdadero lenguaje no tiene palabras y se transmite de corazón a corazón.

»Es necesario sanar todas las averías y conciliar las rutas internas para subir en victoria el camino de la altura —continuó LaCruci—. Ningún soldado herido puede entrar en el frente de batalla. Es imprescindible que todo tu interior esté en una sola pieza y no seccionado en muchos fragmentos. Las voces y los argumentos de las sombras socaban las fortalezas, pero la mente diáfana, despejada y en absoluto balance, es una torre fuerte que refugia contra el embestir del más temible enemigo. Es ya una absoluta victoria el poder entrar en el lugar del reposo sin sombras que opaquen nuestra paz.

Yeidan estaba feliz de que todas aquellas sombras de amargura e inseguridades hubieran sido erradicadas por completo de su vida. Él no tenía idea de la magnitud de la victoria lograda. Había visto la otra cara del reflejo y ahora la niebla de confusión se había disipado. Podía mirarse al espejo y ver su verdadera cara sin máscaras ni velos. Más impresionante que eso, la batalla había sido ganada para todo el campamento.

No somos seres individuales como creemos, todo lo que hacemos afecta el universo que nos rodea mucho más de lo que pensamos.

Abrazado de Tanía y Graciela, junto con LaCruci, llegaron al campamento. Al llegar al lugar ya muchos se habían levantado, pero nadie notó su ausencia. Todos pensaban que recién se había despertado. Yeidan no dijo una sola palabra de lo ocurrido esa noche. Atesoró aquella experiencia como un patrimonio privado para enriquecer su carácter. Tal acontecimiento no era pieza de exhibición para un museo, sino un tesoro de gran valor que guardaría en su corazón, el cual hacía sólido su carácter. No quería que lo preciado de aquella experiencia se perdiera al ser expuesto a lo común.

El grupo continuó su viaje. Ya habían superado la Esfera de Solano y entraban en la periferia del Monte Elevado donde se encontraba el Alto de la Princesa. Por primera vez en el viaje entraban en terrenos sagrados de elevación. La misticidad permeaba en la atmosfera y se respiraba el aire de otro cielo. El aroma perfumador y delicado de la acacia, la mirra y la dulzura de canela que lo envolvía llenaban de solemnidad todo el ambiente. El viento soplaba una brisa agradable y la presencia de una paz indescriptible e inefable los sobrecogía.

En su paso, los viajeros avanzaban como si temieran pisar el terreno con sus pies por temor a contaminarlo. Toda duda se disipó de sus mentes y ya no tenían preguntas. La hermosura excedía todas sus expectativas, deseos o interrogantes. Nadie se atrevía a hablar ante la novedad. Solo absorbían con embeleso lo que se desplegaba ante sus ojos, embebiendo con todos sus sentidos la belleza del panorama.

El tiempo no tenía efecto en aquel lugar, no sabían si había pasado un minuto o un milenio. El peso de toda carga parecía haberse desvanecido. Livianos como plumas de aves, sentían que flotaban en el aire. Antes de lo deseado llegaron al Fuerte del Acrisolado. Ellos entraron al mismo en modo automático y no por voluntad propia. Era necesario pasar por aquella última prueba antes de poder llegar a la pendiente que daba al Alto de la Princesa.

Capítulo 84
El Fuerte del Acrisolado

La gran mesa estaba preparada para recibir a los héroes que habían alcanzado a llegar al fuerte. Leo mismo era el anfitrión y sus ayudantes los servidores. Después de darles la bienvenida como a dignatarios de realeza, cada uno tomó su lugar en la mesa que estaba preparada con elegancia y exquisitez. Muchas cosas se compartieron sobre aquella mesa después que cada uno hubo disfrutado de la cena, como si aquel encuentro con Leo fuese una recepción de bienvenida y de despedida a la vez.

Luego de disfrutar la elaborada cena, el grupo recibió los últimos detalles de las instrucciones de Leo. A cada uno se le asignó un cubículo en el fuerte donde descansarían. Leo le había indicado a Yeidan y Natalia que tendría una velada con ellos esa noche, solo él sabía la magnitud de los acontecimientos que le apremiaban. Quería aliviar el peso de su carga compartiéndola con sus amigos más cercanos.

El fuerte era el centro de mando del ejército de Leo, allí entrenaban a sus soldados para la batalla final. También se encontraba en aquel lugar su nave y su campamento. Su armería era muy versátil y contaba con toda clase de equipo militar; de más está decir que su tecnología era extraordinariamente avanzada y distaba mucho de la que se usaba en Sonar. La batalla que pelearían también sería diferente a las guerras comunes. Todas las experiencias que habían adquirido les fueron de utilidad para la difícil travesía, pero ahora necesitaban entrenarse para el reto que les aguardaba. Era crucial la solidez de un carácter firme para enfrentarse con osadía a la temeraria batalla.

Las palabras de Leo resonaban como estallido estridente en sus conciencias. Ellas cargaban tanto peso de autoridad como para servirles de medida de comparación. ¿Serían capaces de estar a la altura de lo que se esperaba de ellos? Hasta ahora todo había sido más bien una traviesa aventura juvenil, cierto tipo de juego que les activaba la adrenalina. Pero en aquel momento el escenario cambiaba, se enfrentarían a una realidad determinante. Se encontraban en el umbral de la decisión más importante de sus vidas: era un asunto de dar el todo por el todo.

Leo había sido claro y específico en sus instrucciones.

—Llegó el momento de ascender y de entrar —todo lo anterior era solo un preámbulo de preparación. Era hora de terminar la carrera que habían comenzado y estaba en sus manos decidir avanzar o retroceder. No había lugar para la ambivalencia en el camino que habían escogido—. O somos luz o somos tinieblas, pero no hay lugar para las zonas grises —les decía con el peso de la angustiosa sobriedad que el momento ameritaba.

La noche se cernía como un manto tenebroso sobre ellos. El terror de la incertidumbre se había apoderado del campamento. Muchos ya no estaban tan seguros de estar dispuestos a seguir adelante. Se encontraban alegóricamente ante un valle de decisiones donde enfrentaban la disyuntiva de ganar para vivir o de morir para ganar. Tal confrontación de cara a la muerte los constreñía a ponderar el verdadero valor y mérito de la vida. ¿Qué cosas son preciadas por su peso y cuáles son realmente triviales y efímeras?

¡Cómo se deslumbran nuestros ojos por coloridos globos inflados de aire que estallan al menor contacto! Corremos como niños pequeños tras el viento que se esfuma. Ahora se enfrentaban al meollo de la realidad y la vida mostraba el verdadero color de las cosas. No todo parecía tan brillante y divertido en esta encrucijada decisiva. ¿Seguirían adelante para pelear o retrocederían para defender el pellejo? Aquella era una pregunta que ameritaban considerar antes de lanzarse al debate que les esperaba.

»Siento mucho no tener palabras aduladoras para ustedes en este momento, mi léxico es más bien como lanza punzante. Si alguno tiene miedo o vacila está en libertad para marcharse, no tiene la obligación de seguir adelante. Esta es una decisión exclusiva para voluntarios. No tengo mucho que ofrecerles en esta hora de mi vida y quizás ustedes tengan mucho que perder. Solo quiero que sepan que todo lo que decidan estará bien y será válido.

Leo no quería darles falsas esperanzas al grupo que había permanecido con él hasta aquella hora. El continuó su discurso para infundirles ánimo. Entendía que una batalla tan desafiante, merecía una victoria mucho más arrolladora. Sin embargo, llegar allí dependía totalmente de ellos y no de él. El poder de elección es poderoso, pero a la vez es un asunto muy personal.

Antes que Leo terminara el discurso, Keki se había marchado del lugar de manera apresurada. Él se había unido con el grupo tras una larga charla con Kebu. Pero las palabras de Leo no le parecieron prometedoras y aquella aventura ya no se le antojaba atractiva. Leo había sido claro en sus promesas y a Keki le parecía demasiado grande el riesgo para el poco incentivo que le ofrecía el continuar con el grupo.

—Después de todo la vida es una sola y hay que disfrutarla al máximo —Leo mismo había dicho que no tenía mucho que ofrecer y de la existencia del famoso Zafiro… no había nada en concreto.

Kebu trató de persuadir a su hermano a que reconsiderara su decisión. Pero este le confirmó su determinación de abandonar el campamento. Después de despedirse de Kebu, Keki desapareció por entre la espesura del bosque.

Todo lo que entraba en el Fuerte del Acrisolado salía refinado, con un acabado de perfección de la más alta calidad, pasarían por las manos expertas de un perito artesano. Su experimentado cincel les moldearía en engastado de oro finísimo. La excelencia era la finalidad de aquel crisol y todos los caminos conducían a ella, pero Keki no estaba hecho de material de refinamiento y a la primera prueba de fuego se derritió.

Capítulo 85

El momento crucial

Después que Keki se marchara del fuerte, los demás se reafirmaron en su decisión de permanecer en la carrera final. Una vez en sus cubículos, cada uno de los miembros del grupo comenzó su propia batalla. Sus mentes apenas se habían acallado y la temperatura de sus cuerpos había comenzado a bajar, cuando una extraña sensación de incomodidad se posó sobre cada uno de ellos. Sentían como si sus entrañas hubieran sido expuestas y una llama de fuego pasaba por entre ellas, dejando al descubierto todo lo que había en su interior. No podían esconderse ante el escrutinio del fuego purgador. Ru, con su arte de dar vida, se paseaba por los largos pasillos del fuerte como vigilante asignado. Podía escuchar como la respiración de algunos se hacía intensa y jadeante. De vez en cuando soplaba como viento con fuerza y les confortaba para que no colapsaran.

La experiencia duró por varias horas hasta que todo temor, ofensa o rencor hubiese sido incinerado por completo. Luego la llama se retiró y ellos sintieron la acogida del reposo de la verdadera libertad. Una vez todo estuvo en paz, Ru se marchó a seguir su vigilia en los alrededores.

Leo no quería poner en peligro a los habitantes de Sonar, pero no había alternativa. A veces el camino hacia la paz es la guerra, aunque parezca paradójico. Sabía que la verdadera libertad conllevaba un precio muy alto que pagar y que la paz había que ganarla, pues no se conseguía de gratis. Los miranos necesitaban ser libres, aunque la libertad les costara la vida. Después de todo, como dijera una máxima en otro planeta: «El que no está dispuesto a poner su vida por su libertad, no tiene derecho a ella».

Mientras tanto, ya fuera del campamento, bajo el cielo nocturno de Sonar, junto con Yeidan y Natalia, Leo buscaba ser consolado. Aunque él no lo expresaba abiertamente con sus palabras, ellos podían percibir la angustia que constreñía su corazón. Allí, a solas con ellos, Leo lloró amargamente y les compartió su temor. Ellos trataban de animarlo contándole las vivencias ocurridas durante el trayecto de su jornada. El éxito de sus amigos le causaba gran satisfacción y alivianaba un poco su dolor, pero la angustia que le traspasaba el alma seguía latente.

Ellos hacían requisición ante Elior, el consejero mayor del Planeta Niar, para que enviara ayuda adicional que pudiera librarlos de aquella hora tan difícil que se avecinaba, pero la petición no les fue concedida. Elior no podía garantizar tal pedido. Él les había equipado con todas las herramientas para vencer, ahora estaba en sus manos usarlas con prudencia y rescatar el futuro de sus destinos. Así que Elior cerró todos los medios de comunicación para no ceder a la insistencia de ellos. Como juez Elior era firme y determinado, pero como padre el amor lo derretía y no podía evitar el dolor que le causaba ver aquel sufrimiento en su hijo.

Capítulo 86

La revelación

Esa noche Leo se desbordó abriendo su corazón ante sus amigos. A ellos les dio a conocer su verdadero nombre: Emana. Él había utilizado el seudónimo de Leo al entrar en el planeta Sonar. Les confesó que era el hijo único del rey del planeta Niar. También les dejó saber acerca del origen de su madre y de cómo fue dado en compromiso para casarse con la hija del rey Ariel.

Al escuchar las palabras de Leo, Natalia se estremeció como si le hubieran lanzado un balde de agua helada. Pensó que no había escuchado bien lo que Leo acababa de anunciar. Aquella enunciación la había impactado tanto que su lengua se le trababa como tartamudo y no podía articular palabras. Natalia sentía que su corazón se aceleraba precipitadamente y sus piernas se debilitaban.

—Yo soy la Princesa Natalia, la hija del Rey Ariel —exclamó ella, armándose de valor.

—Lo sé —le dijo Emana, con la apacible calma que siempre lo distinguía—. Sin embargo, el asunto no es tan simple como parece. El Rey Ariel tiene otra hija, la princesa de las sombras, pero nadie lo sabe; ni siquiera el Rey.

Los latidos del corazón de Natalia se intensificaban de manera descontrolada, dejándola sin aliento ante aquella inesperada revelación.

—Es que soy hija única; no tengo hermanos —le explicó Natalia jadeando en sus palabras.

—Tienes una hermana gemela, su nombre es Lazuli —le respondió él mientras sus ojos se iluminaban al pronunciar ese nombre—. Ella vive enclaustrada en un santuario herméticamente sellado sin acceso de paso, como si viviera en otra dimensión.

Natalia no sabía si llorar o reír. Eran demasiadas emociones para una sola noche. Comenzó a temblar a causa de los nervios. En un momento conoció a su prometido, el mirano más hermoso e importante del planeta, y al mismo tiempo lo perdió debido a que ya pertenecía a una hermana que no conocía. Se había enterado de la manera más triste de la existencia de ella, pero aún no lo había podido asimilar. Aun pensaba que se trataba de una falacia, de una artimaña de Noser para torturarla. Aunque Cora se lo había confirmado, su imaginación no podía darle forma a esa nueva realidad. En ese momento sintió vergüenza, rabia y frustración, pero a la misma vez un hálito de esperanza se abría paso en su camino y la llenaba de alegría. Saber que tenía una hermana gemela y que ella estaba viva era la mejor noticia que había recibido en su vida.

¡Y pensar que toda su rebelión estalló en el momento en que se enteró de la noticia de ser dada en matrimonio con el hijo de Elior! Toda aquella riesgosa jornada en la que se había embarcado para evitar ese compromiso la llenaba de vergüenza. En aquel momento entendió la insensatez de su corazón. Había causado una conmoción tan grande en todo el reino y puesto en riesgo a tantas personas por su necedad y capricho. Aquello era algo imperdonable. La declaración de Leo fue tan inesperada que la dejó perpleja y confundida. Se arrepintió de haber tomado prematuramente aquella inmadura decisión, pues sabía que con ello había cambiado el curso de la historia.

En ese momento, Leo conociendo sus pensamientos y la confusión en su cabeza se adelantó para confortarla.

—No te angusties, Natalia, no te condenes. Todo lo que pasó estaba escrito exactamente de la manera que ocurrió. Incluso yo me confundí cuando conocí a Lazuli. Me sentía exactamente como tú te sientes ahora. Mi corazón inmediatamente gravitó hacia ella y yo sentía que había traicionado la lealtad hacia mi padre. Pero no fue así, cuando leí los escritos de la profecía que me mostraron los ancianos sabios todo se había cumplido tal y como se había estipulado en ella.

Natalia sintió un inmenso alivio al escuchar las palabras de Leo. Sabía que otra hubiera sido la historia de haber conocido a Leo antes y no haber sido tan impulsiva en sus acciones. Hasta cierto punto, ella se alegró del hecho de no tener que cumplir con su compromiso. Su corazón se había prendido al de Yeidan y lo amaba intensamente. Sin embargo, se sintió tonta e ignorante al rechazar la idea de su matrimonio con Emana sin siquiera conocerlo. ¡Cuánta dignidad y honor el solo hecho de haber sido considerada para tan alta distinción!

Tenía una hermana gemela y estaba viva, volvió a considerarlo en su mente y esta vez con la certeza de que era una realidad. ¡Qué alegría tan grande!, pensaba.

—Entonces Noser no la destruyó. Él solo lo dijo para torturarme y causarme sufrimientos. Tengo que buscarla, necesito verla ya —volvió a sentir una emoción compensadora. Entonces pudo entender por qué Cora no le había contado toda la historia. Había un tiempo para todo y aquel era el momento propicio de saberlo. Sonrió agradecida por la prudencia de su nana al no revelarle aquel conocimiento antes de tiempo. La alegría que sentía era exuberante y ella quería disfrutar cada segundo de aquel instante.

En aquellos momentos todas las piezas del rompecabezas se conectaron haciendo mucho sentido. Todo el panorama cobró forma ante sus ojos y pudo ver sus dimensiones completas. Ella entendió que el aislamiento del encierro de su madre se debía a la sospecha que siempre tuvo de la existencia de su otra hija.

—¡Pobrecita, cuánta angustia tuvo que cargar en su corazón por todos esos años! —Volvió a sentir vergüenza por su falta de empatía y compresión hacia su madre.

Natalia comprendió que era su hermana la que le aparecía en sus sueños y visiones, después de que Leo se la describiera detalladamente. Esa era la manera que ella usaba para darse a conocer. Era Lazuli, el Zafiro en las sombras de sus recurrentes visiones. Ya la amaba sin conocerla y su corazón ardía de pasión en su anhelo por la llegada del ansiado encuentro.

Sin embargo, había algo que Natalia no alcanzaba aún a comprender. ¿Por qué si ella y sus padres eran de color claro, Lazuli era oscura? Si eran hermanas gemelas, debían ser iguales según su concepto lógico. ¿Qué significaba todo aquello? Ella no entendía la dimensión de aquella realidad, ni la naturaleza de su codificación metafórica. Pero no quiso profundizar en su respuesta por lo desbordante de su alegría.

Capítulo 87

Removiendo los velos

Por su parte, Yeidan observaba en silencio el diálogo y la dinámica que se daba entre sus amigos. Vio perder a su amada en un instante y volvió a recuperarla de nuevo. Sin embargo, su corazón estaba absorto a causa de la declaración de Leo acerca de su madre mirana. Hacía conjeturas en su cabeza y trataba de unir todos los cabos sueltos. ¿Sería posible que hubiera la más remota posibilidad de que él y Leo estuvieran emparentados, que aquel presentimiento que tuvo desde el primer día que lo conoció no era tan descabellado después de todo?

Yeidan vislumbraba un futuro cercano sin penumbras de ser ciertas sus sospechas. Pensaba que cualquier vestigio de duda y desasosiego que aún pudiera quedar se desvanecerían por completo. Pero aquellos pensamientos le parecían absurdos y sin fundamento. Sería demasiada la casualidad el hecho de que aquello fuera como él pensaba. Nunca albergó esperanza alguna de conocer su verdadera familia, así que cerró el fluir de aquel pensamiento y se mantuvo en silencio.

—Mi madre se llama Andrea —apuntó Leo despertando a Yeidan de su ensimismamiento con su atinado comentario. El corazón de Yeidan se estremeció dando un vuelco violento ante la aseveración de Leo. Recordó que LaCruci le había mencionado aquel nombre muchas veces y que siempre que lo hacía una extraña nostalgia se posaba sobre sus borrosas memorias. Quedó mudo y absorto del asombro. No quería abrigar falsas esperanzas para no volver a ser lastimado.

Eneva y Valena habían hecho un buen trabajo como padres —sobre todo ella— pero ello nunca sanó por completo el corazón de Yeidan. Siempre hubo un niño herido que fue abandonado en lo profundo de su inconsciente. Aunque él era muy pequeño cuando todo ocurrió, la escena del calor de sus verdaderos padres y la angustia de la separación quedaron plasmada en su interior para siempre.

En ese momento Leo se acercó a Yeidan y sin decir palabras lo abrazó fuertemente. En aquel abrazo de empatía le confirmaba su amor de hermano llevándose con ello toda duda, toda angustia y toda la incertidumbre de su mente. Lloraron juntos por un largo rato.

—¡Qué gran placer conocerte, querido hermano! —exclamó Leo.

Natalia, que aún no había salido de su propia conmoción, no alcanzaba a entender el lenguaje que ellos estaban hablando.

—¿Qué está pasando? ¿De qué hablan? —preguntaba más desconcertada aún. Ella siempre había notado el gran parecido entre ambos, pero nunca se atrevió a pensar que ellos pudieran estar emparentados.

Aquella avalancha de emociones hizo que Leo se olvidara por un rato de su preocupación y angustia. Ambos, Natalia y Yeidan, habían descubierto sin proponérselo parte del gran dilema que cubría sus vidas. Ellos pensaban que lo que habían salido a buscar vendría cubierto en otra envoltura, pero nunca soñaron que la vida les tendría preparada la mejor de las sorpresas. Todo lo acontecido en aquella velada superaba con creces sus más exigentes expectativas. El ánimo y la energía estaban tan altos que se sentían capaz de enfrentar con éxito cualquier adversidad que se les presentara de allí en adelante.

Capítulo 88
La hora de la verdad

Leo entendió que la petición que habían hecho ante Elior le había sido denegada. En aquel momento decidió acatar la responsabilidad de luchar junto a los hijos de Sonar. Tomar aquella copa le era inevitable, pero él determinó que la apuraría con honor y dignidad. Ya había llorado bastante en compañía de sus amigos y hecho toda requisición posible ante el consejo de Niar. Un poco más reconfortado, a Leo solo le quedaba acatar las órdenes que se le habían dado e investirse de fortaleza para culminar la carrera. La excelencia siempre le había distinguido y ahora más que nunca necesitaría apertrecharse de aquella virtud.

—¡Levanten a los soldados! —gritó Leo mientras apuraba a sus guardianes para que se posicionaran en sus puestos estratégicos. La gran hora había llegado y el enemigo se encontraba en las cercanías del fuerte. Era necesario estar preparados para el contraataque, así que todos se alistaron y procedieron a ponerse en sus puestos asignados.

En un impulso automático, Yeidan y Natalia tomaron la delantera para distribuir a sus soldados hacia las diferentes posiciones del fuerte. Aunque todo parecía caótico y confuso en el campamento, ellos sentían una fortaleza sobrenatural y sus mentes estaban lúcidas y despejadas para dar órdenes claras y precisas. Su liderazgo era innato y manejaban con pericia el arte de la milicia, manteniendo todo bajo control.

Desde su santuario, Lazuli tuvo la corazonada de que era el momento de movilizar a sus niños. Ella dio la orden al pequeño ejército que tenía bajo su cargo para que salieran a través de la brecha que se había abierto y que se escurrieran por entre los arbustos del fuerte sin ser detectados. Ellos no encontraron obstáculos para salir del Santuario ya que su campo magnético se había debilitado bastante.

Su hogar se encontraba precisamente en la colina del Alto de la Princesa, nombre que se le había dado en honor a ella, aunque Lazuli nunca se había enterado de aquel detalle. El Alto de la Princesa era un portal dimensional y, por tanto, no era visible a simple vista. Dentro del Monte del Elevado también se encontraba el Fuerte del Acrisolado donde se desarrollaba la batalla.

Las armas de los chiquillos consistían en arpas y trompetas y las notas musicales que liberaban en la frecuencia de sus melodías. Tecnología que sabían utilizar a la perfección cuando la situación así lo ameritaba. Su pequeña estatura les daba la ventaja de escabullirse por entre la multitud sin llamar la atención y su inocencia era su mejor aliada. No conocían de peligros, así que estaban ajenos al temor y por lo tanto nada los detenía.

Capítulo 89

La gran batalla

Sonar nunca había tenido una batalla de tal magnitud y la tensión militaba por todas partes, aun en las ciudades que no se habían unido al confrontamiento bélico. Era un tiempo de decisión, un tiempo donde todo cuanto poseían incluyendo la vida estaba en juego. Necesitaban determinar hacia qué lado se inclinaría la balanza del destino de Sonar. Se hacía imperante que todos estuvieran presentes y obrando de manera intencional para lograr los resultados favorables.

El ejército de Andrea fue el primero en llegar al lugar de la batalla en el fuerte. Roco y Dasor habían seleccionado posiciones estratégicas en diferentes partes de la montaña, pero el ejército de Andrea decidió ir directamente al campo de batalla. Fue la ayuda de las mandoras lo que hizo posible la gran ventaja que sacaron sobre los otros ejércitos. Aunque su ejército parecía insignificante por estar compuesto mayormente de mujeres, jóvenes y miranos que eran meramente civiles y sin conocimiento militar, ellos avanzaron con gran resiliencia y coraje sin amilanarse ante el peligro que representaba la arriesgada aventura.

El campamento de Ariel y Elisán (antes Eneva) se habían unido y ahora formaban un gran ejército. En aquellos momentos ellos se encontraban a casi un día de distancia del fuerte. Sus soldados eran diestros y estaban muy bien equipados en armamento, pero debido al atraso de ellos, no resultaban de mucha ayuda.

El ejército de Noser era inmenso, pues una gran parte de las tribus de los teanos se le habían unido. Aún muchos de los famosos sublimes fueron seducidos por la adulación del famoso Versa. Ellos tomaron la ruta de la Esfera de Solano para adelantarse al Fuerte, pero ignoraban que sus vidas serían marcadas de forma negativa para siempre. Bajo la esfera de Solano todo se corrompía y se volvía vulnerable a desaparecer. Además, antes de que Noser se acercara al campamento de nuestros amigos, ya los soldados de Roco y Dasor le habían puesto una buena resistencia a su ejército y este se encontraba bastante maltrecho por las pérdidas sufridas.

Las primeras detonaciones de armas cerca del fuerte comenzaron a sentirse entre ambos bandos. Algunos de los ancianos, al igual que Yeidan y Natalia, le aconsejaron a Leo a que se mantuviera fuera del combate y que no saliera a la batalla a menos que fuera estrictamente necesario. Lo que le dijeron pareció convencerlo y se retiró a su nave para tratar de comunicarse con su padre Elior.

Los peregrinos viajeros, que así se habían denominado el grupo de Yeidan y Natalia, resultaron ser guerreros poderosos. No tenían temor de nada. La noche de prueba en el fuerte les ayudó a deshacerse de todo peso innecesario en sus vidas y se hicieron valientes y ligeros como saetas al vuelo. La batalla parecía ser más bien una de conciencia. Iban a diestra y a siniestra derribando el ejército enemigo y la luz que llevaban en su interior los guiaba de manera inequívoca. La victoria era arrolladora para nuestro grupo que tenía las posiciones estratégicas más ventajosas.

El ejército de Noser había comenzado a debilitarse drásticamente y muchos de los soldados estaban desertando, por tanto, les urgía maniobrar con astucia para evitar que todos huyeran. Después de un largo día de batalla, habían perdido mucho terreno en su avanzada. Noser decidió convocar a su consejo cercano para cambiar de estrategias de guerra. Unos y otros daban diferentes ideas y sugerencias, pero ninguna parecía efectiva. Entonces Keki, que se había acercado al consejo de Noser esperando tener mejor ganancia que la que le ofrecía Leo, sugirió una ponzoñosa idea que a Noser le pareció que era genial para el momento.

A Keki solo le interesaba ganar beneficio material para sí, las ideologías no tenían cabida en su sistema de pensamiento. Él conocía todos los puestos estratégicos del fuerte y también sus puntos débiles. Él ofreció información a cambio de dinero y Noser aceptó gustosamente. Por supuesto, Keki resultó ser el mejor calificado para llevar a cabo la nefasta tarea.

Con paso sigiloso y sin levantar sospecha, Keki logró burlar la vigilancia y abrirse camino hacia el fuerte. Andrea y su grupo ya se habían ubicado en sus posiciones y estaban causando más efecto del esperado. Ellos vieron las maniobras de Keki al discurrirse por entre el campamento, pero pensando que él pertenecía al ejército aliado no hicieron nada para detenerlo.

Keki logró llegar hasta donde estaban Natalia y Yeidan que montaban guardia frente a la nave de Leo. Con apariencia engañosa, él les convenció de su remordimiento por haber abandonado el campamento y de su intención de dejarle saber a Leo lo arrepentido que estaba. Ellos estuvieron dispuestos a concederles su petición, pero no sin antes consultar con él. En ese momento Leo salía de su nave, que al notar la presencia de Keki le pareció muy sospechosa.

En un abrir y cerrar de ojos, una lluvia de lanzas voló por el aire en dirección a ellos. Yeidan y Natalia corrieron a cubrir a Leo para protegerlo, pero él los empujó en una reacción inmediata para extenderse sobre ellos y salvarlos. En ese momento una de las lanzas penetró en su pecho atravesándole el corazón y derribándolo al suelo.

Acto seguido, el ejército de niños, de manera intuitiva, se movilizó y comenzó a tocar trompetas y arpas. Todo movimiento en el planeta se paralizó. Misteriosamente todo se detuvo y nadie podía dar un paso. Los guardianes de Leo rodearon el cuerpo inerte de su amo y formaron una muralla impenetrable para impedir el acceso a este.

Andrea, que había visto lo acontecido y sospechando que se trataba de su hijo, corrió hasta ellos y con la fuerza del amor pudo más que la muralla de protección. Abriéndose paso por entre los guardianes llegó hasta Leo y se echó sobre él.

—¡HIJO MÍO! ¡NOOO! —gritaba desconsolada, mientras su alma se desangraba de dolor—. ¡No te vayas, hijo mío! ¡No me dejes otra vez! ¡¿Cómo puedes irte ahora que por fin te encuentro?! —exclamaba mientras lo llevaba a su regazo tratando de devolverle la vida.

Leo miró a Yeidan y tratando de balbucear palabras le dijo:

—Ella es tu madre y la mía. Por favor, cuídala.

Yeidan, que no alcanzaba a procesar lo que pasaba, se añadió a Andrea para ayudar a Leo. Removió la lanza de su pecho y rasgando sus vestiduras, las puso sobre el corazón de Leo para cubrir la herida y detener el flujo de la sangre. No podía creer que aquello estuviera pasando. Leo había llegado a ser a su mejor amigo y el hermano que por tantos años había esperado. Ni siquiera pudo abrazar a su verdadera madre, a quien acababa de conocer. Le hubiera gustado tanto conocerla en circunstancias diferentes. Bullían tantas emociones en aquel confuso momento que abrumaban sus sentidos entorpeciendo sus reacciones. Se enfocó primero que nada en tratar de salvar a Leo, lo demás podía esperar. La idea de perderlo era inconcebible para él.

Natalia buscó valor para apoyarlos y sacó fuerzas de donde no tenía. Sus lágrimas regaban como lluvia el cuerpo inmóvil de Leo. Ella se aferraba a su cuerpo y mientras le animaba junto con Andrea para que fuera fuerte y luchara por su vida.

—No te puedes ir ahora cuando más te necesitamos, tú eres nuestra única esperanza. ¿A quién recurriremos si te vas? —le reclamaba Natalia con dulzura.

—Prométeme que la vas a cuidar, Yeidan —le insistía Leo con respecto a su madre—. Princesa Natalia, tú eres valiente; sé fuerte y no te dejes abatir. Tú sabrás qué hacer para seguir adelante hasta completar la misión de tu destino —mientras hablaba con ellos y los animaba como siempre lo hizo, sabiendo que había completado su misión, su aliento se fue desvaneciendo y cerrando sus ojos le dejó la vida.

—¡NOOO! —gritó Yeidan abrazándose a su madre y sosteniéndola para que no desmayara. El dolor era más fuerte de lo que ellos podían soportar. No podían entender las cosas que estaban sucediendo y ya no tenían fuerzas para seguir luchando. Natalia se unía en el abrazo queriendo cubrirlos como sombrilla, pero le faltaron las fuerzas también a ella, como si una cortina de tinieblas hubiera apagado todas las luces del universo.

En aquel momento, las lumbreras de Sonar se escondieron y huyeron ante el pavor de lo sucedido. Todo quedó literalmente cubierto por las tinieblas, como si aquel universo se hubiera puesto de luto ante la pérdida de aquella luz que por un poco de tiempo les había alumbrado. El planeta parecía que hubiera dejado de girar, que todo había quedado suspendido en el tiempo. La oscuridad y el silencio se dejaron sentir por algunas horas, como si la vida hubiese hecho una pausa para reconsiderar sus caminos. El viento se detuvo en un acto de solidaridad y ni una hoja se movía en el ambiente. Era tan sublime la solemnidad que permeaba en el ambiente, que los miranos apenas se atrevían a suspirar. Por último las puertas de Niar, que era la estrella principal del firmamento, se cerraron, apagando todo en la galaxia.

Lazuli se escondió en las sombras de las profundidades y ya no quiso salir de allí. Recordó aquel sabio proverbio que leía: «Lo opuesto a la vida no es la muerte, sino las tinieblas. Lo opuesto a la luz no son las tinieblas, sino la muerte». Esa era la condición que la describía en aquel preciso momento en la que se sentía sin luz y sin vida.

Capítulo 90
El consuelo

Después de varias horas de oscuridad, la luz volvió a brillar y las nubes se disiparon dejando un cielo despejado. Las puertas de Niar se volvieron a abrir y en la noche se dejó ver su resplandor. Todo cobraba aliento volviendo a la normalidad.

Ru había llevado el cuerpo de Leo a un pequeño huerto en el Jardín de la Mirra. Allí lo puso sobre una cama de flores en el Monte de las Aromas, que se encontraba en el Santuario de Lazuli. Luego hizo vigilia a su lado como guardián permanente, cubriéndole con una cúpula de cristal que no permitía acceso alguno. Así estuvo por algunos días creando para él la pureza de una atmosfera fresca y placentera. Leo descansaba en profunda paz, mientras su espíritu peleaba para volverlo a la vida.

Por su parte Yeidan llevó consigo a Andrea y a sus hijos para cuidar de ellos en aquella hora de incertidumbre. Entre el silencio y los suspiros, el joven podía contemplar los cabellos blancos de su madre y su rostro marcado por el dolor. La visión que había tenido con la joven y hermosa mujer pasaba por su mente. Le quedaba claro que aquello no era más que el recuerdo de la imagen de su madre plasmada en su inconsciente. Ahora las huellas implacables del tiempo se habían encargado de esculpir su delicada piel. Aquella mujer de tesón insuperable que acababa de conocer parecía flaquear ante el impacto del inesperado golpe. Él la abrazaba con ternura tratando de remover aquel dolor que la desgarraba. Quería subsanar el tiempo y recuperar los años que la vida le había robado a aquella sufrida mujer.

Andrea trataba de explicarle a Yeidan las razones de su abandono al abogar por su perdón, pero él solo podía sentir una inmensa compasión por ella. Todo el sentimiento que alguna vez había abrigado en su corazón se esfumaba y ahora solo quería protegerla.

—No hay nada que perdonar, ya sé toda la historia, ahora solo necesitamos vivir este nuevo comienzo que la vida nos ofrece —le decía. Ella aceptó con gusto aquella respuesta y se propuso acatar la sabia sugerencia de su hijo.

Andrea no hacía más que admirar a Elo. Ese era el nombre que su padre y ella le habían puesto a Yeidan. Una vez que Leo se tuvo que marchar con Elior, ellos le llamaron Elo en honor a Leo. «El Otro» era el nombre completo, pero ellos lo acortaron y solo le llamaban Elo. Aquel nombre tenía tanto significado. Cuando él nació, su padre y ella fueron consolados y sus corazones se llenaron de esperanza. Luego que toda la historia de separación ocurrió, el destino de Elo cambió y vino a llamarse Yeidan, que en el lenguaje de los miranos significa «la puerta que se abre y trae la semilla de la luz».

¡Qué maravilla de persona había resultado su hijo Yeidan!, pensaba Andrea. Ella había tenido temor de conocerle, pero ahora no podía evitar la inmensa gratitud y satisfacción ante todo lo que la vida le devolvía en aquel joven que tenía frente a ella. Dentro de todo el dolor que ella estaba viviendo, su amor y ternura eran como un oasis que saciaba su sed de justicia. Los hermanos de Yeidan le acogieron en su círculo familiar como si nunca se hubiesen separado. Andrea se había encargado de que su memoria permaneciese viva y que nunca se borrara de sus mentes. Sus hermanos siempre habían soñado con el día en que lo conocieran y aquella esperanza se mantuvo latente en sus corazones.

Capítulo 91

La retribución

En el otro lado del fuerte, Noser seguía maquinando en sus pensamientos sobre las estrategias más efectivas para utilizar contra sus oponentes. No perdía tiempo en seguir planeando su próximo movimiento. Le urgía aprovechar la atmosfera de confusión que permeaba en aquella hora para atacar y así poder destruir por completo al ejército contrario. Se proponía erradicar de Sonar a cada mirano que se opusiera a su causa. Así que, reagrupando su ejército, se dispuso a embestir su ataque con más furia que antes. En aquel momento había mucho desánimo en el campamento de los viajeros. Todos se encontraban desmoralizados. Su líder ha sido derribado y qué mejor momento para atacar. Como dicen, quita al pastor y se dispensarán las ovejas. La oportunidad era perfecta para llevar a cabo su plan.

Cuando ya Noser se disponía a atacar al desventajado campamento, el ejército de niños le salió al encuentro con una táctica que él no esperaba. Al principio se turbó sin entender el movimiento. Luego se mofó de ellos y con sus seguidores se reían a carcajadas de los pobres recursos de su enemigo.

—¡Pobrecitos! —decían con sarcasmo—, deben estar desesperadamente perdidos cuando lo único que les queda son estos indefensos infantes para atacarnos —sintiéndose muy empoderados el ejército de Noser, consideraban que tenían todo bajo control.

Los niños habían esperado con paciencia su oportunidad de actuar después de la caída de Leo y por fin el momento había llegado. Con mucha destreza rodearon el campamento de manera sincronizada y con sus arpas y trompetas comenzaron a tocar las mejores melodías que habían aprendido. Los soldados de Noser se burlaban más intensamente pensando que era la técnica más ridícula que habían visto. Tomando aquella acción de los niños como una broma fuera de tiempo, minimizaron por completo la estrategia de los pequeños.

Mientras ellos tocaban sus instrumentos, liberaban con todas sus fuerzas la frecuencia más poderosa que habían aprendido de Lazuli: la frecuencia del amor. Aquella melodía subía tan alto que se expresaba en notas de luces y colores. El ejército de Versa se confundía cada vez más con aquella tecnología. La música era algo que él y sus seguidores no podían tolerar. Ellos se alimentaban del odio y de los malos deseos extraídos de sus pensamientos ponzoñosos. El amor o la luz no tenían cabida en sus mentes tenebrosas. Así que comenzaron a debilitarse ante aquella frecuencia desconocida para ellos y cayeron en un estado de confusión.

Como salido de la nada, Keki, totalmente desorientado, corrió a tomar la lanza que había traspasado el corazón de Leo y salió corriendo hacia Noser. Este, hinchado de soberbia, se llenó de esperanza confiando en la fidelidad de su siervo Keki. Sabía que fue él la pieza clave que le garantizó la victoria y ahora era la mejor carta con la que contaba. Con orgullo extendió sus brazos para recibir la lanza de manos de Keki, la guardaría como trofeo de condecoración en su honor.

—Al fin alguien me reconoce y me rinde el honor que merezco —se dijo Noser todavía un poco atolondrado por el efecto de la música.

En lugar de eso, Keki se abalanzó con todas sus fuerzas sobre Noser enterrándole la lanza en su pecho. Él necesitaba acallar su conciencia del grito de traición que le atormentaba. Tal vez podía enmendar un poco el daño que había causado en el planeta y sentiría paz. No se perdonaba la muerte de Leo por ganancias de miseria. Luego de manera impredecible, en un impulsivo arrebato, se lanzó al abismo profundo siendo despedazado en su caída sobre las rocas. Allí terminó Keki para siempre dejando tras él la oscura memoria de una historia fútil de vanidad.

Solamente Kebu lamentó la partida de Keki. Sentía tristeza y culpabilidad a la vez por no haber entendido la necesidad de su hermano gemelo. Estaba tan envuelto en su trabajo con los demás que descuidó aquella parte importante de su vida. Lloró y endechó aquel día la muerte de Keki mientras sus amigos lo acompañaban y consolaban de su dolor.

Al verse malherido, Noser corrió a sus soldados quienes lo llevaron en su nave al planeta Tenessa y allí se escondió de la ira de Elior. Mientras tanto el ejército de niños continuaba con su melodía sin detenerse. Esa era el arma con la que ellos hacían la batalla. Aquellos niños estaban preparados para utilizar cualquier clase de artefactos de guerra, pero era la música y la lírica de sus canciones las que hacían huir al enemigo.

Los aliados de Noser comenzaron su retirada en un intento fallido de ponerse en fuga, pero los guardianes de Niar y el ejército de Leo fueron tras ellos hasta alcanzarlos a todos, sin que quedara uno de ellos sin ser atrapado. Todos fueron puestos en grandes naves y enviados a Tenessa como castigo. Luego de algún tiempo, Elior ordenó que el planeta fuera expulsado de la galaxia, incinerándose en el espacio sin quedar rastro de él. Así terminó la intrusión de Noser y los enemigos de la galaxia para siempre.

Capítulo 92

Ajustándose al cambio

Los ejércitos de Dasor y Roco se habían unido al campamento de Yeidan para llorar la muerte de Leo junto con el ejército de Andrea. Por tres días vigilaron en duelo por la partida de su gran líder. Los acontecimientos sucedían en el campamento, pero ellos permanecían como suspendidos en el tiempo, repitiendo en sus mentes la escena del lamentable incidente. Aunque nada tenía sentido para ellos en aquel momento, todos estaban más unidos que nunca tratando de vislumbrar una salida viable. El horizonte no se mostraba prometedor, pero ellos aun abrigaban una pequeña esperanza.

Yeidan permanecía en el Fuerte del Acrisolado junto con Andrea tratando de tomar cuidado de ella como le había encargado Leo. La noticia de que él fuera su hermano era lo más hermoso que había escuchado, pero su inesperada partida también había dejado un vacío difícil de llenar. En el poco tiempo que conoció a su hermano, el amor y la admiración que sentía por él era insuperable. Leo se había convertido en su héroe y todas las cosas que hacía estaban a otro nivel.

Natalia estuvo con Yeidan y su familia para apoyarlos en todo, pero también sintió la necesidad de tomar cuidado del resto del campamento. Junto con Roco y Dasor comenzaron a contemplar la idea de regresar a lo que consideraban su vida normal. Ella no tenía idea de lo que pasaría de allí en adelante, todavía no podía visualizar la luz al final del camino. Sabía que tendría que enfrentar a sus padres tarde o temprano, pero en ese momento no tenía ningún sentido de dirección, todo estaba inconcluso y sin un norte por dónde empezar.

Natalia recordaba constantemente cada una de las últimas palabras que Leo de dijera antes de morir: «No pares de buscar la verdad hasta restaurarlo todo», pero ella no entendía a cabalidad el mensaje escondido detrás de sus palabras. No sabía cómo podría hacerlo si ya él no se encontraba entre ellos para animarlos. Él era la clave de todo y el camino que los llevaba a la realidad. ¿De qué verdad estaba hablando? ¿Qué era aquello que tenían que restaurar? Noser ya no era una amenaza, pero él como la energía que los movía también se había ido de Sonar.

¡Qué ironías de la vida!, pensaba ella. Aquel que era la fuente de su motivación, ahora se convirtió en la causa misma de consternación y desaliento. Él era la llave que abría todas las puertas y ahora esa misma llave le cerraba la puerta en su corazón. Abatida por la bruma que la embargaba, Natalia buscaba un puerto seguro donde anclar su esperanza. Necesitaba encontrar una salida de aquella pantanosa incongruencia.

Ella no quería envidiar a Yeidan porque lo amaba demasiado y deseaba lo mejor para él, pero ahora él tenía una familia a la que aferrarse mientras ella se había quedado perdida en el abismo de la confusión. Sabía que era un pensamiento egoísta, pero no podía evitarlo. La posibilidad de encontrar a Lazuli se había desvanecido y volvía a quedar en las sombras de una larga pesadilla. Ni siquiera sabía dónde se encontraban sus padres y mucho menos si aún se mantenían con vida. Las lágrimas de rabia y frustración corrieron por su rostro. Por primera vez se sintió sola e indefensa y quería correr a los brazos de sus padres.

En ese momento Andrea la abrazó como si conociera lo que estaba sucediendo en lo profundo de su ser.

—Ven aquí, hija mía, le dijo. Nos tienes a nosotros y todos te amamos. Sabemos que mi hijo te ama más que a la luz, pero en este momento aun esa luz se ha opacado para él —con su abrazo impregnado de amor, Andrea le infundió el calor que ella había añorado en una madre. Se secó las lágrimas y también le retribuyó el abrazo, y abriéndose al consuelo que ella le brindaba se dejó arrullar como niña asustadiza.

Capítulo 93

Ru y la vida

Ru, que también se llamaba Viento, era el encargado de producir la vida en cada planeta de la galaxia. Él se había empeñado en traer a Leo de regreso a la vida y hacía un gran esfuerzo para realizar la complicada tarea. Su poder era ilimitado para crear vida y nada era imposible para él cuando se trataba de dar vida. Pero en esta ocasión Ru luchaba contra un enemigo que no había conocido antes: la muerte. Él nunca se había topado con el efecto devastador que esta producía. Traer la vida después de la muerte era algo en lo que nunca había incursionado y desconocía la profundidad de su poder.

Mientras Ru se encargaba de proteger el cuerpo de Leo, Lazuli permanecía escondida en su refugio aislada de todo y de todos. Ru se movía entre el Huerto del Aroma y el Santuario de Lazuli, tratando de deshacer el devastador impacto de la muerte. Sin embargo, paradójicamente, la situación entre uno y el otro era desconcertante. Ru soplaba aliento vivificante sobre el cuerpo inmóvil de Leo para impartirle vida pero, en el caso de Lazuli, sus recursos eran insuficientes. Irónicamente, Leo luchaba por la vida a causa del amor, mientras que Lazuli no quería seguir viviendo sin la presencia de su amado. Ru se enfrentaba ante el dilema de no poder impartir vida a alguien que no la deseaba, aun cuando él tenía todo el poder para hacerlo.

En Sonar Ru se había encontrado que los miranos estaban bajo una programación hipnótica que los sumían en una especie de muerte que era imperceptible para ellos mismos. Por tal razón él había llevado el cuerpo de Leo al Santuario de Lazuli. A todo costo, necesitaba evitar que la penumbra y la incredulidad que permeaba en el ambiente llegara a ser un factor que lo estorbara en su tarea de dar vida. Tenía muy en claro la veracidad del poder que tienen los pensamientos y el nefasto efecto que producen las creencias limitantes y no permitiría que ellas afectaran su poder de crear. Cada uno es dueño de lo que piensa y esclavo de lo que acepta. Ellos habían aceptado la falsa realidad de lo que veían sus ojos y estaban atados ante un mundo de imposibilidades. Aún no habían despertado a la realidad de que todo es posible para el que cree.

Acompañado de su báculo de luz, en el cual había vida procedente de Niar, Ru rodeaba la tumba de Leo infundiendo con aliento en cada ronda. De vez en cuando exhalaba un poderoso olaje de vida que sacudía todo en derredor. Desde lo profundo de su ser, él permitía que la luz se moviera como frecuencia de energía en la liberación de su aliento. Todo se estremecía en el lugar; sin embargo, Leo permanecía en aparente inercia sin reaccionar.

Mientras trataba de darle vida a Leo y levantar de la penumbra a la muriente Lazuli, Viento descubrió que había una operación más poderosa que la muerte. Por primera vez en su historia, Ru se encontraba en terreno virgen. El desafío que presentaba el poder de la muerte era extenuante, pero el poder de creer lo superaba exponencialmente. Esta vez tendría que utilizar toda la operación del poder de la vida que tenía en sus manos, pero para lograr su propósito lo haría con la ayuda de sus aliados.

Capítulo 94
El sueño de Eunice

Esa noche Eunice se retiró a descansar. El sueño la vencía y no podía permanecer en pie. No sabía si era cansancio físico o la ansiedad que la angustiaba por la incertidumbre. Todo el campamento parecía desmoralizado ante la noticia que habían recibido de los sucesos en el fuerte. Eunice quedó profundamente dormida instantáneamente como si la hubiesen anestesiado. De pronto se encontró que estaba descansando en la recámara del palacio en la ciudad de Nun. Ella podía sentir una sensación de paz que nunca antes había experimentado.

En ese momento, Natalia abrió la puerta de la recámara y entró hasta donde estaba su madre. Eunice se incorporó en su cama y con expresión de alegría al ver a su hija, le llamó con asombro y satisfacción.

—¡Natalia! ¡Qué agradable sorpresa el poder contemplarte! Estás sana y más hermosa que nunca —le decía mientras la rodeaba con sus brazos en un emotivo y caluroso abrazo.

—Madre, tengo a alguien que traje conmigo y que necesitas conocer —le dijo Natalia interrumpiendo sus afectos.

—¿Quién es? —inquirió Eunice llena de expectación. En ese momento apareció Lazuli junto a ellas. Eunice quedó confundida y sin palabras ante la inesperada sorpresa.

El parecido de Lazuli con Natalia era extraordinario, como si fueran la réplica una de la otra. La única diferencia era el color entre ambas. Natalia era blanca como la luz de la mañana y sus ojos eran de color ámbar brillante, pero Lazuli era de color oscuro como el ónice y sus ojos cristalizados eran profundos y azules como el zafiro. Era el ser más hermoso que sus ojos habían contemplado.

—¡Es mi hija! —exclamó Eunice llena de emoción y con lágrimas de alegría—. Siempre me lo gritaba el corazón. Sabía que eras real, pero no tenía pruebas de tu existencia y nadie me lo hubiera creído —entonces las tres, entre lágrimas y risas, se envolvieron en un fuerte y largo abrazo.

Luego se pusieron al día con todos los detalles de lo que había sucedido en todo ese tiempo de separación. Juntas fueron hasta el Santuario de Lazuli, subiendo por el Monte del Elevado y pasando por el Alto de la Princesa. Todo era tan hermoso y real que Eunice no quería despertar de aquel sueño.

La lumbrera mañanera apareció en el horizonte y se llevó aquel sueño con los primeros rayos de su luz. Sin embargo, Eunice se levantó feliz, llena de esperanza y de nuevos bríos. Aunque la realidad a su alrededor no había cambiado en nada, ahora tenía más razones para mantenerse con vida y llegar a la meta que se habían propuesto.

Nuestra realidad es más grande que nuestros sueños y nuestra vida mayor que cualquier meta, se dijo para sí misma. Súbitamente supo el camino que los guiaría al fuerte y que hasta aquel momento les había sido velado. Tomando la iniciativa aquella mañana, se levantó muy temprano y animó a los durmientes a apurarse para marchar.

Capítulo 95
Alborozo

La angustia era insufrible en el campamento de Ariel. Habían escuchado las nuevas de la batalla que se libraba contra Noser y sus secuaces, pero no conocían los pormenores de los últimos acontecimientos. Sus hijos estaban involucrados en una guerra para la cual no estaban preparados y ellos no sabían lo que el destino les había deparado. Así que se encontraban turbados y desanimados, y para colmo de males no atinaban con la ruta correcta para llegar al fuerte. Ya debían haber llegado al campamento, pero en lugar de avanzar retrocedían. Parecía que la confusión se había aliado contra ellos y los retrasaba.

Ariel buscaba palabras para animar a su séquito, pero las palabras parecían no existir. El ánimo y la fortaleza se habían desvanecido. El mismo se sentía impotente y sin fuerzas para enfrentar el temor que lo desalentaba. Fue entonces cuando Eunice se levantó y por primera vez en su vida decidió tomar acción. Con sus palabras llenas de valor y gallardía los instó a seguir adelante. Era asunto de vivir o morir, pero no de rendirse. Esa alternativa no era permitida. Habían recorrido un largo camino con la esperanza de hallar a sus hijos con vida y habían luchado arduamente con todos los contratiempos, no podían darse el lujo de rendirse ahora que estaban tan cercanos de lograrlo. Sus palabras cayeron como lluvia de fuego en el apagado ánimo de ellos.

Todos estaban sorprendidos ante la inesperada reacción de Eunice que siempre parecía enajenada del mundo que la rodeaba. Nunca habían conocido esa faceta de su carácter. Al verla tan determinada, todos cobraron fuerzas para continuar su misión que ya estaba retrasada por varios días. Y mucho antes de lo que pensaban, el grupo se había puesto en marcha en la avanzada hacia su destino.

Cuando cayó la noche de aquel día, las lunas de Sonar estaban llenas y resplandecían en el firmamento como nunca antes. La noche se había alumbrado como si fuera de día. Se decía que aquel fenómeno ocurría cada cinco milenios en Sonar, pero ninguno podía dar fe de ello porque nadie había vivido por tanto tiempo. El viento que soplaba venía cargado de ondas sonoras como una sinfónica en un concierto celestial. El aroma perfumado en el aire inundaba la montaña de incienso aromático. Todos vigilaban aquella noche a causa de la expectación.

De pronto se escuchó un gran estruendo y todo el planeta se estremeció, sacudiéndose fuertemente desde sus cimientos. Parecía como si los montes se fueran a desplazar en cualquier momento. Un temor reverente los sobrecogió y no se oía sino solo suspiros. Nadie se explicaba lo que estaba sucediendo, pero ninguno osaba preguntar. Aquella noche, todos, sin excepción alguna, vigilaron. Era la madrugada del tercer día y el grupo seguía sin poder dormir. Para ese entonces miranos de todas las ciudades se habían movilizado hacia el tope del monte.

Capítulo 96

El gran despertar

Repentinamente, Lazuli recobró el aliento y de un golpe se incorporó sobre sus pies. No sabía lo que estaba sucediendo. Pensó en cruzar la Puerta de Espa, pero se detuvo. Aún no sabía cómo cruzar la pared que rodeaba el santuario. En ese momento, un aura de aire cálido la envolvió y ella supo que su amado estaba cerca. Aquel bello sentir la llenó de nuevas fuerzas y determinación. Todo aquel misterioso manto de temor que la arropaba se rasgó y el destello de luz volvió a llenar su vida.

Ella había despertado de su alargado sueño con el estallido de aquel estruendo. Retomando el control de su compostura, determinó hacerle frente a su destino. Fue durante aquel reposo, después del inesperado golpe y su secuela, que ella pudo entender la magnitud de lo que estaba escrito en el rollo de su libro. Había sido una princesa sobreprotegida y guardada del peligro en una atmósfera donde todo fluía de manera armoniosa. No sabía que existían seres perversos que eran capaces de hacer daño. Nunca se había enfrentado al dolor o a la muerte y mucho menos con la maldad.

Ahora le tocaba darle cara a la vida y salir de su enclaustro. Durante toda su vida había vivido en las sombras, ignorada por el mundo e ignorando al mundo exterior. ¡Ahora había llegado el tiempo de manifestarse! ¡Quizás no era tiempo de huir, sino de hacer frente; era tiempo de despertar y tomar acción! Tal vez, hasta cierto punto, ella era parte del causante de lo que estaba sucediendo y se dispuso a ser parte solución del problema.

Había despertado del sueño egoísta de la ignorancia, de la indiferencia, del no me importa y el conformismo. Había descubierto de manera inexplicable que ella era el espíritu que había sido robado de los miranos. Muchos dependían de ella, incluyendo su familia y los niños a su cargo. Parece que Ru no solo la despertaba a la vida, sino también a su identidad, a su esencia de ser, a su conciencia. Aquella nueva revelación fue un amanecer emancipador donde todas las sombras se desvanecieron y las luces se encendieron en su interior.

Lo primero que hizo, luego de su gran despertar, fue correr a la tumba de Leo. Recogió todas las flores que encontró en el camino y con anhelo avanzó hasta el lugar. Miró la cúpula de cristal, pero Leo no estaba allí. Un poco desconcertada por la situación comenzó a buscarlo, sin detenerse. Pensó que tal vez Ru lo había reubicado. Estaba absorta en sus pensamientos mientras recorría los alrededores, cuando de pronto escuchó que alguien pronunciaba su nombre. Era la voz más dulce que había escuchado en mucho tiempo.

—¡Lazuli! —le dijo la voz que sonaba como melodía en sus oídos. Cuando se volvió para ver, allí estaba él, más hermoso que nunca con sus brazos abiertos para acogerla entre ellos.

Capítulo 97

Alborada

Luego de la inmensa conmoción, la calma volvió a reinar en el planeta. La alborada se vislumbraba en el horizonte y con ella un nuevo amanecer. La esperanza se cernía como rocío mañanero que humedecía sus corazones. Algunos de los ancianos sabios, que hasta ahora habían permanecido al margen de los sucesos, comenzaron nuevamente a hacer su aparición. A ellos no les era permitido intervenir en los conflictos de los habitantes de Sonar, solo podían guiarlos de manera práctica cuando fuere necesario; pero eran los miranos los que tenían que pelear su propia batalla para alcanzar su libertad.

El propósito de ellos, los servidores sabios, era ir cerrando la brecha del caos que se había suscitado a causa de la intrusión de Noser en el planeta. Como servidores de los miranos, los ancianos necesitaban minimizar la impresión del impacto que había causado la devastación de la guerra. Ellos lo hicieron acercándose a los diferentes líderes entre los grupos. Necesitaban restaurar la armonía para traer el balance saludable que conciliara todas las partes afectadas. Con su ayuda, ellos conciliaban los detalles de los acontecimientos sucedidos que se habían omitido a causa de lo acelerado del proceso. Pero lo primordial era prepararlos para la nueva etapa de sus vidas en las que estaban a punto de entrar. Había culminado una era y estaban entrando en el umbral de un nuevo comienzo.

Capítulo 98

Volviendo a casa

Natalia había tenido un fuerte sentir en su corazón acerca de sus padres. Llevaba algún tiempo considerando aquellos pensamientos, pero había tenido sus recelos. Aquel sentir le apremiaba y cada vez estaba más convencida de ir en busca de ellos. Ya estaba lista para enfrentarlos y acogerse a las consecuencias necesarias y no podía seguir posponiendo el asunto.

Yeidan se añadió a la iniciativa de Natalia sin que ella se lo preguntara. Él no le dio la opción para negarse a que la acompañara, estaban juntos en esto para bien o para mal. El también necesitaba enfrentar a su padre y aquel era el momento apropiado. Lino y Ado decidieron que los acompañarían en esta ocasión. Ellos tenían muy buen sentido de dirección y les sería muy útil su compañía. Con su ayuda no les tomó mucho tiempo encontrar el campamento de sus padres.

En el campamento del rey todavía aún reinaba la confusión. No sabían de lo que se trataba el estruendo que habían escuchado anteriormente, así que pensaban lo peor. El ánimo de ellos aún estaba muy por debajo, pero se mantenían en pie de lucha para seguir adelante. El rey Ariel había salido a incursionar el camino que los llevaría al fuerte. Ya se encontraban muy cerca del mismo, pero seguían como estancados sin poder atinar con precisión la senda a seguir.

Mientras caminaba por la vereda que le quedaba de frente, Ariel notó que a lo lejos alguien venía en dirección hacia ellos. Al principio se turbó pensando que se trataba de los soldados de Noser, pero luego que miró con atención él no podía dar crédito a lo que veían sus ojos. Apenas alcanzó a ver lo que parecía ser la silueta de su hija en la distancia, Ariel echó a correr a toda prisa para alcanzarla. Sin embargo, sus emociones lo traicionaban y sus piernas parecían debilitarse. Finalmente llegó a donde estaba ella, pero no podía pronunciar palabra, solamente lloraba ante la emoción de poder verla. Había perdido la esperanza de volver a tenerla de frente.

Natalia lloraba junto con él mientras se confundían en un abrazo. Ella trataba de pedirle perdón, pero él no la dejaba. Estaba viva y eso era lo que importaba, le decía una y otra vez sin permitir disculpas. Aquellas lágrimas sellaban todas las diferencias entre ellos y derribaban las paredes que los separaban. Era como si un torrente de lluvia interior lavara con sanidad todo el resentimiento que se había acumulado con los años.

Con tristeza ella contemplaba a su anciano padre que agobiado por la angustia y la incertidumbre, se había vuelto vulnerable. Aquel mirano de aspecto imponente que intimidaba con su porte de majestad, ahora mostraba un rostro demacrado que dejaba ver las huellas del dolor y el tiempo sobre él. Nunca lo había visto tan débil e inseguro. Sintió mucha compasión por su padre y lo abrazaba con ternura. Por primera vez en su vida le dijo cuanto lo amaba y lo mucho que había anhelado aquel momento del cual tenía tanto miedo. Recordaba que los protocolos de la realeza no permitían la expresión de afectos por considerarse poco ético. Ahora ella le daba rienda suelta a la expresión de aquellas emociones que tuvo que reprimir por tantos años.

Después del encuentro con su padre, Natalia llegó hasta donde estaba su madre que la esperaba temblorosa y confundida en emociones. La historia volvió a repetirse en los abrazos y la reconciliación. Ella nunca había soñado con aquel momento tan pletórico de amor y afecto entre ella y su madre.

Natalia notaba a su madre inusualmente expresiva en sus afectos. Quería pensar que se debía a la nostalgia que le producía el reencuentro con ella, pero intuía algo de misterio en aquella actitud. Eunice confirmó sus sospechas y suavemente le susurró que tenía algo importante que compartirle, lo había guardado como un secreto por temor a ser malentendida. Ella consideraba el asunto demasiado preciado como para echarlo a perder entre aquellos que no lo valoraran.

Intrigada por el misterio del asunto, la joven quiso saber de inmediato de qué se trataba, tenía demasiada curiosidad como para esperar. Nunca había visto a su madre tan exuberante de felicidad. Algo maravilloso debía haberle ocurrido.

—Ven conmigo —le dijo su madre. Y encaminándose por una de las veredas ocultas, la condujo fuera del campamento. La llevó a una especie de jardín encerrado por la misma naturaleza parecido a una *sucá* natural—. Aquí me visitó ayer —musitaba todavía temblando de emoción.

—¿Quién te visitó, madre? —inquirió Natalia aún más curiosa que antes.

—Ella —le contestó Eunice.

—¿Ella? ¿Quién es ella, madre? ¡Me tienes en ascuas de tensión! Eunice respiró profundo y dudó si debería decirle, tal vez aun Natalia no estaba preparada todavía para conocer aquella noticia. Entonces guardó silencio, no quería ser juzgada por su hija y prefirió callar.

Natalia estaba perpleja ante la idea de que se tratara de su hermana. Todas las emociones se agolparon en su pecho y tuvo miedo. Tenía miedo de que aquella hermosa realidad fuera solo una ilusión efímera. Trataba de reprimir sus sentimientos, pero no pudo. Abrazó a su madre fuertemente y le dijo:

—¿Cuándo puedo conocerla?

—Ahora mismo —le dijo una voz que no era la de su madre. Natalia no se atrevía a abrir los ojos por miedo a ver que solo estaba imaginando todo aquello. No se atrevía a creer que ella, su hermana, estaba allí. Entonces sintió sus delicados brazos añadiéndose a los de su madre y los de ella.

—Yo tampoco lo creía, querida hermana. Esta es la verdad más hermosa que nos ha pasado. Siempre intuí en mi corazón que algo me faltaba, todo el tiempo hubo un vacío en mi vida y sentía que estaba incompleta, pero escogí sacarlo de mi mente. No quería salir de aquella realidad en la que vivía. No estaba preparada para enfrentar los traumas del pasado y las huellas que dejaron a su paso. Era libre sin aquellas memorias y no necesitaba buscar ataduras. Sin embargo, estaba a medias y sin identidad hasta que decidí caminar por la senda que mi destino me había trazado.

»Sí, es cierto que los golpes duelen y no los quiero, pero cuán útiles son cuando se encarrilan por los rieles apropiados —les decía Lazuli. Natalia guardaba silencio para aspirar cada partícula de aire que disfrutaba en aquel presente. Deseaba que fuera eterno y que nunca terminara. Aquella era la verdad que había salido a buscar y allí estaba frente a ella, haciéndola el ser más feliz del mundo. No eran necesarias las palabras ni las explicaciones, aquella fuerza que fluía entre ellas era más poderosa que cualquier discurso en el universo.

Capítulo 99
El doble gozo

La alegría se había confabulado para hacer un doble acto de presencia. Yeidan tuvo una larga y saludable conversación con sus padres, la honestidad fluía en cada palabra de ellos mientras se comunicaban con sinceridad y transparencia. En el pasado había aceptado el hermetismo de ellos como algo normal y nunca se atrevió a cuestionarles nada. Esta vez fluyeron como caudal las interrogantes que había guardado en su corazón por muchos años y hablaron de temas que nunca se habían tocado en su familia. El encuentro con sus padres le pareció mucho mejor de lo que esperaba. Les contó todas las experiencias vividas durante el período que se había ausentado y abrió su corazón sin reservas ante ellos.

Valena no salía de su sorpresa al descubrir que Yeidan era su propio sobrino, hijo de su hermana Andrea por quien siempre había sentido una gran admiración. Con razón sentía tanta ternura y compasión por aquel pequeño a quien habían prohijado. Le daba pesar los padecimientos y traumas que había sufrido el niño, sin embargo, ahora más que nunca él la llenaba de mucha satisfacción. Quizás ahora tendría que compartirlo con su hermana, pero ello no le preocupaba en lo más mínimo, lo haría con gusto. Le causaba gran alegría pensar que pronto vería a Andrea después de mucho tiempo sin verla.

Yeidan estaba sorprendido de la nueva actitud de su padre. Se veía calmado, tranquilo y con un nuevo brillo en el rostro. Él no le hizo demandas, ni reclamos. Ni siquiera se hacía llamar por su seudónimo de Eneva, había vuelto a ser Elisán y hablaba de su hermano Ariel con mucho respeto. Pero mientras hablaban felizmente en la improvisada tienda de milicia, les llegó una inesperada visita.

Elisán miraba con recelo al recién llegado visitante. ¿Quién era y por qué causó tal impacto en su hijo? Yeidan había quedado de una pieza y su rostro había palidecido como si viera a un fantasma. Antes de que Elisán pudiera reaccionar, Leo se presentó ante ellos. Acto seguido, Elisán se inclinó haciendo reverencia ante el joven que se había hecho llamar Emana.

Elisán sabía de sobras la procedencia del joven y la historia que lo envolvía. No obstante, Yeidan no alcanzaba a comprender lo que veían sus ojos que aún permanecían vedados. El solo sabía que Leo o Emana, como se llamara, era su hermano y mejor amigo, pero también recordaba haberle sacado de su pecho la lanza que le había costado la vida. ¿Cómo es que ahora estaba con vida parado frente a él? Debía tratarse de otra persona, se decía tratando de responder a la avalancha de interrogantes que surgían en su mente.

Las lágrimas de Yeidan corrían copiosamente por su rostro, pero no se daba permiso para creer que se tratara de su hermano Leo el que estaba parado frente a él. Entonces Leo abrazando a Yeidan le confirmó que en efecto se trataba de él. Todas las dudas de Yeidan se desvanecieron al ver la marca que la lanza había dejado en su pecho.

Elisán desconocía los pormenores y detalles de la historia. El parecido entre Yeidan y el hijo de Elior era inconfundible. Andrea y Zado habían guardado el secreto de la procedencia de Leo y nadie sabía su verdadera historia. Elisán siempre había pensado que él había hecho un gran acto de generosidad al recoger a un niño que había sido abandonado a su suerte, pero ahora se estremecía ante la noticia de que su hijo estaba emparentado con el rey de la galaxia. Se sintió tonto al considerar su insensatez de intentar intervenir en un destino que ya se había escogido para su hijo.

Elisán quiso agasajar a Leo con la limitada provisión que poseía en aquel aislado lugar. Trajo sus bebidas añejadas, nueces y frutas selectas para festejar juntos. Quería darle el trato de realeza que merecía y escuchar con gusto la interesantísima conversación de Leo. Yeidan se sentía doblemente bendecido y doblemente feliz en compañía de sus padres y de su hermano.

Capítulo 100
Reunión familiar

Luego de haber conocido a Valena y pasar la tarde en compañía de la agradable pareja, Leo quiso ir con Yeidan a dar un paseo antes del ocaso. Aunque Leo no hablaba directamente del tema, Yeidan había comenzado a comprender las cosas que habían sucedido. Recordó que muchas veces Valena le leía cosas extrañas en aquel libro que le había regalado LaCruci. Todas las piezas empezaban a encajar en su lugar como cuando se arma un rompecabezas. Allí estaba claramente escrito todo lo concerniente a Leo, incluyendo su muerte.

De pronto, Yeidan sintió tristeza al recordar la agonía de su amigo. Se reprochaba el no haber sido de mucho consuelo para Leo aquella noche en que su corazón gritaba por empatía. Él estaba absorto por su mundo egoísta e ignoraba la necesidad que apremiaba en el corazón de su hermano. Ahora entendía la razón de su dolor y el peso de su angustia. Pensaba en la magnitud del sacrificio de Leo y en la manera desinteresada con la que les ayudaba. Sentía vergüenza por la estrechez de su entendimiento y guardó silencio para no dejar traslucir lo que pensaba.

Leo, que conocía los pensamientos de su amigo, le sugirió que caminaran hacia un pequeño jardín que se mostraba en la distancia. A Yeidan le extrañó la sugerencia de Leo, pero no hizo comentarios. Mientras caminaban en aquella dirección se encontraron con Natalia que había salido a tomar un poco de aire fresco.

Natalia se turbó mucho, quedando sin palabras ante aquella inverosímil sorpresa. Dando un giro, se echó a correr hacia donde se encontraba su hermana. Lazuli puso su manos sobre los hombros de Natalia mientras calmadamente le decía:

—Sí, es Leo y está vivo, no es un espejismo. Habíamos guardado la gran noticia para darte la sorpresa junto a toda la familia.

Mientras Natalia abrazaba a Leo y lloraba de alegría, Yeidan se acercó a Lazuli para presentarse ante ella, dando por sentado que se trataba de la hermana de Natalia. Había escuchado de ella y del misterio que la envolvía y tenía muchos deseos de conocerla. Su belleza sobrepasaba a la descripción que le habían dado. Luego alcanzó a ver a la madre de Natalia.

—Usted debe ser Eunice —le dijo mientras le extendía un afectuoso abrazo—. Puedo ver a la distancia el parecido con su hija —luego de conocerse y saber algunos detalles personales, juntos regresaron al campamento con el rey, Elisán y Valena.

Allí hablaron por horas en una hermosa velada. Las chicas pernoctaron la noche en la carroza de sus padres. Por primera vez en sus vidas compartían como chiquillas tratando de ponerse al día y recuperar todos los años que no habían vivido juntas. Leo pasó el resto de la noche en la cabaña de los padres adoptivos de Yeidan. No obstante, antes de que saliera el alba y sin que nadie lo notara, desapareció sin dejar rastro de su paradero.

Capítulo 101
La verdadera victoria

Según la percepción que tenían muchos miranos, Leo había fracasado en su intento de salvar a Sonar. Muchos lamentaban su muerte y sentían lastima por él. No se explicaban cómo Leo, siendo tan buen soldado, había sucumbido ante el ataque de Noser. Quizás lo habían sobreestimado demasiado, pensaban otros. Muy pocos tenía claro el porqué de aquella gran batalla y la razón de la supuesta derrota de Leo.

Noser nunca fue una amenaza para Leo, él no le preocupaba en lo más mínimo. Sin embargo, lo que los miranos creían en sus mentes era muy importante para él. Noser no era más que una mala semilla que se había sembrado en la mente de los miranos y que ellos tenían que erradicar. Por tanto, lo que ellos aceptaban en sus creencias era de crucial importancia para él, ya que en ello se les iba la vida. Él sabía que el poder de la vida y el poder de la muerte se encontraban en las palabras que se hablaban y en los pensamientos que se anidaban en el corazón.

En aquello estribaba la verdadera victoria. No se trataba de eliminar el enemigo desde afuera sino de remover el adversario interior que los saboteaba y les impedía conocer el verdadero potencial que poseían. Dentro de ellos estaba la capacidad de escoger lo recto o de alinearse con la injusticia. Noser inclinaba la balanza de manera desigual y por consiguiente los miranos necesitaban un aliado que equilibrara la balanza.

Según las profecías de los sabios, la lanza que atravesó el corazón de Leo tenía que ser la misma que le diera muerte a Noser. Todo el tiempo Leo estuvo consciente de la realidad de su misión, pues sabía que para aquel propósito había venido a Sonar. Él mantuvo el secreto para sí intuyendo que, de saberlo, sus amigos y aliados estorbarían en el cumplimiento de su designio. De malograrse su plan, los miranos estarían a la merced de Versa. Antes de Keki acercarse a su nave, ya Leo estaba listo para salir en defensa de sus amigos y no permitiría que cayeran en el campo de batalla. Era él quien los protegía y no lo contrario, aunque parecía que otra era la historia.

Leo se encontraba en una encrucijada inevitable. Por un lado, no le hubiera querido causar aquel sufrimiento a aquellos que lo amaban, especialmente a Lazuli, pero porque los amaba le era apremiante tomar la dolorosa decisión. Sabía que Natalia y Yeidan no alcanzaban a entender la razón de su sufrimiento y le angustiaba no poder decirles en aquel momento que todo aquello sería temporero. Entendía que la alegría de la victoria después del sufrimiento sería desbordante. El gozo de la arrolladora victoria que se vislumbraba, lo llevó a tomar aquella dolorosa decisión.

Capítulo 102

Lecciones de la vida

Después del regreso de Natalia, Ariel no volvió a imponer sobre ella algo que fuera contrario a su voluntad, se había propuesto a respetar el derecho de escoger de su hija. Basado en aquella experiencia, Ariel tuvo mucha cautela en su trato con Lazuli. Estaba feliz de haber recuperado a sus dos hijas en un mismo día. La vida lo había recompensado con mucho más de lo que merecía y por nada en su mundo estaba dispuesto a perder aquella segunda oportunidad que el destino le regalaba.

Todavía saboreaba con dulzura los recuerdos de la llegada de sus hijas. ¡Cuántas cosas le tocó aprender con aquella pérdida! Recordaba cómo su corazón revivió cuando se enteró de la existencia de una hija que no sabía que tenía. Siempre se había sentido culpable por no haber estado presente para el nacimiento de Natalia. Por muchos años no había alcanzado a entender aquel sentimiento que lo acosaba, como si parte de él hubiera muerto. Ahora entendía que era la ausencia de Lazuli la que le robaba la alegría de estar completo.

Aquella maravillosa noche los ojos de su esposa brillaban como las estrellas en el cielo después de haber conocido a su hija mayor. Era como si ella hubiese sido vindicada de las dudas y los reproches sin palabras de los que había sido víctima. Su corazón de madre no la engañaba, siempre supo dentro de ella que algo le faltaba. Ariel sentía vergüenza por la falta de sensibilidad ante la necesidad de Eunice y por haber sido burdo y torpe ante su sufrimiento.

Él no había entendido a cabalidad la magnitud del daño que la intrusión de Noser había causado, no solo en el planeta sino también en el seno de su propia familia. Tampoco entendía cómo había sido él quien heredara al trono y no su hermano quien parecía más capacitado que él por su alto sentido de responsabilidad. No había tomado en serio el peso que conllevaba aquella posición, negligencia que había pagado con creces. Ahora parecía que el cielo le bendecía y la vida le mostraba su mejor cara.

Mientras consideraba todas estas cosas, Ariel no salía de su asombro al ver cómo había un arreglo soberano detrás de la manifestación de los sucesos que habían acontecido desde la huida de su hija. Aun el hecho de que su hermano y él no pudieron intervenir en la guerra para defender a sus hijos, era parte de aquel arreglo. Tanto Elisán como él tenían que dejar volar a sus hijos y darles la libertad para que ellos tomaran las riendas de sus propias vidas. Lo hicieron muy bien, pensaba con una sonrisa en el corazón que se desbordaba de gratitud. Así Ariel se preparaba para la llegada del gran día y no podía sentirse más satisfecho por el giro que habían tomado las cosas.

Capítulo 103

Invitación

Cuando llegué a esta etapa de mi historia tuve que detenerme, pues había tantas maneras de terminar la misma. Y al igual que nosotros tenemos infinitas posibilidades para encarrilar nuestras vidas, cada uno posee el potencial de decidir cómo diseñar su destino. Aunque esta es una historia de ficción, también es cierto que contiene muchos elementos que la entrelazan con el dilema de la vida diaria. En el camino muchas veces nos encontramos en la disyuntiva de tomar decisiones y nos hace falta la luz de aquellos que lo han recorrido antes que nosotros, aquellos que se han hecho expertos en fracasar, pero que siguen adelante con determinación y no se dan por vencidos.

Entiendo que no todos nacieron en palacios físicos. Algunos ni siquiera nacieron en una choza, sin embargo todo en la vida es relativo. Así como hacemos de una casa un hogar, también podemos hacer de un hogar un palacio. Es un asunto de tener la vista despejada y de pararnos en la perspectiva correcta. Yo no nací en cuna de oro ni fui tratada como princesa, nunca conocí a un príncipe azul y las dificultades fueron mis sirvientas. En realidad yo me encontraba en medio de una crisis de salud cuando recibí la revelación que dio origen a la narrativa de este relato. Cuando los síntomas de lo que me acontecía alcanzaron su momento crítico, yo fui tomada en un éxtasis a otra esfera, a una dimensión donde todo es posible, donde no hay límites y nosotros tenemos el control del timón de nuestro destino.

Desde entonces he vivido en ese lugar donde yo soy dueña de mis decisiones. Conocí a «NO SER», pero decidí elegir el «SÍ SER» y que nadie, aparte de mí, dicte quién soy. Hoy vivo en la verdad que entiendo que me hace libre y me rodeo de paz, con todo lo que ello implica. Tengo el mejor compañero del mundo: mi poder de escoger y tomar responsabilidad por ello. Yo decido cómo quiero que termine mi historia y saber eso me libera para ser feliz.

Como esta historia tiene mil maneras de terminarla, te invito a que seas coautor en ella y que le des el final que mejor se ajusta a tu imaginación. No obstante, como la vida se repite en ciclos, debemos tener en mente que en ocasiones lo que consideramos ser el fin del camino es solo el comienzo de un capítulo nuevo en la vida, que muchas veces resulta mejor o superior a lo que ya conocíamos. Te adelanto que en mi conclusión de esta historia hay matrimonios, reinados, restauración y todo lo que nos podría aguardar en un futuro lleno de esperanza. Así que le puedes dar rienda suelta a tu imaginación ilimitada y entrar a la esfera donde todas las cosas son posibles. Está en tus manos poner los límites.

Capítulo 104

El regreso de Leo

Desde temprano en la mañana, la multitud comenzó a llenar la gran meseta sobre el Monte del Elevado. Había pasado un año desde que Leo se había marchado y aquel lugar había permanecido desértico. Las expectativas se desbordaban entre los miranos a medida que se acercaba la hora cero. Después de la partida de Leo, muchos de los ancianos habían ido por ciudades y valles haciéndoles llegar una invitación a todos cuantos quisieran asistir al gran evento. Fueron muchos los que mostraron gran interés en estar presentes y los que no podían, por diversas razones, expresaron sus deseos de ser incluidos en futuros eventos.

Leo había llegado al lugar muy de madrugada, pero aún no se había manifestado ante nadie. Los que iban llegando se movían hacia el Alto de la Princesa, lugar que había estado totalmente clausurado hasta aquel momento y que por fin sus puertas se abrían de par en par. Ellos querían tener los primeros lugares para conocerle de cerca. Todos en aquel pequeño planeta habían escuchado la narrativa de los sucesos que habían acontecido durante aquel tiempo y era mucha la expectación. Algunos tenían una versión de la historia y otros conocían otra parte, pero todos hacían alardes de su gran victoria sobre la muerte y anhelaban con ilusión conocer aquel gran héroe que había cambiado el destino de su planeta.

Con la elegante calma que siempre le distinguía, Leo hizo acto de presencia ante la eufórica multitud que le aclamaba. Todos se inclinaban ante él para rendirle el homenaje y la pleitesía merecida. Él les habló en un lenguaje sencillo que todos entendía y se dirigió a ellos como si nunca hubiesen estado separados. Aunque muchos habían tenido interrogantes sobre muchas cosas, todas ellas se desvanecieron y ninguno osaba preguntar ante la majestad de su presencia. La solemnidad que permeaba en el lugar era sobrecogedora.

Luego que Leo compartiera con ellos se escurrió por entre la multitud para completar con algunos asuntos pendiente.

Los invitados especiales fueron tomando su lugar en la plazoleta que se había preparado en el centro de la meseta. El mágico momento había sido exquisitamente arreglado por los amigos de Yeidan y Natalia para la magistral ocasión. Los ancianos acomodaban a los invitados dejando libre el amplio redondel en el centro para la gran celebración. Roco, Dasor y muchos de los componentes del ejército con sus familias ocupaban puestos de honor.

En aquel instante, el ejército de niños se acomodó, en forma semicircular, a ambos lados de la distinguida familia. Con el toque de sus trompetas y bocinas, anunciaron la entrada de Emana (Leo) quien tomó su posición en el centro del círculo. A su llegada, el rey Ariel se levantó de su silla y se inclinó hasta el suelo para rendirle homenaje al distinguido Emana. Todos en el lugar se pusieron en pie y le hicieron reverencia a aquel personaje que aunque tenía porte de rey, emanaba la más humilde actitud. El alborozo duró por espacio de media hora hasta que la euforia se fue calmando.

Finalmente reinaba la paz tras una larga temporada de violencia y descontento. Todos los enemigos de Sonar habían sido erradicados, incluso la muerte. Nadie parecía entender por completo la verdadera posición que Leo ocupaba en la galaxia, ni siquiera sus compañeros de milicia. A veces nuestra realidad sobrepasa nuestros sueños y es nuestra ignorancia de tal verdad la que nos hace minimizarla. ¡Cuántas veces hemos tenido experiencias inefables, pero la estrechez de nuestra mente no nos permite ver la inmensurable grandeza de tales momentos!

Capítulo 105

De princesa a reina

Ariel caminaba por entre la multitud del pasillo de aquella plazoleta improvisada en lo Alto de la Montaña, llevando de su mano derecha aquel tesoro ataviado en atuendo nupcial. El exuberante regocijo que le extasiaba permeaba por sus poros. Ella vestía un sencillo traje perlado de seda cruda que parecía describir a la perfección la transformación metamórfica de su carácter. La dorada cabellera suelta que la cubría era su velo y la luz que ella irradiaba era su corona. Su caminar, como el cántico armonioso de una melodía, le daba un toque sobrenatural. Las lágrimas de emoción corrían por el rostro de muchos, sobre todo el de Ariel. Nadie parecía reconocer a la amada princesa, quien estaba hermosamente transformada.

Las lágrimas del novio también fluían de felicidad. Había soñado tanto con aquel momento que ahora no podía creer que se hacía realidad. La novia se acomodó a su lado mientras sus latidos se aceleraban precipitadamente a causa de la emoción, temía que toda la multitud pudiera escucharlos. Se sonrojó por la cercanía de su amada, pero luego se calmó para darle paso a aquel hermoso presente que estaba viviendo.

La ceremonia procedió de manera acostumbrada, pero antes de culminar algo inesperado sucedió. Ariel se puso en pie frente a Natalia y ante el asombro de todos la tomó de su brazo y la presentó ante el pueblo. Luego tomó su corona y la posó sobre la cabeza de su hija y se inclinó ante ella en señal de reverencia.

—Su majestad —le dijo compungido a causa de la emoción—. Es tiempo que dejes de llamarte princesa y te conviertas en reina. Una princesa solo sabe recibir, pero tú te has hecho experta en servir y eso te califica para reinar —confundida ante la sorpresa, Natalia trató de detenerlo pero él no se lo permitió—. Te has ganado el corazón de este pueblo y es a ti a quien le corresponde gobernar —continuó Ariel mientras el pueblo puesto de pie se desbordaba en una ovación sin precedente.

Después de muchos días, los invitados fueron marchándose a sus respectivas ciudades. Ariel siguió reinando desde la ciudad de Nun, pero más bien como un pasatiempo donde disfrutaba de un merecido retiro. Dasor gobernó, junto con su esposa Narida y sus hijos, sobre todo el área de los teanos. Él contaba con la incondicional ayuda de Ana que nunca los abandonó. Juntos hacían un equipo de excelencia y eran muy queridos por los ciudadanos de Teán.

Roco, que también se había ganado el respeto de todos, había contraído nupcias con una hermosa joven que conoció en el ejército que él lideraba. Su reino se extendió sobre toda en el área de ariáticos que había vuelto a florecer con la más hermosa vegetación y copiosos manantiales. Tanía estaba con ellos, al igual que Sabina y sus servidoras. Ya no había fronteras de separación que los dividiera. Aunque había nuevos reinos entre ellos, todos fungían como si fueran un solo gobierno. Roco y Dasor permanecieron como amigos muy cercanos y se ayudaban como verdaderos hermanos.

Por su parte, Elisán y Valena adoptaron a los niños del ejército de Lazuli y se habían hecho padres de los niños huérfanos del planeta. Después de un corto tiempo de haberse dado a aquella inmensa tarea, ellos también fueron bendecidos con sus propios hijos. La familia se había hecho muy grande y aquello los forzó a moverse a un lugar más espacioso cerca de las montañas centrales donde habían conocido a Ado.

Valena estaba feliz. Sentía que la vida la había vindicado, como si esta le hubiera devuelto los años que habían perdido. Ado se quedó junto a ellos y con su amiga LaCruci eran de gran ayuda con los niños, a quienes llamaba sus nietos. Ariel y Eunice también se ofrecían de voluntarios para, de vez en cuando, ayudarles con los niños. Bueno, en realidad esa era la excusa para estar cerca de ellos y a la vez disfrutar de sus pequeños sobrinos y de la hermosa vista del lugar.

Yeidan y Natalia se quedaron en el Alto de la Princesa para, desde allí, reinar sobre todo el planeta. Un gran número de miranos se quedó a vivir en la vecindad con ellos y formaron una gran comunidad. Aquel lugar se convirtió en el punto de enlace interplanetario y también era la sede entre todas las ciudades de Sonar. Kebu permaneció con ellos y también muchos de los ancianos sabios, entre ellos Gardo y Graciela. Bajo su liderazgo Sonar volvió a ser una gran familia unida por la armonía y el amor.

¿Y Andrea? ¡Sí, claro, Andrea! Bueno, a ella le tocó lo mejor de los dos mundos. Aprovechando la conexión del portal de acceso que fue abierto entre los planetas, viajaba con frecuencia por diferentes lugares. Siempre que podía se encontraba con su querida hermana Valena y su gran amiga Eunice, y, por supuesto, los nietos que llenaban una gran parte de su tiempo. Pero Andrea nunca olvidó a sus vecinos y amigos de las montañas de Nor, allí se retiraba de vez en cuando para tener sus tiempos de solaz y añoranzas. También Eunice y Valena muchas veces se les unían para darse sus escapaditas a las preciosas montañas.

Capítulo 106

El gran tesoro
(Apéndice)

Ya habían pasado muchos años desde aquellos eventos inolvidables, pero como si el tiempo nunca hubiese transcurrido aquellas memorias permanecían vivas en el corazón de Natalia y de los miranos, sobre todo la escena cuando Lazuli fue vista en público por primera vez.

Recordaba que después de su coronación, hubo un lapso de silencio entre los presentes y sus ojos se fijaron en aquel personaje, delicado como el viento, que se encaminaba por los pasillos de la plaza. Envuelta en un precioso atuendo de zafiro y cubierta por un manto de diamantes era llevada de la mano de Ru para ser desposada con el rey Emana. Todavía se emocionaba al pensar cómo aquel lugar se había transformado como si hubiesen sido transportados a otra dimensión. La sublimidad del momento era tanta que apenas se escuchaba la respiración de los presentes.

Natalia miraba aquella joven que tenía frente a ella, cuya belleza trascendía a otros niveles, mientras miles de pensamientos cruzaban por su mente. No había celos en su corazón, pero la admiración que sentía por su hermana era indescriptible y no podía evitar sentirse minimizada. Natalia era hermosa y radiante, pero Lazuli era perfecta e impecable. Su virtud no tenía comparación. Mas, mientras Natalia observaba a su hermana, el velo que cubría su entendimiento se rasgó de repente y como si una luz penetrante alumbrara su interior, se expuso por completo todo lo que hasta entonces le había sido vedado.

En aquel momento, los ojos de Natalia fueron abiertos y se encontró mirando de frente al Gran Zafiro de Noís. Sin embargo, aquella trascendental revelación no se detuvo allí, sino que los velos siguieron removiéndose hasta dejarle ver completamente claro que ella era la otra cara del Zafiro.

Ella entendió que no había una Lazuli sin una Natalia, que un espíritu excelente no se puede expresar sin un carácter apropiado. Ambos son igualmente importantes e inseparables, ya que uno es la esencia del otro. Desde aquella perspectiva todo comenzó a armonizar en un balance perfecto.

Después de ella, todos los demás miranos recibieron la misma revelación. Fue en aquel momento que alcanzaron a comprender quiénes eran realmente. Entonces el misterio que envolvía a Leo les fue revelado. Pero apenas habían percibido aquella realidad, una luz brillante los envolvió y perdieron la noción del tiempo. Cuando volvieron en sí, la pareja de Leo y Lazuli ya no estaba con ellos. Otra vez se encontraban en el tope de la montaña donde se celebraban las bodas. Desde entonces todos supieron con plena certeza de que habían encontrado el tesoro que salieron a buscar, y cada uno regresó a su casa con la posesión del preciado Zafiro.

Lazuli y Natalia nunca volvieron a separarse, permanecieron juntas para siempre, aunque Lazuli vivía en otro planeta y viajaba por toda la galaxia. Su unidad trascendía el tiempo y el espacio. Una era la esencia de la otra y la otra, la expresión de la primera.

Leo tampoco los dejó. Junto con su amada Lazuli siempre estaban allí para ellos. Su presencia lo llenaba todo y se llevaba toda duda y confusión, trayendo de regreso la alegría de ser. Sonar volvió a ser el planeta más hermoso de toda la galaxia. Cada año la mayoría de los miranos subían al Monte del Elevado para conmemorar la gran fiesta del planeta. Aquello se había convertido en el lugar de encuentro entre amigos y familiares. Leo siempre estaba presente durante aquella temporada y disfrutaba con ellos la fiesta que duraba por muchos días. Algunos, incluso, usaban los portales de acceso y viajaban hasta el planeta Niar durante aquellas fiestas para conocer más de cerca al misterioso anciano mayor, Elior. Ningún mirano jamás volvió a experimentar espacios de soledad, pues Leo, era como una fuente que emana vida y Lazuli como el zafiro que llevaban dentro, siempre estuvieron con ellos.

Yeidan había resultado el mejor de los esposos y juntos reinaban con justicia sobre su pueblo. Habían levantado una hermosa familia donde había espacio para ser libre y volar. Ellos nunca perdieron de perspectiva aquello que los había moldeado y siempre mantuvieron una actitud llena de humildad y flexible hacia la vida. Cada día rebosaban en la abundancia de la gratitud y la bienaventuranza. Sí, no faltaron los tiempos tempestuosos, pero ellos contaban con el apoyo incondicional de sus padres y la empatía de sus fieles amigos. Todos aquellos ingredientes se combinaron para hacer de ellos la obra maestra que superaba en hermosura todos los tesoros de Sonar.

Se decía de Niar que era el lugar a donde se retiraban a descansar los que habían alcanzado la perfección. Aquellos que se alineaban en cada parte de su ser con lo que eran. En realidad nosotros somos el Reflejo, la Mira. Lo que somos afecta lo que vemos y lo que vemos transforma lo que somos.

Liza Colón

Nací y crecí en Puerto Rico, pero he vivido gran parte de mi vida en Estados Unidos. Desde niña, siempre tuve una gran imaginación y mi pasatiempo favorito era refugiarme en mi mundo secreto para crear cuentos y aventuras imaginarias, o irme al bosque a recitar poemas a las plantas y los árboles. Por supuesto que me gané sobrenombres y burlas por ello.

Mi formación educativa, incluyendo estudios universitarios me enseñaron conocimientos básicos, pero fueron los desafíos y las experiencias en las diferentes fases de mi vida las que constituyeron el fundamento de mi carácter. Hoy soy pintora, poeta y escritora, ¡curioso!, además de misionera, servidora y viajera. Soy autora del libro La revelación del corazón de Dios. Soy idealista, empedernida y soñadora incurable a quien el embestir de las adversidades no ha podido detener.

[Instagram] @lizacolonautora

Lecturas recomendadas

Filii-Maris. Los hijos del mar (Xiemar Zarazua)

El príncipe escorpión (Daniel Ernesto Vara Torres)

Wilsgör. El mundo olvidado (M. Marzzini)

Legado de Brelios (Diego Cabaña)

Made in the USA
Columbia, SC
28 October 2024